Le Guide de la

FLORIDE

A mes grands et petits diables,
Sébastien et Laurène Nicol,
Alice et Romain Gayet.

LE GUIDE DE LA FLORIDE. I.S.B.N. 2 7191 0637 2.
Dépôt légal 3e trimestre 2002.
VILO, 25, rue Ginoux - 75737 Paris cedex 15 - Tél : 01 45 77 08 05
RCS Paris B 393 330 022.
Collection dirigée par Jean-Michel Renault. Tél. : 04 67 02 66 02.

Consultez notre catalogue par l'Internet : www.livre-en-ligne.com/pelica

Le Guide de la

FLORIDE

texte

Sandrine Gayet

photos

Pascale Béroujon

La Manufacture

Sommaire

DEZERLAND
8701
ELVIS

Le guide de la Floride . Le guide de la Floride . Le guide

INTRODUCTION

Présentation générale
Relief
Climat
La flore
La faune

ALABAMA
GEORGIE
Bay Minette
Perdido Riv.
Escambia Riv.
Blackwater Riv.
Yellow Riv.
Crestview
Choctawhatchee Riv.
Holmes Creek
Marianna
Lake Seminole
Bainbrigde
Ochlockonee Riv.
Thomasville
L. Iamonia
L. Miccosukee
L. Jackson
TALLAHASSEE
Quincy
L. Talquin
PENSACOLA
Pensacola Bay
Perdido Bay
Choctawhatchee Bay
Gulf Breeze
Ft. Walton Beach
West Bay
Deer Point Lake
Dead Lake
Chipola Riv.
Apalachicola Riv.
Ochlockonee Riv.
St. Marks Riv.
Aucilla Riv.
Fenholloway Riv.
Panama City
East Bay
Brothers Riv.
New Riv.
Apalachee Bay
L. Wimico
Dog Isl.
Apalachicola
Apalachicola Bay
St. George Isl.
GOLFE DU MEXIQUE
la Floride
Limite d'état
Forêt
Marais
50 miles
50 km

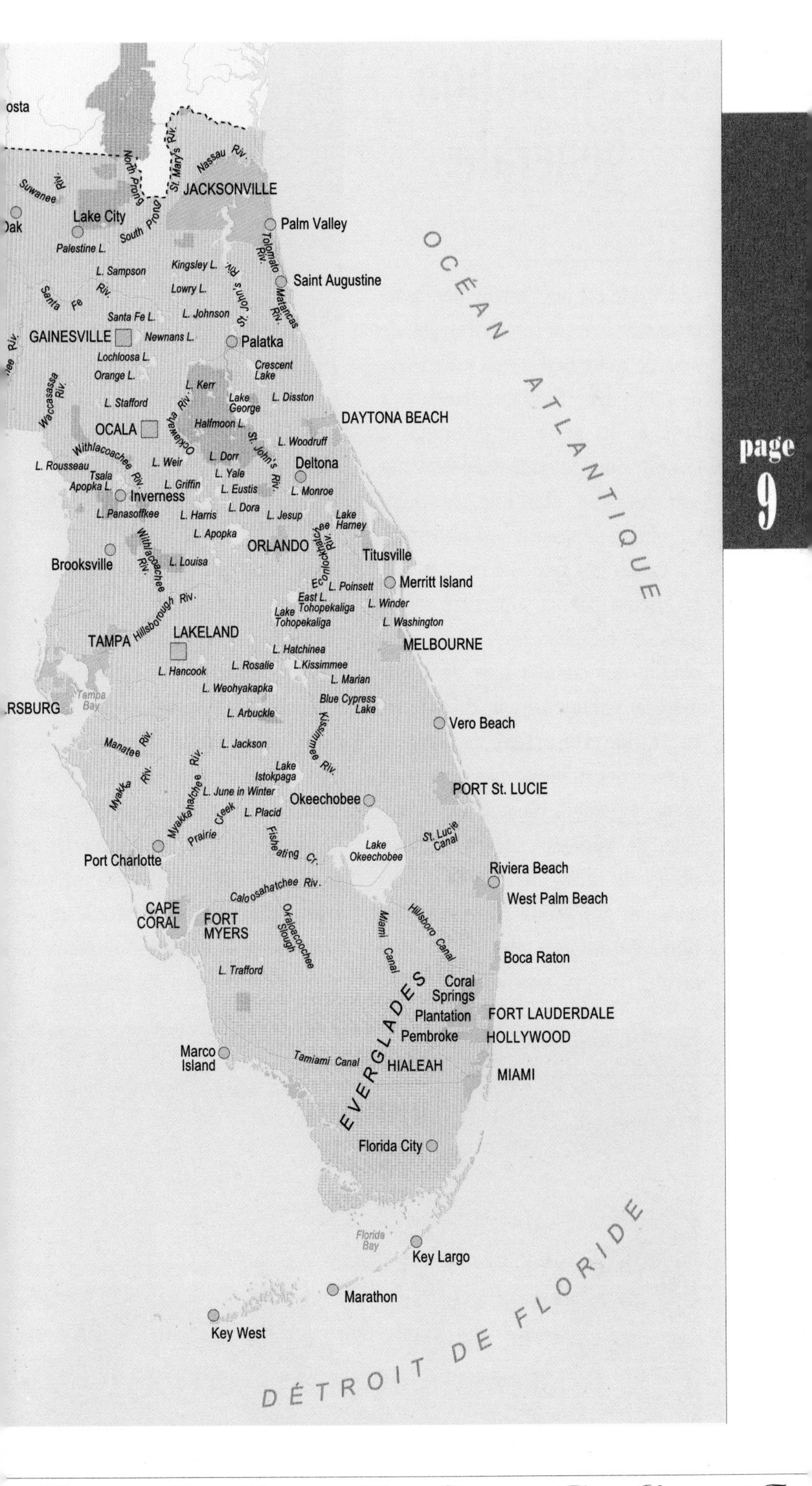

OCÉAN ATLANTIQUE
DÉTROIT DE FLORIDE
JACKSONVILLE
Palm Valley
Saint Augustine
Lake City
GAINESVILLE
Palatka
OCALA
DAYTONA BEACH
Deltona
Inverness
Brooksville
ORLANDO
Titusville
Merritt Island
TAMPA
LAKELAND
MELBOURNE
Vero Beach
PORT St. LUCIE
Okeechobee
Port Charlotte
Riviera Beach
West Palm Beach
CAPE CORAL
FORT MYERS
Boca Raton
Coral Springs
Plantation
FORT LAUDERDALE
Pembroke
HOLLYWOOD
Marco Island
HIALEAH
MIAMI
EVERGLADES
Florida City
Key Largo
Marathon
Key West
Suwanee Riv.
North Prong
South Prong
St. Mary's Riv.
Nassau Riv.
Tolomato Riv.
Matanzas Riv.
St. John's Riv.
Santa Fe Riv.
Palestine L.
L. Sampson
Kingsley L.
Lowry L.
Santa Fe L.
L. Johnson
Newnans L.
Lochloosa L.
Orange L.
Crescent Lake
Waccasassa Riv.
L. Stafford
L. Kerr
Lake George
L. Disston
Ocklawaha Riv.
Halfmoon L.
L. Woodruff
Withlacoochee Riv.
L. Weir
L. Dorr
L. Rousseau
Tsala Apopka L.
L. Yale
L. Griffin
L. Eustis
L. Monroe
L. Panasoffkee
L. Harris
L. Dora
L. Jesup
Lake Harney
L. Apopka
Econlockhatchee Riv.
L. Louisa
L. Poinsett
East L. Tohopekaliga
L. Winder
Lake Tohopekaliga
L. Washington
Hillsborough Riv.
L. Hatchinea
L. Hancook
L. Rosalie
L.Kissimmee
L. Marian
L. Weohyakapka
Tampa Bay
Blue Cypress Lake
L. Arbuckle
Manatee Riv.
L. Jackson
Kissimmee Riv.
Lake Istokpaga
Myakka Riv.
Myakkahatchee Riv.
L. June in Winter
L. Placid
Prairie Creek
Fisheating Cr.
Lake Okeechobee
St. Lucie Canal
Caloosahatchee Riv.
Okaloacoochee Slough
Miami Canal
Hillsboro Canal
L. Trafford
Tamiami Canal
Florida Bay

Présentation générale

La Floride est une longue péninsule façonnée par la mer, frangée de plus de mille neuf cents kilomètres de côtes avec l'océan Atlantique à l'est et le golfe du Mexique à l'ouest. Son paysage surprend par son extrême platitude, le point culminant dépassant à peine 100 m. La caractéristique de ce 22e Etat américain par sa superficie réside dans son fabuleux réseau hydrographique qui compte plus de trente mille lacs et une kyrielle de rivières. La Floride attire tout au long de l'année des millions de visiteurs en quête de soleil, de douceur tropicale, de farniente sur de sublimes plages de sable blanc et de « fun » dans ses nombreux parcs d'attraction. Toutefois, elle cache une facette moins connue mais tout aussi séduisante : celle de ses parcs naturels et sauvages où l'on peut s'adonner à une multitude d'activités, en premier lieu, la randonnée et le kayak. Il y a bien sûr les célèbres Everglades mais également Big Cypress ou Ocala National Forest. Les amateurs d'histoire seront agréablement surpris de découvrir de nombreux sites vraiment intéressants, notamment sur la façade atlantique qui abrite Saint Augustine, la toute première ville des Etats-Unis.

Des milliers de touristes, pour le plaisir des parcs, du soleil et de la nature.

La Floride en chiffres

Situation : entre 24°30′ et 30° de latitude Nord ; à l'extrémité sud-est des Etats-Unis ; frontières communes avec l'Alabama et la Géorgie.
Surnom : Sunshine State (l'Etat ensoleillé).
Emblèmes : le Palmier sabal ; la fleur d'oranger ; le Puma de Floride.
Population : environ 15 millions d'habitants ; 4e Etat le plus peuplé des USA derrière la Californie, New York et le Texas.
Superficie : 151 670 km², c'est le 22e Etat des USA par sa taille ; 1 950 km de côtes (Atlantique à l'est, golfe du Mexique à l'ouest) ; 30 000 lacs.

Point culminant : 105 m, comté de Walton au nord.
Entrée dans l'Union : 3 mars 1845 (27e Etat).
Capitale : Tallahassee (140 000 habitants).
Autres villes : Miami et Miami Beach (environ deux millions d'habitants) ; West Palm Beach (760 000) ; les Keys (78 000) ; Jacksonville (980 000) ; Orlando (177 000) ; Saint Petersburg (240 000) ; Naples (198 000) ; Pensacola (380 000) ; Saint Augustine (15 000) ; Daytona Beach (62 000) ; Fort Lauderdale (150 000) ; Fort Myers (47 000) ; Tampa (290 000).

distances (en miles) entre les principales villes

	Brooksville	Clearwater	Daytona Beach	Defuniak Springs	Fort Lauderdale	Fort Myers	Fort Pierce	Gainesville	Jacksonville	Key West	Lake City	Lakeland	Miami	Naples	Ocala	Orlando	Panama City	Pensacola	St. Augustine	Sarasota	Sebring	Tallahassee	Tampa	Titusville	West Palm Beach
Daytona Beach	109	160		351	230	207	133	97	89	407	129	108	254	241	75	54	331	425	52	183	140	233	139	46	189
Fort Myers	159	123	207	472	132		128	230	286	271	271	109	145	36	193	153	446	540	251	70	86	354	119	192	124
Jacksonville	144	197	89	281	318	286	221	68		495	60	178	342	321	94	135	261	355	38	238	220	163	190	134	277
Lake City	121	166	129	222	350	271	259	45	60	512		161	372	305	78	150	202	296	90	214	211	104	166	174	309
Miami	272	261	254	583	24	145	121	331	342	154	372	223		108	295	229	557	651	305	214	163	465	246	209	67
Orlando	65	106	54	361	206	153	114	109	135	368	150	53	229	187	72		335	428	98	129	86	242	85	40	166
Pensacola	382	421	425	76	628	540	537	330	355	790	296	431	651	574	356	428	103		386	469	490	192	424	461	588
St. Augustine	133	185	52	312	281	251	184	73	38	458	90	151	305	285	82	98	293	386		223	184	195	177	97	240
Tallahassee	196	236	233	119	442	354	352	144	163	604	104	245	465	388	170	242	98	192	195	284	304		238	275	402
Tampa	46	22	139	356	233	119	146	128	190	385	166	33	246	156	96	85	330	424	177	52	84	238		124	194
Titusville	105	145	46	394	184	192	87	142	134	361	174	93	209	226	105	40	368	461	97	168	125	275	124		143
West Palm Beach	219	216	189	520	43	124	56	268	277	221	309	170	67	146	232	166	494	588	240	175	110	402	194	143	

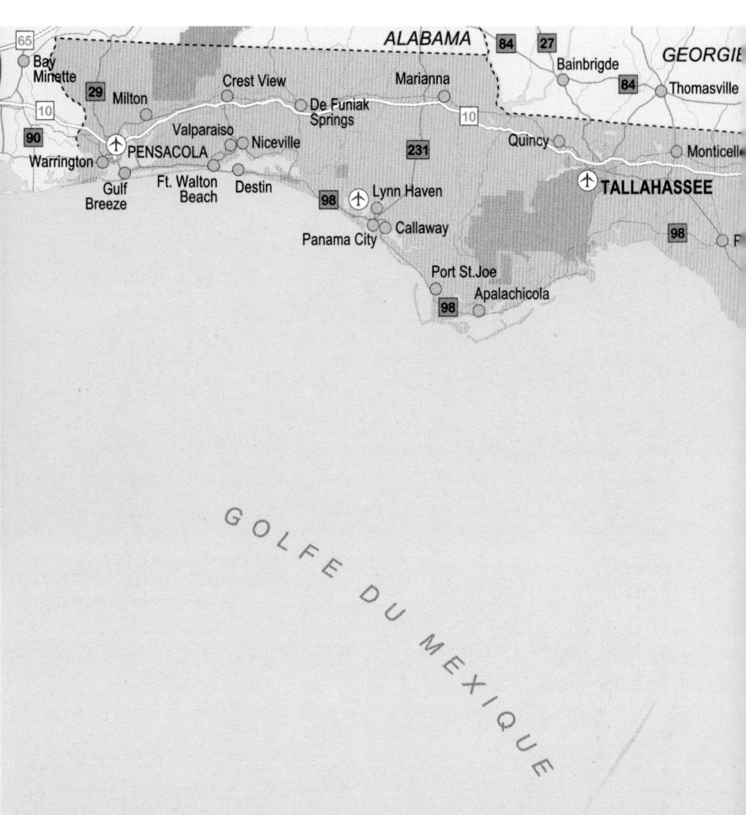

la Floride

- Forêt
- Marais
- Parc
- Réserve
- Limite d'état
- 80 Interstate Highway
- 95 U.S. Highway
- Waterway
- Aéroport
- Centre d'intérêt

50 miles

50 km

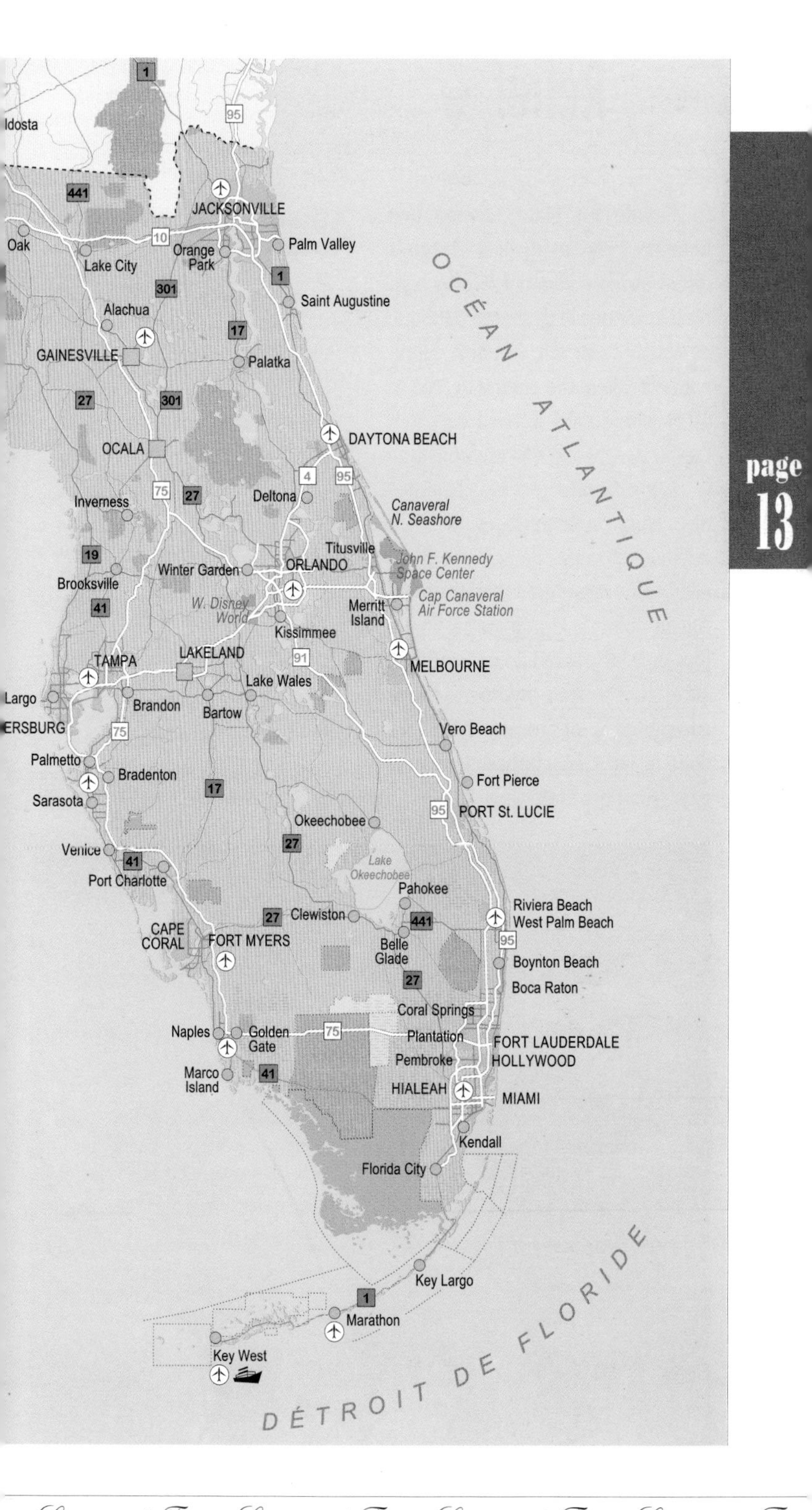

ldosta
JACKSONVILLE
Oak
Lake City
Orange Park
Palm Valley
Saint Augustine
Alachua
GAINESVILLE
Palatka
OCALA
DAYTONA BEACH
Inverness
Deltona
Canaveral N. Seashore
Titusville
Brooksville
Winter Garden
ORLANDO
John F. Kennedy Space Center
W. Disney World
Merritt Island
Cap Canaveral Air Force Station
Kissimmee
TAMPA
LAKELAND
MELBOURNE
Largo
Brandon
Bartow
Lake Wales
ERSBURG
Vero Beach
Palmetto
Bradenton
Fort Pierce
Sarasota
PORT St. LUCIE
Okeechobee
Venice
Lake Okeechobee
Port Charlotte
Pahokee
Riviera Beach
West Palm Beach
Clewiston
CAPE CORAL
FORT MYERS
Belle Glade
Boynton Beach
Boca Raton
Coral Springs
Naples
Golden Gate
Plantation
FORT LAUDERDALE
Pembroke
HOLLYWOOD
Marco Island
HIALEAH
MIAMI
Kendall
Florida City
Key Largo
Marathon
Key West
OCÉAN ATLANTIQUE
DÉTROIT DE FLORIDE
page 13

Relief

La Floride est plate comme une limande. De mauvaises langues disent que son sommet le plus haut n'est autre que la décharge publique de Miami... En fait, le point culminant est une petite colline de 105 m à Lakewood dans le nord de l'Etat. Des Etats-Unis, la Floride constitue la région la plus récente, émergée des eaux subtropicales il y a quelques dizaines de millions d'années. Ici, l'eau est omniprésente. Aucun point de Floride ne se situe à plus de cent trente kilomètres d'une côte. Son réseau hydrographique compte près de trente mille lacs dont le lac Okeechobee, troisième plus grand des Etats-Unis.

Malgré un aspect général très plat et des sols argileux et sablonneux, la Floride offre une certaine variété de paysages : savane, marécages, mangroves, forêts de cyprès, îles coralliennes, collines verdoyantes.

Au nord, collines et forêts

Les Northern Highlands, à la frontière avec l'Alabama et la Géorgie au nord de la Floride, forment une vaste région vallonnée et argileuse qui couvre la majeure partie du Panhandle – région du nord-ouest baptisée ainsi car elle ressemble à une queue de poêle. C'est dans cette région qui s'étire d'est en ouest sur quatre cents kilomètres que se trouve le sommet le plus élevé de Floride (105 m) à Lakewood au nord de De Funiak Springs. Les principales rivières de Floride se trouvent également dans les Northern Highlands comme les rivières Suwannee, Perdido, Chipola, Choctawhatchee, Withlacoochee ou Apalachicola. Les paysages regorgent de fleurs (magnolias), de chênes, de noyers, de forêts de cyprès et de pins.

Parc des Everglades, le plus grand marais subtropical d'Amérique du Nord.

« Panhandle », paysage caractéristique du nord-ouest : pins, buissons et marais.

On observe également dans cette partie septentrionale de Floride une curiosité géologique : les cuvettes d'effondrement (*sinkhole* en anglais). Il s'agit de dépressions karstiques résultant de l'érosion du sous-sol calcaire fragilisé par les alternances d'eaux de pluies et de sécheresse. Elles forment comme de grands bassins naturels, étangs ou lacs. Au début des années 1980, le sol s'affaissa à Winter Park, formant une cuvette de trente mètres de profondeur et quatre-vingt-dix de largeur. Un phénomène relativement fréquent en Floride.

Au centre, lacs, canaux et plantations

Plaines, vallées et collines marquent les Central Highlands, surtout connues pour leurs milliers de lacs. Cette région s'étire de la frontière avec la Géorgie jusqu'à l'immense lac Okeechobee, le plus grand de Floride et le troisième des Etats-Unis par sa superficie. Près de deux mille cours d'eau irriguent cette région où se dressent deux autres sommets de Floride, Iron Mountain (99 m) et Sugarloaf (92 m). Les plaines du centre offrent un paysage assez vallonné où s'étalent les gigantesques plantations d'agrumes, les plus grandes du monde, irriguées grâce à un entrelacs de canaux de drainage. Les palmeraies remplacent les forêts de feuillus.

Plaines côtières, marais et chapelet d'îles

Au sud, le climat s'affirme de plus en plus tropical et les palmiers plus nombreux. Le relief est forgé de basses terres qui entrent profondément dans la péninsule. Au sud de l'Etat se trouvent les incroyables étendues marécageuses des Everglades, troisième parc naturel des Etats-Unis par sa superficie (5 600 km^2), derrière Death Valley (Californie) et Yellowstone (Wyoming). Peu profondes, les eaux des Everglades s'écoulent lentement vers le sud, depuis le lac Okeechobee à la baie de Floride.

Le long des côtes, des centaines de kilomètres de plages de sable blanc. Les plus belles, plus sauvages et au grain fin comme du sucre en poudre se trouvent sur le golfe du Mexique, entre Saint Petersburg et Pensacola. De nombreux estuaires baignent les régions côtières et le mélange des eaux de mer et de rivière favorise la formation d'écosystèmes uniques en Floride. La partie méridionale de la Floride présente ainsi un vaste paysage de mangroves. Dans cet enchevêtrement de racines géantes de palétuviers créant une vraie forêt amphibie, vivent des centaines d'espèces d'oiseaux et de poissons, de lamantins mais aussi de reptiles comme les derniers crocodiles américains et les alligators qui, eux, pullulent.

A l'extrême sud de la Floride s'étire le chapelet d'îles coralliennes, les Keys, reliées entre elles par une route de 180 km, la belle US-1. Vrai paradis pour la plongée sous-marine mais aussi pour la pêche sportive.

Climat

***« Si les Californiens avaient notre eau, ils se croiraient vraiment au Paradis »*, disent les Floridiens. Il est vrai qu'ils vivent sous un ciel bleu. Toutefois, les ouragans viennent parfois troubler ce « paradis » tropical. D'ailleurs, la frange côtière située entre les Keys et Cap Canaveral, plus exposée aux ouragans est surnommée « Hurricane Alley », l'allée des Ouragans.**

Du nord au sud, le climat, privilégié, varie : tempéré au nord-ouest, subtropical au centre et franchement tropical au sud. Cela explique la quasi-absence d'hiver. Il fait chaud toute l'année et ses températures sont les plus élevées des Etats-Unis. La moyenne des températures avoisine les 21 °C en hiver et 31 °C en été. Les Keys, notamment Key West, enregistrent les plus hautes températures moyennes du pays car la moyenne annuelle flirte avec les 25 °C.

Les pluies s'avèrent aussi abondantes, surtout entre mai et octobre. Ainsi, il tombe en moyenne 154 cm d'eau au cours de cette saison des pluies durant laquelle il fait très chaud. L'atmosphère est alors chargée d'humidité et l'air suffocant.

Le fauteur de trouble le plus redouté en

Floride est l'ouragan (*hurricane* en anglais), une tempête tropicale d'une violence inouïe. Il survient particulièrement en août et septembre quand des zones de basse pression se développent au-dessus des mers chaudes des Caraïbes et du golfe du Mexique. Un ouragan présente des vents dépassant les 120 km/h (en deçà, il s'agit « seulement » de tempête tropicale) qui peuvent même dépasser les 300 km/h. Un ouragan peut couvrir des centaines de kilomètres de diamètre et s'accompagne de pluies diluviennes.
Au cours du XXe siècle, la Floride fut balayée par de nombreux ouragans d'une rare violence qui firent des milliers de morts et d'importants dégâts matériels. Un des derniers ouragans dévastateur fut Andrew le 24 août 1992. Une cinquantaine de morts, des milliers de blessés, des dizaines de milliers de maisons rasées ou très endommagées et quelque trente milliards de dollars de dommage.
A l'instar des Californiens très préparés aux tremblements de terre (kits de survie dans chaque domicile, entraînements dans les écoles et entreprises), les Floridiens vivent avec la menace des ouragans et y sont préparés. Dans tout l'Etat, des routes d'évacuation sont prévues ; écoles et entreprises enseignent aux habitants les mesures à suivre en cas d'alerte. Chaque jour, télévision, radio et journaux tiennent la population au courant des alertes et formations qui pourraient menacer la péninsule.

Climat chaud et humide l'été, avec risque d'ouragan d'août à octobre !

introduction

La flore

Un climat chaud et une bonne hydrographie contribuent à la richesse de la flore floridienne dont l'arbre emblématique est le palmier sabal.

Une des particularités de la Floride est ses *hammocks*. Il s'agit d'îlots boisés d'essences variables selon leur zone géographique et donc climatique. Au centre et au nord de l'Etat, ils sont surtout peuplés de feuillus comme les chênes, hêtres, noyers blancs d'Amérique et magnolias. Vers le sud, les *hammocks* abritent des espèces plus exotiques comme le banian, le palmier ou l'acajou. Y poussent aussi, dans le sud, des espèces indigènes comme le gommier rouge aussi appelé gumbo-limbo *(Bursera simaruba)* ou le mancenillier surnommé « l'arbre poison » car il sécrète un suc toxique. Quand il pleut, il faut éviter de s'abriter sous cet arbre qui ressemble au sumac car l'eau dégouttant de ses feuilles provoque des brûlures.

Dans pratiquement toute la Floride on peut admirer des forêts de pins tout à fait adaptés aux sols sablonneux. Quant aux palmiers, la Floride recense une centaine d'espèces dont quinze indigènes. A commencer par le *palmier sabal* dont la Floride a fait son emblème. Le palmier royal, originaire de Cuba et du sud de la Floride, embellit les grandes artères des villes et le palmier-scie nain (*cabbage palm* en anglais car le goût de ses fruits rappelle celui du chou), repérable à ses teintes bleutées, se développe partout.

Autre caractéristique de la flore floridienne : les cyprès, bien sûr, mais surtout les mangroves. Il s'agit de forêts de plantes halophiles (qui vivent dans des sols riches en sel) essentiellement de palétuviers, les seuls arbres aptes à vivre en eau saumâtre. La Floride abrite plusieurs variétés de palétuviers : le blanc *(Laguncularia racemosa)* qui exsude le sel par des glandes situées à la surface des feuilles; le noir *(Avicennia germinans)* qui pousse davantage sur les rivages, et le rouge *(Rhizophora mangle)*, plus commun, qui fut jadis surnommé par les Indiens « l'homme qui marche » du fait de ses racines aériennes qui peuvent faire penser à des membres. Enfin, sur les dunes du littoral poussent des bosquets de chênes verts et de petits palmiers.

***Page de gauche : végétation tropicale avec le palmier, symbole de l'Etat. Une des végétations classiques, les* « pine flatwoods » *ou pins maritimes. Ci-dessus : l'arbre du voyageur. Ci-dessous :* Callicarpa Americana, *l'*American beauty berry.**

La faune

Elle est également très variée. La Floride compte une centaine de mammifères et plus de quatre cents types d'oiseaux (dont la Spatule rosée, l'Anhinga d'Amérique et la Gallinule violacée), attirant depuis toujours les ornithologues amateurs.

Le premier animal que l'on associe à juste titre à la Floride est l'Alligator américain (*Alligator mississippienses*). Longtemps menacé de disparition (près de dix millions furent tués entre 1870 et 1970), ce reptile est aujourd'hui protégé. Toutefois, la Floride qui en abriterait plus d'un million réautorise sa chasse mais de façon contrôlée, afin d'endiguer sa trop grande prolifération. Les alligators bâtissent leurs nids avec des agglomérats de végétaux sur des sols surélevés et jamais éloignés de l'eau. Chaque ponte représente entre vingt et cinquante œufs qui éclosent au bout de deux mois vers la mi-août. Les alligators vivent de préférence en eau douce (lacs peu profonds, marais,

FLA USA

rivières et canaux). Dans le sud, surtout aux Everglades, on en observe beaucoup, il faut donc se montrer prudent. Menacé d'extinction et beaucoup plus dangereux que l'alligator, le Crocodile américain vit surtout en eaux salées. Il y en a quelque cinq cents en Floride à ce jour. Les autres reptiles peu accueillants de Floride sont les serpents. Cinq des espèces indigènes sont très venimeuses, de la famille des crotales et cobras. L'Etat est aussi l'habitat de nombreuses espèces en voie de disparition : le lamantin (mammifère herbivore surnommé « vache de mer »), le Puma de Floride, la Cigogne d'Amérique et la Grue de Floride.

LES TORTUES

Les tortues, marines ou terrestres, sont toutes protégées. Cinq des huit espèces existantes de tortues marines fréquentent les côtes de Floride : les Tortues vertes (Chelonia midas), *les Tortues bâtardes* (Lepidochelys kempii), *les nombreuses Tortues carènes* (Caretta caretta) *et les Tortues luth* (Dermochelys coriacea), *les plus grosses espèces. Elles peuvent peser six cents kilos et mesurer deux mètres de long. Les tortues marines s'accouplent au large et, la nuit venue, les femelles viennent pondre sur les plages entre cent et cent cinquante œufs par nid. La saison de ponte a lieu entre avril et octobre. L'incubation dure à peine soixante jours. En juin et juillet, les Rangers de Floride organisent des visites guidées sur les sites de ponte où l'on assiste à l'éclosion.*

Page de gauche : un Puma. Ci-dessus : le Dauphin, très fréquent dans les Keys. Ci-dessous : « manatee » ou Lamantin, mammifère marin (1500 kg). Pages suivantes : l'Alligator mâle, long de trois à quatre mètres. Amour des iguanes pour cette jeune fille. Pélican blanc d'Amérique, Héron bihoreau, Flamant rose, Ibis blanc, Gravelot, Héron cendré. Fruits d'un palmier. Champ de coton dans le nord. Les Everglades : Big Cypress National Park. Des kilomètres de dunes et de plages de sable blanc. Mer turquoise dans le golfe du Mexique et super yacht sur la côte atlantique.

Princesa

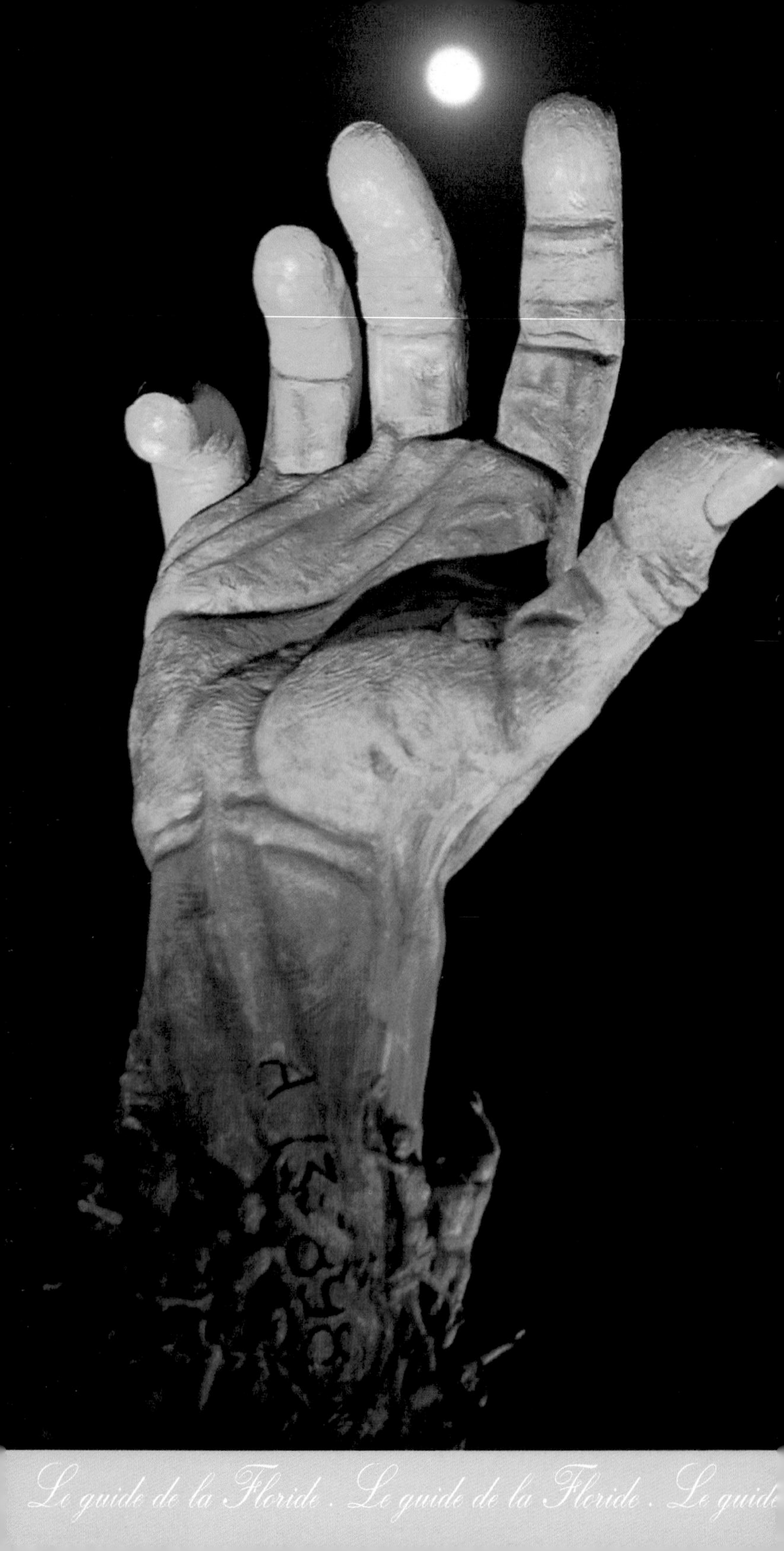

HISTOIRE

Les Indiens
La première colonisation espagnole
La Caroline française
Menaces sur l'hégémonie espagnole
L'hégémonie anglaise
La seconde occupation espagnole
Colonisation américaine et guerres séminoles
Les planteurs esclavagistes
La guerre de Sécession
L'âge d'or des promoteurs
Les années noires
La Floride contemporaine

Histoire

La Floride a assisté aux premiers mouvements de la colonisation européenne sur le continent nord-américain, nourris de nombreuses batailles entre les Indiens qui la peuplaient déjà depuis des milliers d'années et les nouveaux colonisateurs blancs. Elle a vu naître la première ville des Etats-Unis (Saint Augustine) puis fut l'objet d'âpres guerres d'occupation entre troupes espagnoles, anglaises, françaises et américaines. La Floride changea de mains à plusieurs reprises avant de devenir définitivement américaine le 3 mars 1845, date de son entrée dans l'Union. Une histoire fort mouvementée qui s'apaise à la fin du XIXe siècle où la Floride bâtit sa prospérité économique.

Les Indiens

Vers 15 000 avant J.-C., des peuplades sûrement venues d'Amérique centrale et du sud s'installent dans cette partie du monde.
A la préhistoire, plusieurs tribus indiennes occupent la Floride et forment une aussi brillante civilisation que leurs voisins aztèques et mayas. Comme ces derniers, les Indiens de Floride bâtissent plus de dix mille tertres funéraires et vénèrent le dieu Soleil. Quand les explorateurs européens arrivent en Floride au XVIe siècle, plus de cent mille Indiens y vivent : les Tocobagas dans la baie de Tampa, les Timucuans dans le centre et le nord du territoire, les Calusas au sud-ouest, les Apalachee au nord-

Pages précédentes : l'Holocaust Memorial de nuit (sculpture of love & Anguish). Le monument aux naufragés et aux premiers pionniers sur l'île de Key West.
Ci-contre et à droite : totems indiens.

ouest ou encore les Tequestas au sud-est. Chaque ethnie suit ses propres coutumes et respecte sa propre organisation sociale et religieuse. Les unes pratiquent l'agriculture (maïs, haricots rouges, courges), grâce à d'ingénieux systèmes d'irrigation, les autres, la pêche et la chasse. Toutes fabriquent avec art des poteries grâce au travail de l'argile rouge. Au XVIIIe siècle, soit près de deux cents ans après l'arrivée des Blancs, seulement quelques centaines d'Indiens ayant survécu aux guerres et aux maladies importées d'Europe (rougeole, variole et grippe) se réfugièrent à Cuba.

La première colonisation espagnole (1513-1559)

C'est la quête de l'Eldorado qui pousse vers les rivages du Nouveau Monde tant d'explorateurs européens. Mais les premières années de découverte de la Floride furent lourdes en pertes humaines, tant du côté indien qu'européen.

Jean Cabot, cartographe d'origine italienne fut envoyé dans le Nouveau Monde par Henri VIII quelques années après la découverte d'Hispaniola (l'actuelle République dominicaine) par Christophe Colomb en 1492. C'est ainsi qu'en 1498, accompagné de son fils Sébastien, ils approchent des côtes de Floride dont ils relèvent les premiers contours.

Mais c'est le 27 mars 1513 que la Floride fut réellement conquise par l'explorateur Juan Ponce de León ; il débarqua aux environs de l'actuelle ville de Saint Augustine, au nord-est, et la revendiqua au nom de la couronne d'Espagne. Comme il touche cette terre durant les fêtes pascales, au jour des Rameaux (*Pascua Florida* en espagnol), il baptise tout naturellement ce nouveau territoire Florida. A partir de là, commence la colonisation espagnole de la Floride qui ne se fit pas sans mal. En 1521, Ponce de León meurt des suites d'une guerre contre les Indiens. L'exploration des côtes occidentales de la péninsule par Pánfilo de Narváez, se solde en 1528 par la perte de nombreux hommes et navires. Entre 1539 et 1541, une nouvelle expédition menée par Hernando de Soto fut tout aussi désastreuse. A la tête d'un contingent de plus de cinq cents hommes, il s'aventure dans le

centre de la Floride et en remontant vers le nord-ouest, succombe, ainsi que la moitié de ses effectifs, aux fièvres tropicales. Même fiasco pour l'expédition de Tristan de Luna en 1559 alors qu'il tente d'établir une colonie au nord-ouest de la Floride dans la région de Pensacola. Ces échecs successifs détournèrent de cette terre impitoyable les Espagnols qui préférèrent se concentrer sur l'extraction des richesses de leurs territoires mexicains et péruviens.

La Caroline française (1562-1565)

Sous la pression de Gaspard de Coligny, chef du parti protestant français, une expédition de huguenots menée par Jean Ribault débarque en Floride par la rivière St Johns en avril 1562. C'est à son embouchure que les Français bâtissent le fort Caroline. La vie de cette communauté se dégrade rapidement. Malgré l'accueil bienveillant des Indiens, les soldats huguenots se montrent agressifs, brutaux et exigeants. En Espagne, le roi Philippe II s'alarme de cette présence calviniste sur ses terres. Il charge Pedro Menéndez de Avilés de régler la situation au plus vite. Le 3 septembre 1565, ce dernier coule la flottille française et massacre les occupants du fort Caroline. L'Espagne assoit de nouveau son autorité sur cette partie du Nouveau Monde.

Menaces sur l'hégémonie espagnole (1565-1763)

Accompagné de mille cinq cents soldats et missionnaires jésuites et franciscains, Pedro Menéndez de Avilés débarque le 28 août 1565 (jour de la Saint Augustin) dans une anse au nord-est de la Floride où, le 4 septembre, il fonde Saint Augustine. C'est la première colonie européenne établie de manière durable aux Etats-Unis.
La présence espagnole se traduit dès lors par l'implantation de nombreuses missions catholiques entre Saint Augustine, la Géorgie, la Caroline du Sud et jusqu'aux Appalaches. Une importante mission, San Luis de Talimali est édifiée au XVIIIe siècle au centre de ce réseau, non loin de l'actuelle capitale d'Etat Tallahassee.

Carte de la "Province américaine de Floride", dressée par Jacques Le Moyne en 1564.

La plupart des missions espagnoles du Nouveau Monde sont bâties selon un même schéma : une église, un cimetière, des salles de conseil, des maisons d'habitation et des entrepôts. Ces missions servaient à convertir et contrôler les Indiens, obligés de travailler pour les colons.
A la fin du XVIe siècle, les Français basés en Louisiane et les Anglais de Caroline et de Géorgie, inquiets de l'avance espagnole, livrent bataille. En 1584, la reine Elizabeth Ire charge sir Walter Raleigh d'implanter des colonies britanniques en Caroline du Nord. En 1586, sir Francis Drake pille et

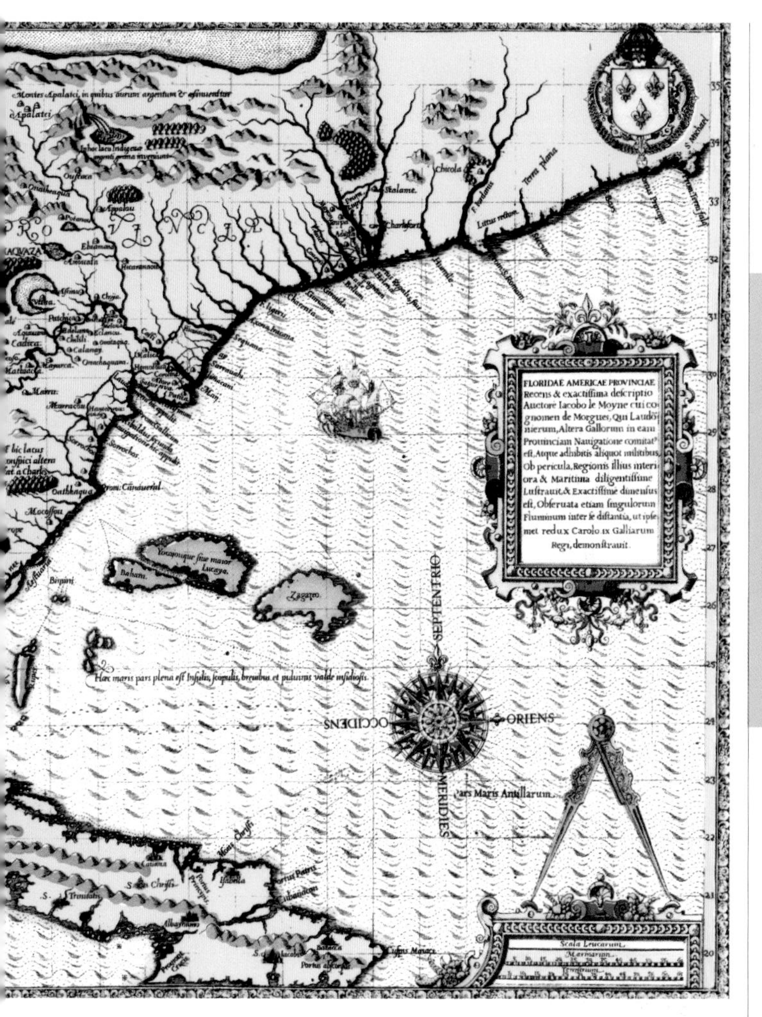

brûle Saint Augustine. En 1672, les Espagnols construisent le premier fort en pierres en Floride, le Castillo de San Marcos, à St Augustine. En 1702, de nouvelles attaques anglaises sont conduites par James Moore, gouverneur de Caroline, qui détruit plusieurs missions. Quelques troupes françaises occupent une région nord-ouest de Floride, vers Pensacola, mais sont vite repoussées par les Anglais qui gagnent de plus en plus de terrain en Amérique du Nord. En quelques années, les Britanniques parviennent à établir treize colonies sur la façade atlantique et maîtrisent tout le territoire qui s'étend du Saint-Laurent au golfe du Mexique. Pour cultiver leurs terres et répondre aux demandes des Européens en produits coloniaux, ils font venir d'Afrique des milliers d'esclaves. Les colonies anglaises du Sud prospèrent à grande vitesse et la Floride est de plus en plus convoitée pour ses grands espaces vierges. S'engage alors, en 1756, une guerre qui oppose les Anglais aux Français. De leur côté, les Espagnols, affaiblis, joignent leurs forces restantes à celles des Français.

L'hégémonie anglaise (1763-1783)

Le traité de Paris, signé en 1763, met fin à la guerre de Sept Ans. Selon ses termes, l'Espagne cède la Floride aux Anglais en échange de Cuba qu'occupent les troupes

Saint-Augustine, la plus vieille ville des USA (1865). Maison historique et balade en bus.

anglaises depuis 1762.
La Floride vit alors un grand changement. Les premières plantations d'agrumes apparaissent, la construction navale y est en plein essor (à cette époque, l'Angleterre est la première puissance navale), les champs d'indigo (pour les textiles), de riz, de canne à sucre, de maïs et de coton apportent aux colons britanniques d'importantes ressources. La Floride est divisée en deux provinces : l'une sous l'autorité de Saint Augustine, l'autre de Pensacola. Les Anglais agrandissent leur territoire en repoussant les frontières de la Floride jusqu'aux rives du Mississippi, englobant l'Alabama où demeurent de nombreux colons espagnols. En 1768, attirés par l'espoir de nouvelles richesses, débarquent en Floride des Grecs et des Italiens qui fondent la New Smyrna, sur la côte atlantique au sud de Saint Augustine. Puis, au milieu du XVIIIe siècle, commencent à affluer de Géorgie et de Caroline du Sud, divers groupes autochtones de la Confédération Creek qui s'installent dans le nord de la Floride. Ce sont eux qui donnent naissance à deux importantes nations indiennes floridiennes : les Miccosukee et les Séminoles.
De leur côté, les Espagnols d'Alabama et de Cuba ne désespèrent pas de récupérer un jour la Floride. La guerre d'Indépendance américaine (1776-1783) favorise leur dessein. En effet, l'Espagne participe indirectement au conflit comme alliée de la France qui soutient la jeune république américaine. En 1781, profitant de l'engagement de troupes anglaises vers le nord, Bernardo de Galváez s'empare de Pensacola. En 1783 éclate la révolte des treize colonies contre la couronne d'Angleterre. Vingt années d'occupation britannique s'achèvent avec la signature du second traité de Paris par lequel l'Angleterre reconnaît l'indépendance des Etats-Unis. La Floride est alors rendue à l'Espagne et La Fayette reçoit

La tour du Castillo de San Marcos, monument national, Saint-Augustine.

en remerciement un titre de propriété.

La seconde occupation espagnole (1783-1821)

Les nouveaux maîtres de la Floride retrouvent, certes, leur territoire, mais les conflits se succèdent et la révolte est générale.
En 1808, le président Thomas Jefferson impose un embargo qui interdit la traite des esclaves ainsi que toute importation de produits anglais et français.
Durant la guerre anglo-américaine de 1812-1814, de nombreux conflits opposent également des tribus indiennes Creeks aux colons. En 1814, les Creeks sont battus à la fameuse bataille de Horseshoe Bend avec, pour conséquence, la cession aux Américains de millions d'hectares de terres indiennes. En 1818, le général Andrew Jackson, connu pour sa haine des « Peaux-rouges », soutenu par le président Madison, attaque plusieurs positions espagnoles et massacre les Indiens, déclenchant ainsi la première guerre séminole. L'Espagne ne parvient plus à gouverner ses possessions et finit par négocier en 1819 avec les Etats-Unis. Le traité Adams-Onís est alors signé. L'Espagne donne aux Américains les terres situées à l'est du Mississippi dont la Floride. Le 17 juillet 1821, le traité est ratifié et la Floride devient américaine sous le gouvernement du général Jackson qui n'aura de cesse de chasser et massacrer les Indiens.

Colonisation américaine et guerres séminoles (1822-1858)

En 1822, les deux provinces de Floride sont unifiées, avec Tallahassee pour capitale.
Le coton, le tabac et la culture des agrumes enrichissent les fermiers de Floride et les colons américains veulent conquérir plus de terres, celles de l'intérieur de l'Etat notamment où vivent quelque quatre mille Indiens Séminoles. C'est le début de la période des squatters, des pionniers sans titre de propriété, que le gouvernement encourage à s'installer. En 1830, Andrew Jackson signe une loi de déportation des Indiens vers l'ouest du

Au XIXe siècle, chaque banque émettait ses propres billets (ici en 1832 et 1844).

La culture du coton aux Etats-Unis. Gravure du XIXe siècle.

Mississippi, l'Indian Removal Act, qui se traduit dans la réalité par l'extermination massive des autochtones. Les Indiens Miccosukee et les Séminoles refusent de se plier à cet exode, surnommé la « Piste des Larmes » *(Trail of Tears)*. Cette traque à l'Indien s'achève en 1832 avec le traité de Payne's Landing, signé par une poignée d'Indiens qui acceptent de céder leurs terres aux Blancs et de se retirer dans une réserve d'Oklahoma. Le 9 mai de cette même année, Osceola, jeune chef indien, refuse ce marché et organise la résistance indienne. Le 28 décembre 1835, des renforts de troupes américaines arrivent en Floride pour faire appliquer le traité et combattre les résistants. L'embuscade tendue près de Bushnell aux soldats de l'Union déclenche la deuxième guerre séminole, conduite par le jeune Osceola. Courageux et habile, il parvient à rallier les tribus séminoles. La guerre fait rage. D'un côté comme de l'autre, on ne fait pas de quartier ni de prisonnier... Les Américains l'attirent alors dans un guet-apens en l'invitant à une conférence pour la paix non loin de St Augustine. Malgré le drapeau blanc, Osceola est capturé et transféré au Fort Moultrie de Charleston en Caroline du Sud où il meurt dans sa cellule en janvier 1838.

Malgré la reprise de la lutte par le chef séminole Halpatter-Miico, cette deuxième guerre séminole s'achève le 14 août 1842 avec la déportation vers l'Oklahoma de près de trois mille Indiens et esclaves noirs et la mort de plus d'un millier de soldats américains. Des Indiens parviennent à s'enfuir et à se cacher dans les marais des Everglades où vivent aujourd'hui près de trois mille de leurs descendants.

Le 3 mars 1845, la Floride devient le vingt-septième Etat de l'Union qui fait pression sur le gouvernement local pour qu'il chasse de la péninsule tous les Indiens restants. Une troisième guerre séminole sévit de 1855 à 1858 et s'achève par la reddition du cacique séminole Billy Bowlegs.

Les planteurs esclavagistes, nouveaux maîtres de Floride

De plus en plus d'immigrants affluent d'Europe attirés par des milliers d'hectares de terre vierge propices à l'élevage et à la culture du coton. Des centaines de plantations voient le jour et la production cotonnière de Floride est une des plus importantes de l'Union avec celle de Géorgie. En 1834, une ligne de chemin de fer est inaugurée entre le marché du coton de Tallahassee et le port de Saint Marks d'où les balles sont exportées vers les filatures de Nouvelle-Angleterre et d'Europe. Malgré le souhait émis par les pères fondateurs de la République américaine, Georges Washington et Thomas Jefferson, à savoir l'abolition de l'esclavage, cette pratique odieuse se poursuit à grande échelle en Floride où l'on profite de cette main-d'œuvre dans les plantations de coton et de canne à sucre. Dans les années 1850, la richesse des propriétaires terriens ne se mesure pas à la superficie de leurs terres mais au nombre d'esclaves qu'ils exploitent !

Guerre de Sécession (1861-1865)

En 1860, Abraham Lincoln est élu président des Etats-Unis. L'arrivée de cet anti-esclavagiste provoque la colère des planteurs des Etats du Sud. En Floride, où la population approche les cent cinquante

Les "brûleurs de coton" pendant la guerre de Sécession.

Lors de la guerre de Sécession, la Floride se rangea sous la bannière confédérée.

mille âmes, près de la moitié est constituée d'esclaves. Aussi quand Lincoln demande l'abolition de l'esclavage, plusieurs Etats sudistes font sécession derrière la Caroline du Sud. Le 10 janvier 1861, après un vote, la Floride quitte l'Union et se rallie à la Confédération. C'est le début de la guerre civile américaine qui durera quatre ans. La Floride pourvoit les Etats confédérés en viande, sel et céréales. Deux grandes batailles se déroulent dans la péninsule. La principale a lieu le 20 février 1864 à Olustee, au cours de laquelle les troupes confédérées parviennent à repousser les Nordistes. Le 6 mars 1865, une autre bataille en Floride est remportée à Natural Bridge par les Confédérés qui sauvent Tallahassee, la seule capitale sudiste qui ne sera pas tombée dans les mains ennemies.
En mai 1865, la guerre de Sécession, qui fut extrêmement meurtrière, s'achève avec la victoire des Nordistes. L'ère de la reconstruction a sonné.

L'âge d'or des promoteurs (1865-1926)

Encore considérée comme une terre « sauvage » par les Américains du Nord, la Floride, qui se trouve au bord de la faillite depuis la fin de la guerre civile, attire promoteurs et investisseurs grâce à l'octroi de subventions importantes et de concessions. Les plus grands travaux qu'elle connut à la fin du XIXe siècle, furent la construction de lignes de chemin de fer, le développement d'une industrie touristique, du fait de son climat tropical unique aux Etats-Unis, l'essor de ses plantations d'agrumes et la découverte d'importants gisements de phosphate. Les

Portrait de Thomas Edison (1847-1931) dans le musée de ses invention, Fort Myers.

deux grandes figures de cette reconstruction en Floride sont Henry Bradley Plant et Henry Morrison Flagler. Le premier, Henry Plant, étend le réseau ferroviaire déjà existant en 1884 et investit dans la construction d'hôtels luxueux. En 1902, il rachète l'Atlantic Coast Line, développant ce réseau jusqu'en Virginie. Henry Flagler, lui, aide à l'extension de la Florida East Coast Railway qui relie les principales villes de Floride : Jacksonville et St Augustine en 1886, Miami en 1896 puis Key West en 1922. Grâce à ces chemins de fer, la Floride sort de son isolement et ses productions hivernales de fruits et légumes peuvent circuler au travers du pays. Au tournant du XXe siècle, la Floride devient la destination chic et à la mode pour les Américains de la côte est. L'absence d'impôts sur le revenu attire les millionnaires et les stars d'Hollywood qui font bâtir en Floride de somptueuses villas. Toutefois, la construction d'un vaste réseau routier qui sillonne la presqu'île et l'apparition de voitures Ford-T, accessibles aux classes moyennes favorisent l'essor d'un tourisme de masse.

Années noires (1926-1932)

Entre 1920 et 1925, la croissance économique de la Floride est la plus forte de tous les Etats-Unis. L'immobilier est en plein boom. Miami Beach pousse à grande

Henry Morrison Flagler (1830-1913)

Il a grandi à New York et dans l'Ohio et quitte sa famille dès quatorze ans pour tenter sa chance. En 1867, grâce à un prêt de cent mille dollars, il s'associe avec John D. Rockefeller. Ensemble, ils fondent la Standard Oil Company qui, dès 1884, devient la plus grande firme et la plus riche des Etats-Unis. Durant l'hiver 1876-1877, Flagler découvre la Floride, un Etat encore peu exploité et urbanisé. En 1884, il achète les petites sociétés de chemin de fer de Jacksonville, Saint Augustine et d'Halifax et crée la Florida East Coast Railroad. Il construit de nombreux hôtels et étend le réseau de chemin de fer vers le sud de la Floride, encore isolé. En 1896, le chemin de fer atteint Miami. La guerre hispano-américaine de 1898 libère le marché cubain et favorise les échanges commerciaux. La construction du canal de Panama convainc Flagler que Key West sera le lieu idéal pour développer ses affaires. Il transforme l'île en plate-forme stratégique où sont interceptées les marchandises qui arrivent par bateau du canal de Panama et qu'il fait ensuite acheminer par train au sein des Etats-Unis. Le 22 janvier 1912, il pose les derniers rails de son réseau ferroviaire à Key West. Aujourd'hui, la route US-1 que l'on emprunte pour se rendre aux Keys suit exactement l'ancien tracé du chemin de fer.

Fort Myers, musée des inventions d'Edison, voiture créée par son ami Ford.

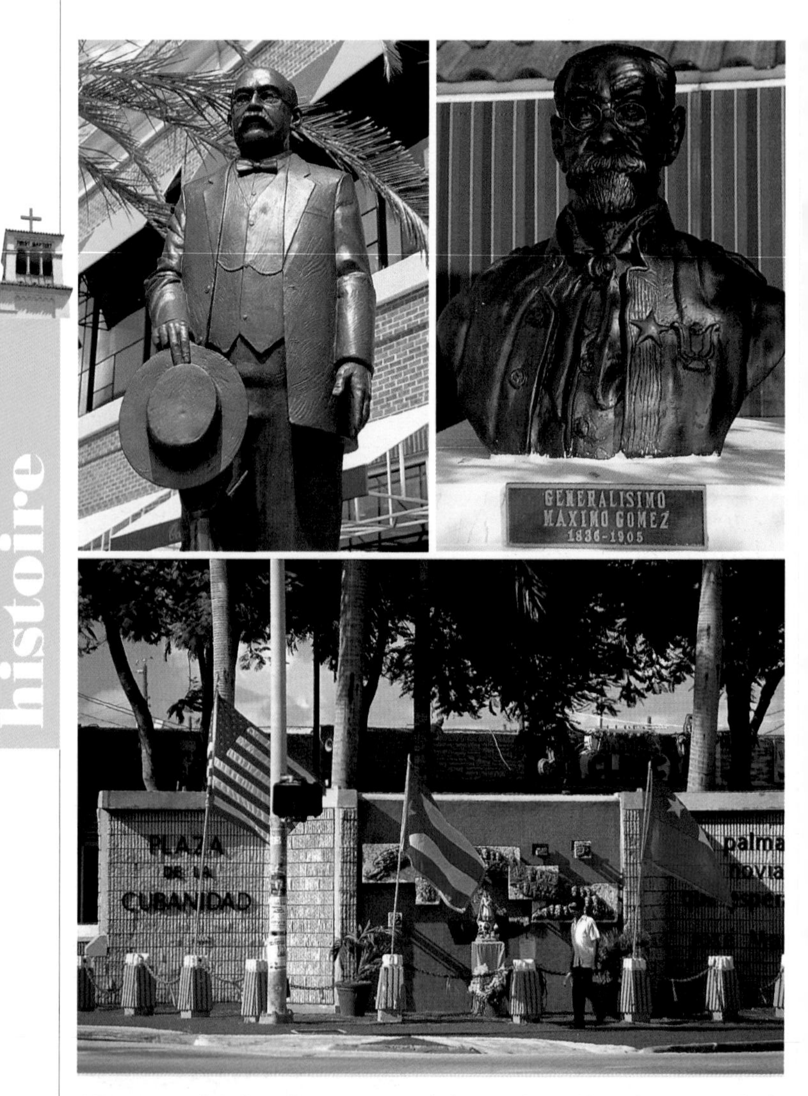

A Tampa, statue de José Marti (1853-1895), leader de l'indépendance de Cuba. A Little Havana, buste de Maximo Gomez y Baez, chef de l'armée de Libération cubaine et la plaza de la Cubanidad.

vitesse et devient un haut-lieu de l'Art Déco. Rien ne semble pouvoir freiner l'expansion du « Sunshine State »... sauf peut-être un terrible ouragan qui ravage en 1926 tout ce qui se dresse sur son passage, et une crise de l'immobilier quasi inévitable après une flambée trop fulgurante des prix. Et puis survient 1929... le krach de Wall Street ce fameux 24 octobre. La Floride n'échappe pas à la « grande dépression » qui foudroie le pays. Il faut l'arrivée de Franklin Delano Roosevelt à la présidence en 1935, soutenu par l'Etat de Floride et son programme « New Deal », pour entrevoir l'éclaircie.

La Floride contemporaine

La population continue de croître pour atteindre deux millions de personnes au début des années 1940 et près du double de visiteurs en quête de soleil. Au cours de la Seconde Guerre mondiale, les plages de Floride servent de terrain de manœuvres aux troupes en partance pour l'Europe. Des bases, aéronautique et navale, s'installent à Pensacola et Key West. Cette guerre va stimuler l'économie américaine et redoper la Floride, notamment ses usines de mise en boîte des jus de fruits, dont elle tire aujourd'hui encore ses principales ressources. Mais c'est la conquête spatiale et les parcs d'attraction qui vont vraiment donner un coup de fouet à la Floride. La NASA installe en effet ses centres de recherche et d'essais sur la côte atlantique de la péninsule d'où partiront les fusées américaines avec, en point d'orgue, le lancement d'Apollo XI depuis Cap Kennedy, le 20 juillet 1969, et son alunissage avec les premiers pas effectués sur la Lune par les astronautes Neil Armstrong et Edwin "Buzz" Aldrin. Les années 1960 voient débarquer en Floride des centaines de milliers de réfugiés cubains et sud-américains qui vont forger une nouvelle culture floridienne mais aussi mettre la Floride aux avant-postes de la guerre froide qui se joue entre USA et URSS (avec notamment la crise des missiles et le conflit de la baie des Cochons en avril 1961).

Et puis un visionnaire du nom de Walt Disney va définitivement placer la Floride sous la bannière du ludisme avec la création, en 1971, de Walt Disney World, gigantesque parc d'attractions qui continue, aujourd'hui plus que jamais, d'attirer les touristes du monde entier.

Dates-clés de l'histoire de la Floride

La première colonisation espagnole (1513-1559)

***27 mars 1513** : L'explorateur Juan Ponce de León arrive en Floride le jour des Rameaux (Pascua Florida), près de l'actuelle ville de St Augustine et baptise la contrée « La Florida ».*

***1528** : L'explorateur Pánfilo de Narváez débarque dans la baie de Tampa*

***1539-1541** : Hernando de Soto explore le centre de la Floride et remonte vers le nord-ouest du continent.*

***1559** : Tristan de Luna tente de fonder une colonie à Pensacola.*

***1562** : Le huguenot français, Jean Ribault établit une colonie française au nord de la Floride et la baptise Caroline en hommage au roi Charles IX.*

***28 août 1565** : Pedro Menéndez de Avilés fonde Saint Augustine, plus vieille ville d'origine européenne aux Etats-Unis.*

***1586** : Le corsaire anglais sir Francis Drake détruit St Augustine.*

***1702-1704** : Le gouverneur James Moore détruit plusieurs missions et contraint Espagnols et Indiens christianisés à abandonner les missions des Appalaches.*

***1720** : Premier peuplement de la Floride par des tribus Creek (Miccosukee et Séminole) venues de Géorgie.*

***1740** : Les soldats anglais arrivent de Géorgie pour occuper la Floride.*

L'hégémonie anglaise et le retour des Espagnols (1763-1818)

***1763** : Le traité de Paris met fin à la guerre de Sept Ans (1756-1763) entre Anglais et Français. Les Espagnols cèdent la Floride aux Anglais en échange de Cuba.*

***1783** : Le second traité de Paris met un terme à la guerre d'Indépendance américaine. L'Angleterre rend la Floride à l'Espagne.*

***1818** : Le général américain Andrew Jackson envahit la Floride, extermine les Indiens, déclenchant la première guerre séminole.*

Colonisation américaine et guerres séminoles (1821-1858)

***17 juillet 1821** : L'Espagne cède la Floride aux Américains en échange du Texas (traité Adams-Onís). Andrew Jackson devient le premier gouverneur de Floride.*

***1822** : Fondation de Jacksonville*

***1823** : Signature du traité de Moultrie Creek ; fin de la première guerre contre les Séminoles.*

***1830** : Andrew Jackson signe l'Indian Removal Act, un décret qui autorise la déportation des Indiens de l'est vers des réserves à l'ouest du Mississippi.*

***1832** : Par le traité de Payne's Landing, les Américains s'approprient en Floride les terres des Séminoles.*

***1834** : Construction de la première ligne de chemin de fer de Floride.*

***1835-1842** : Seconde guerre entre Séminoles et Américains. Des milliers d'Indiens sont déportés vers l'Arkansas.*

3 mars 1845 : La Floride devient le 27e Etat de la Confédération.

1855-1858 : Troisième guerre séminole avec Billy Bowlegs à la tête des Indiens.

Guerre de Sécession et reconstruction (1861-1898)

10 janvier 1861 : La guerre de Sécession démarre pour quatre années de guerre civile ; la Floride se rallie à la Confédération sudiste.

20 février 1864 : Les Sudistes remportent en Floride la bataille d'Olustee, la plus importante de cette guerre, et contrôlent les accès routiers.

6 mars 1865 : Les troupes confédérées de Floride repoussent celles de l'Union à Natural Bridge et sauvent la capitale Tallahassee.

1880 : Début des grands travaux de construction de lignes de chemin de fer par Flagler et Plant.

1883 : Ouverture à Jacksonville du premier collège exclusivement noir.

1885 : Création par Henry Flagler de la Florida East Coast Railway.

Avril 1896 : La ligne de chemin de fer construite par Flagler va jusqu'à Miami qui acquiert le statut de municipalité.

L'âge d'or de la Floride (début du xxe siècle)

1906 : Début des grands travaux de drainage des Everglades

1912 : La ligne de chemin de fer Overseas Railroad, construite par Flagler, est inaugurée.

1917 : les soldats et aviateurs américains s'entraînent en Floride avant de participer à la Première Guerre mondiale.

Septembre 1926 : Un terrible ouragan s'abat sur Miami.

28 octobre 1927 : La Pan American Airways inaugure la première ligne commerciale entre Key West et La Havane.

1928 : Ouverture de la route Tamiami Trail (US-41) qui traverse les Everglades.

1935 : Un ouragan ravage Key West et détruit la ligne Overseas Railroad.

1942-1945 : La Floride devient un terrain d'entraînement pour les soldats engagés dans la Seconde Guerre mondiale.

1947 : Le président Harry Truman inaugure l'Everglades National Park.

1958 : La NASA s'installe à Cap Canaveral et lance le premier satellite américain.

1960-1962 : Des milliers de Cubains fuient le régime castriste et se réfugient en Floride.

1961 : A Cap Canaveral, la NASA envoie l'astronaute Alan Shepard dans l'espace.

1962 : Des étudiants noirs sont acceptés à l'université de Floride.

1964 : Nombreuses émeutes raciales au nord-est de la Floride.

16 juillet 1969 : Apollo XI quitte Cap Kennedy pour la Lune, où il se pose le 20.

1971 : Inauguration près d'Orlando de Walt Disney World.

1977 : Indemnisation des Séminoles pour la spoliation de leurs terres.

1979 : Le quartier Art Déco de Miami Beach est classé comme patrimoine historique américain.

1980 : Arrivée massive de Cubains (Marielitos car ils sont partis du port de Mariel) et importantes émeutes raciales à Miami.

12 avril 1981 : Lancement de la première navette spatiale, Columbia, depuis le Kennedy Space Center.

1986 : Explosion de la navette spatiale Challenger au décollage de Cap Kennedy.

1989 : Exécution en Floride de Theodore Bundy.

avril 1990 : Rencontre Mitterrand-Bush à Key West.

24 août 1992 : L'ouragan Andrew s'abat sur Miami.

1993 : Après l'assassinat de plusieurs touristes étrangers visitant la Floride, l'Etat prend des mesures de sécurité.

1994 : A l'initiative du gouverneur de Floride Lawton Chiles, l'Etat accorde une indemnité pour l'accueil des réfugiés cubains.

Novembre 2000 : Branle-bas dans les élections de Georges W. Bush à la présidence des Etats-Unis. Des problèmes dans le comptage des bulletins de vote retardent le processus électoral. Les assesseurs de Floride doivent refaire manuellement le décompte. Le système électoral américain est la risée de la planète…

« Freedom Tower » construit en 1925, ancien bureau d'immigrartion dans les années 1960 pour des milliers de Cubains. Pages suivantes : maison historique à Pensacola.

BISCAYNE BLVD/US-1
NE 6 ST

"406"
Gilbert
406

HOT
SUNSET
DOGS
HEINZ
HEINZ
HELLMANN'S
Dijonnaise
BEAVER
DIJON
MUSTARD
LOUISIANA

SOCIETE
Economie
Population
Société
Religion
DEC
FLORIDA
12-01
B47 EPK
SUNSHINE STATE
HORSERADISH SAUCE
DIJON
MUSTARD
Floride . Le guide de la Floride . Le guide de la Floride .

Oranges et agrumes de Floride, mondialement connus et réputés.

Economie

Depuis la fin du XIXe siècle, la Floride présente une économie prospère et diversifiée mais c'est le tourisme qui constitue aujourd'hui sa principale force économique.

L'agriculture reste un des secteurs phares de l'économie de la Floride. Elle se place juste derrière la Californie à l'échelon national pour la production des légumes (tomates, melons, maïs, cacahuètes, pommes de terre, concombres et haricots). Elle est le premier producteur mondial d'agrumes (oranges et pamplemousses), cette activité apportant près de dix milliards de dollars dans l'économie régionale et fournissant 80 % de la production américaine. La Floride arrive également en tête pour la culture de la canne à sucre. Elle cultive aussi le tabac, les fraises, les pastèques et les petits citrons verts. Elle compte parmi les plus gros éleveurs de bétail des Etats-Unis avec plus de deux millions de têtes et les industries qui en découlent, laitière et bovine, représentent un quart des revenus fermiers de l'Etat.
Grâce aux six cent cinquante espèces de poissons qui évoluent dans ses eaux, l'industrie de la pêche constitue une activité importante estimée à plus de deux cent cinquante millions de dollars de chiffre d'affaires annuel, avec une place majeure pour la crevette, les huîtres, langoustes, homards et mulets.
L'industrie constitue la seconde activité économique. Arrive en tête le secteur des

Pamplemousses fraîchement pressés !

Bus touristique devant la maison du couturier Gianni Versace sur Ocean Drive.

services (30 % des employés) qui représente plus de 80 % du produit brut de la Floride, grâce aux secteurs de la santé (qui connaît une très forte croissance) et surtout du tourisme *(Voir encadré)*. Vient ensuite le commerce de détail qui représente 13 % du produit brut de la Floride, cet Etat abritant quelques-uns des plus grands centres commerciaux du pays.

Bateaux de location, très colorés et « design », pour se balader entre les îlots de Floride.

L'agroalimentaire est également important puisqu'en Floride sont transformés et fabriqués les jus de fruits concentrés à base d'agrumes que l'on retrouve dans les supermarchés de la planète. Les industries de pointe, malgré la recherche spatiale, ne comptent que pour 10 % du produit brut. L'activité financière joue également un rôle essentiel dans l'économie locale avec une concentration exceptionnelle de banques à Miami où le bâtiment tient aussi une bonne place dans l'emploi.
La Floride dispose de nombreuses ressources naturelles. La forêt occupant la moitié de sa superficie, l'industrie forestière est une importante activité qui fournit le pays en pâte à papier. Le phosphate, plus ancienne production minière de Floride, compte pour 80 % de la production américaine. Les sols sont également riches en tourbe, calcaire et zircon.

Le tourisme

Chaque année, presque cinquante millions de visiteurs viennent se faire dorer sous le soleil de Floride et s'amuser dans ses nombreux parcs d'attraction. Bref, le tourisme est ici un vrai jackpot qui rapporte quelque trente-cinq milliards de dollars à la région et emploie près de sept cent mille personnes (hôtellerie, transports, commerce, loisirs et restauration), soit 13 % de la population active. L'activité loisirs emploie à elle seule près de trois cent mille personnes.

Population

Depuis la fin du XIXe siècle, la croissance démographique de la Floride est une des plus fortes des Etats-Unis. L'immigration, des quatre coins du pays ajoutée à une immigration étrangère, explique ce dynamisme. La concentration s'observe surtout dans quelques grandes villes et sur la « Gold Coast », portion située entre Palm Beach et Miami sur la façade atlantique.

Le recensement de l'an 2000 fait état d'environ quinze millions d'habitants contre douze millions en 1990 et environ dix millions en 1980. La Floride est ainsi devenue le quatrième Etat américain le plus peuplé derrière la Californie, New York et le Texas. Une démographie dynamique qui s'explique en partie par l'accroissement d'une population immigrée. Ainsi, plus de 75 % de la population n'est pas native de Floride. Pour la seule ville de Miami, la population étrangère représente 45 % des habitants ; les Cubains composent l'essentiel de cette population immigrée, suivis des Canadiens, Haïtiens et Jamaïcains.
Plus de 80 % de la population floridienne est urbaine et à elle seule, la « Gold Coast » concentre 35 % de la population. Miami est la ville la plus peuplée de Floride avec environ deux millions d'habitants.
Les autres villes importantes sont Jacksonville (980 000 habitants), Saint Petersburg (240 000), Tampa (290 000), West Palm Beach (760 000), Orlando (177 000) et encore Key West (78 000). La capitale de l'Etat, Tallahassee ne compte que 140 000 âmes.

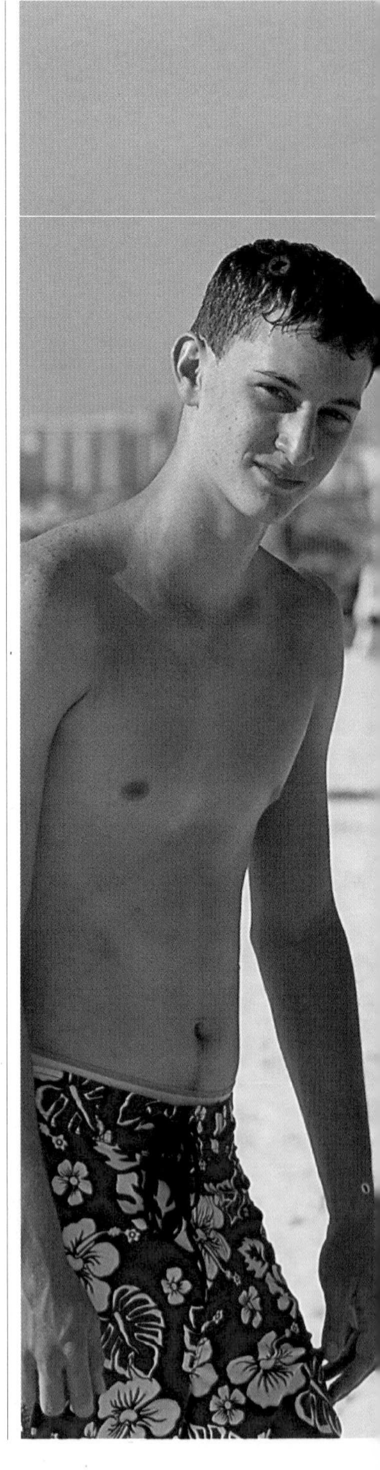

Population très mixte à Miami. 45 % sont nés à l'étranger : Cuba, Haïti, Allemagne, Jamaïque, Canada...

Société

Multiculturelle, la société floridienne a du mal à former un ensemble homogène. Les diverses minorités, de souche ancienne ou récente, ne cohabitent pas vraiment ensemble. Du fait de son climat ensoleillé toute l'année, la Floride accueille une forte population de retraités, la plus importante des Etats-Unis.

sont éleveurs de bétail mais aussi entrepreneurs, à la tête des seuls rares casinos de Floride. Ils travaillent aussi dans le tourisme, étant les seuls à pouvoir promener les visiteurs dans les Everglades.

La communauté noire représente à peine 15 % de la population de Floride contre près de 45 % au début du XXe siècle. Descendants des esclaves africains ou immigrés de fraîche date d'Haïti ou de Jamaïque, les « Afro-américains » sont essentiellement urbains. Une classe noire bourgeoise commence à émerger dans les grandes agglomérations. Au nord de Miami, une communauté vit dans le ghetto de Little Haïti où de violentes émeutes raciales éclatèrent dans les années 1980, les opposant aux immigrés cubains du quartier de Little Havana.

Il y a aussi des jeunes en Floride...

Il vit en Floride deux tribus indiennes : les Séminoles (environ trois mille) qui, bien qu'américanisés, vivent dans leurs réserves situées à Hollywood, Tampa et le parc de Big Cypress ; les Miccosukee (à peine cinq cents) dont la réserve s'étend au sein des Everglades le long de la route Tamiami Trail. Ces deux ethnies descendent directement des Indiens Creek. Ils

Depuis la révolution cubaine de 1959, plus de sept cent cinquante mille immigrés des Caraïbes, surtout cubains, se sont installés en Floride. Ainsi, les Latino-américains, aussi appelés « Hispaniques », forment-ils la plus forte communauté immigrée. Pour le seul comté de Dade qui englobe Miami, ils constituent 43 % de la population. Chaînes de télévision, journaux, magazines de langue espagnole témoignent de cette force culturelle incontournable. Les Hispaniques participent aujourd'hui à tous

les niveaux de la vie politique, économique et sociale de Floride.
Le nord et le nord-ouest de la Floride, région plus conservatrice que le sud, sont plutôt habités par les Yankees, ces Américains originaires des Etats du nord des Etats-Unis. La présence de bases aéronavales à Pensacola explique la présence de nombreux militaires.
On appelle encore parfois « Crackers » les descendants des pionniers blancs qui vivaient en autarcie dans de petits ranchs et qui vivent aujourd'hui dans le nord-ouest de la Floride et plus largement dans les Etats de la côte est des Etats-Unis.
Et puis, qui dit Floride sous-entend retraités et personnes âgées. Normal, la qualité du climat les attire des quatre coins des Etats-Unis, ce qui explique leur surnom de « snowbirds » (oiseaux migrateurs). De fait, durant les mois d'hiver, près de 30 % de la population floridienne a plus de soixante-cinq ans. Le printemps revenu, ils retournent chez eux et leur proportion tombe alors à 15 %, un taux qui survole encore la moyenne nationale proche de 10 %.

Religion

Multiculturelle, la Floride est également multiconfessionnelle avec une prédominance des religions chrétiennes, protestante notamment. Une importante communauté juive vit en Floride, notamment dans les environs de Miami qui a vu affluer de nombreux juifs russes et cubains. Cette religion est fortement pratiquée avec de nombreuses synagogues dans la plupart des grandes villes.
Parmi les cultes minoritaires, il faut noter les religions afro-caribéennes, syncrétismes de la religion catholique et de croyances Yoruba issues d'Afrique occidentale. Ces rites, à l'instar du vaudou furent importés en Floride par les esclaves.

Eglise « drive-in ».
On écoute le sermon dans sa voiture !

Pages suivantes : joueurs de dominos à Little Havana, au parc Máximo Gómez sur la « calle Ocho ». Excentricité à tous âges. Vendeur de boissons glacées. De nombreux retraités viennent passer l'hiver dans cet Etat. La population est très mixte dans le sud de la Floride. Panneau original de signalisation « attention, fidèles allant à l'église ». Publicité humoristique pour garder la ligne grâce à une barre de céréales. Homme « Black » bien looké. Groupe de femmes : on vient souvent faire la fête à Miami et Key West. La pêche au gros est une activité très importante sur toutes les côtes de Floride.

U.S. ARMY
fresh squeezed frozen
Lemonade
PiñaColoda
Sno-Cone
Italian Ice
Thirstys

Respect yourself
IN THE MORNING.™
Kellogg's
Nutri-Grain
APPLE CINNAMON

BAHIA • MAR

ICE COLD
Coca-Cola
SOLD HERE
Coca-Cola
The New HARLEY-DAVIDSON
DUO-GLIDE
MOTOR
HARLEY-DAVIDSON
TRADE CYCLES MARK
BUILT for COMFORT
Marilyn Monroe
"ONLY THE PUBLIC CAN
MAKE A STAR"
We Can
GAS 22¢ TODAY
DRINK
Coca-Cola
While you wait
PIR SK 79
ICE
COLD

CULTURE

Arts
Littérature
Peinture
Cinéma
Musique
Architecture
Cuisine
Festivals et événements
Sports et loisirs

Arts

La Floride n'est sûrement pas l'Etat le plus culturel des Etats-Unis mais sa contribution à l'art n'est pas négligeable. De nombreux artistes (écrivains, musiciens ou peintres) ont même acquis une réputation qui dépasse largement les frontières.

culture

LITTERATURE

En fait, les premiers écrits sur la Floride furent ceux des botanistes participant aux expéditions coloniales. Parmi eux, John Bartram (1699-1777) qui décrivit la flore et la faune alors inconnue des Européens dans *A Description of East Florida*.

Au XIXe siècle, les romans remplacèrent les écrits scientifiques. Quelques auteurs floridiens eurent un certain succès comme Washington Irving et Stephen Crane (1871-1900) qui publia *La Conquête du courage* et *La Chaloupe*, ce dernier livre racontant son propre naufrage sur la côte atlantique. Non originaire de Floride mais longtemps une de ses plus célèbres résidentes, **Harriet Beecher Stowe** (1811-1896) publia en 1852 un roman mondialement célèbre, *La Case de l'oncle Tom*. C'est dans un autre de ses titres, *Palmetto Leaves* qu'elle décrit la vie le long de la rivière St Johns.

De nombreux écrivains noirs (Africains-Américains) ont décrit la Floride mais une des voix les plus célèbres est sans aucun doute **Zora Neale Hurston** (1903-1960) qui raconte dans son roman féministe *Une femme noire (Their eyes were watching God* - 1937) l'histoire d'une femme Noire américaine dans la Floride rurale d'avant-guerre.

En 1939, la romancière **Marjorie Kinnan Rawlings** qui s'installa en Floride, obtint le prestigieux prix Pulitzer pour *Jody et le faon (The Yearling)*, l'histoire d'une amitié entre un jeune garçon, Jodie Baxter et un faon dans la région d'Ocala.

Maison ou vécut Ernest Hemingway, de 1931 à 1940, à Key West.

Un des genres littéraires les plus marquants du sud de la Floride a trait aux romans policiers. Dans cette catégorie, l'écrivain le plus connu bien au-delà des frontières est **John MacDonald** (1916-1986). On peut suivre les enquêtes de son héros, le détective privé Travis McGee qui nous emmène entre Miami et Fort Lauderdale, notamment dans le roman *Micmac à Miami*. Mais des dizaines d'autres romanciers connaissent un large public aux Etats-Unis : Randy Wayne White de Tampa dont les thrillers ont souvent l'île de Sanibel pour décor ;

Miami Beach, sculpture devant le « Convention Center ».

Paul Levine de Miami *(Péché mortel)*, Les Standiford ou encore Elmore Leonard *(Gold Coasts)*...

PEINTURE

A l'instar des écrivains, la Floride attira, au XIXe siècle, de nombreux peintres parmi lesquels William Morris Hunt (1824-1879) ou Thomas Moran (1837-1926). Plus contemporain et de renommée mondiale, la Floride hébergea Robert Rauschenberg, un artiste « expérimental ». Aujourd'hui une génération de peintres floridiens se fait connaître, souvent très inspirée par la culture latino-cubaine qui imprègne Miami. C'est le cas d'artistes comme Jose Bedia, Wilfredo Lam ou Consuelo Castaneda.

Galerie d'art sur Lincoln Road, zone piétonne et branchée à Miami Beach.

CINEMA

L'industrie cinématographique se porte bien en Floride où des studios ont été ouverts à Jacksonville et Hollywood (de Floride et non le Hollywood de Californie). De nombreux films pour le grand ou petit écran furent tournés sous ses cieux et pas des moins connus ! *Tarzan, Mary à tout prix, Bodyguard, True Lies, Bird Cage, Flipper le dauphin, Key Largo, James Bond contre Dr No, Goldfinger, Deux flics à Miami, Scarface* avec Al Pacino...
Les vicissitudes et le monde *underground* de Miami, plaque tournante du trafic de drogue, a toujours inspiré les réalisateurs et scénaristes.

Les plumes de Key West

De nombreux écrivains américains ont, semble-t-il, été très inspirés par le ciel bleu, les palmiers et l'atmosphère bohème de Key West où beaucoup ont élu domicile. A commencer par le plus célèbre résident de l'île dans les années 1930, **Ernest Hemingway** *(1899-1961), prix Nobel de littérature en 1954. Plusieurs de ses œuvres furent rédigées dans la belle maison créole aujourd'hui transformée en musée* (Voir chapitre Key West) : En avoir ou pas (To Have and have not), *un roman un peu noir sur les conditions de vie de petits pêcheurs. Sa vie à Key West où il s'adonna à la pêche sportive lui inspira son roman le plus célèbre,* Le Vieil homme et la Mer (The Old man and the Sea – *1952). C'est aussi dans cette petite île qu'il travailla sur d'autres chefs-d'œuvre :* Pour qui sonne le glas, L'Adieu aux armes *et* Les neiges du Kilimandjaro.
Autre hôte illustre de Key West, **Tennessee Williams** *(1911-1983), auteur de* La Rose tatouée *et du fameux roman* La Nuit de l'iguane.
Alison Lurie, *connue pour son roman* La ville de nulle part *n'est pas résidente de l'île mais a écrit un très bon roman,* Un été à Key West *qui, bien sûr, s'y déroule.*

Key West. Parade et fanfare.
Mallory Square, joueur de harpe au moment du coucher de soleil.

MUSIQUE

La musique a toujours trouvé en Floride une terre de prédilection et un large public pour tous les genres. En matière de musique classique, cet Etat peut s'enorgueillir de compter plusieurs orchestres symphoniques (New World Symphony, Florida Philharmonic Orchestra) et d'accueillir de nombreux festivals de musique *(Voir chapitre Festivals)* afro-latino-américaine (reggae, salsa, merengue, mambo, cha-cha...).
La star locale la plus célèbre de par le monde est la chanteuse Gloria Estefan qui a fait de Miami la capitale incontournable de la musique latino.

Architecture

C'est un des domaines artistiques les plus intéressants en Floride tant son patrimoine architectural s'avère important pour un si jeune pays. Selon les régions traversées par les courants de l'histoire et les afflux de population, l'architecture varie et s'imbrique parfois de façon audacieuse.

Styles Colonial espagnol et «Revival»

Ces deux styles architecturaux se voient dans la «vieille» Floride, celle qui connut la colonisation espagnole au XVIe siècle, comme à Saint Augustine, première ville des Etats-Unis, ou à Pensacola. Ce style se caractérise par des maisons dotées d'arcades en adobe, de portes cochères et de cours intérieures. Un des plus anciens édifices de la période espagnole que l'on peut encore visiter est le Castillo de San Marcos à St Augustine. Cette imposante forteresse fut

Maison tropicale. « Seville Quarter » à Pensacola, détail d'arcades d'une maison historique.

érigée en 1695 par les soldats espagnols pour défendre leur ville contre les assauts britanniques. Ce fut aussi le tout premier bâtiment construit en dur. Il est ainsi fabriqué en « *coquina* », un agglomérat à base de calcaire de coquillages aussi appelé lumachelle.

Le style « vernaculaire floridien » ou Cracker

Les Crackers, éleveurs de bétail, arrivèrent en Floride au début du XIXe siècle où ils bâtirent des maisons modestes en pierre de calcaire et bois de résineux. Dotées d'une seule pièce « *single pen* » ou de deux pièces, « *double pen* » ces maisons subirent petit à petit quelques agrandissements. L'ajout d'une cheminée centrale tout d'abord (on appelle ces maisons des « *saddlebags* ») puis d'un toit à quatre versants en pente et d'une large véranda. Cette ultime maison typique de l'époque Cracker est une « *four square* ». On en voit encore de belles proportions dans les régions du nord de la Floride. Dans le nord et nord-ouest, on peut aussi voir des demeures de style néo-grec pourvues de hauts portiques et de colonnades. Avec la montée en puissance des promoteurs du chemin de fer et des grands planteurs, la fin du XIXe siècle vit apparaître également de vastes propriétés de styles victorien et Queen Anne. Elle se distinguent par de grandes vérandas, des tourelles sculptées façon pain d'épices, des façades ourlées aux teintes pastel et des loggias.

Les maisons « Conques »

Les « *conch houses* » sont typiques des constructions réalisées dans l'archipel des Keys à la fin du XIXe siècle jusqu'en 1920. Elles étaient bâties par des charpentiers de marine suivant le modèle utilisé pour les bateaux, en bois sur un socle surélevé de pierres et avec une ossature chevillée et renforcée.

Le style néo-méditerranéen

C'est l'exposition California-Pacific de 1915 qui lança au sud de la Floride la mode architecturale du style néo-méditerranéen, très en vogue dans les années 1920. Il se traduit par des édifices couverts de tuiles rouges et aux façades colorées de teintes pastel, des galeries ouvertes, des baies voûtées, des finitions en stuc, des ornementations en métal et l'utilisation du fer forgé pour orner les balcons et fenêtres. A Miami Beach, Coconut Grove et Coral Gables, de belles villas et quelques immeubles sont dans ce style hispano-mauresque, par exemple le luxueux palace *Biltmore Hotel*. Robert Taylor et Martin Luther Hampton furent, à la fin des années 1920, de grands créateurs exploitant ce style; on doit par exemple à Hampton l'ancienne mairie de Miami Beach.

Seaside, golfe du Mexique : coquette cité nouvelle de villégiature pour retraités et jeunes mariés.

L'hôtel National *à South Beach, un des fleurons du style Arts déco de Miami Beach.*

Le style Arts Déco « Tropical » et « Streamline Moderne »

De la fin des années 1920 aux années 1940, le style Arts Déco prédomina en Floride, s'inspirant du courant européen mais en y ajoutant une touche tropicale. Il détermina la réalisation des immeubles administratifs, des hôtels, des centres commerciaux, des théâtres et mêmes des stations-service. C'est à Miami Beach que l'on peut en admirer la plus grande concentration. Une véritable galerie Arts Déco de plein air! Même le fast-food *McDonald's* est bâti dans ce style!
Ornementations en stuc poli, lignes pures, motifs nautiques, néons, motifs d'inspiration aztèque, maya ou égyptienne (chevrons, palmettes et ziggourats)... sont quelques-unes des caractéristiques de l'Art Déco de Miami Beach *(Pour plus de détail, voir le chapitre Itinéraire - Miami Beach).*
Parmi les grands designers américains des années 1930 et 1940 dont on peut voir les réalisations en Floride, citons Henry Hohauser à qui l'on doit le Sanford Ziff Jewish Museum ou encore quelques hôtels de Miami Beach; Murray Dixon *(Ritz Plaza* ou encore *The Hotel* anciennement *Tiffany Hotel); Anton Skislewicz *(Breakwater Hotel)* ou bien Roy France *(The National...).*

Modern style

L'Art Déco est à South Beach ce que le Modern Miami style est à North Beach. Un style caractéristique des années 1950 et 1960 : formes arrondies, escaliers aérés, jeux de miroirs, tuiles métalliques en mosaïque, utilisation de l'espace... Morris Lapidus et Leonard Glasser furent parmi les grands designers de cette époque. A Miami Beach, ils bâtirent de grands hôtels comme le *Fontainebleau* ou l'*Auditorium (Voir détails dans le chapitre Miami Beach).*

Post-modernisme

Un des exemples les plus marquants en Floride de ce style qui combine l'ancien et le contemporain est la création de la petite station balnéaire Seaside sur le golfe du Mexique. Deux architectes de Miami, Elizabeth Plater-Zyberk et Andres Duany, bâtirent ce village dans le style Cracker, tout en bois de couleurs pastel *(Voir chapitre Itinéraires – Seaside).*
Aujourd'hui, les fantaisies en matière d'architecture se rencontrent dans les hôtels du parc *Walt Disney World* avec des réalisations plus ou moins appréciées... affaire de goûts.

Cuisine

La cuisine floridienne traduit bien la diversité ethnique de sa population : sudiste, cubaine, espagnole, caribéenne, africaine et européenne.
Il existe quelques délicieuses spécialités régionales mais globalement, la Floride ne figure pas au premier rang de la gastronomie américaine.

Chaîne de hamburgers appelée « Checkers ».

Les « QCM » du « breakfast »

Le petit déjeuner est très copieux aux Etats-Unis et peu cher (surtout dans des chaînes comme *Denny's).* Mais commander son petit déjeuner est une épreuve, une sorte de passage d'examen car il faut répondre à une foule de questions à réponses multiples. Pour vous aider, voici quelques réponses au rituel questionnaire matinal.
L'« American breakfast » se compose le plus souvent d'œufs préparés sous toutes les formes possibles : *« scrambled »* (brouillés), *« sunny side up »* (au plat), *« over well »* (au plat, blancs très cuits), *« over easy »* (au plat, blancs assez cuits), *« omelet », « hard boiled »* (durs) ou *« soft boiled »* (mollets).
Ces œufs n'arrivent pas seuls. On les sert avec des *« sausages »* (saucisses), du bacon (canadien ou *smoked* – fumé), du *« ham »* (jambon) ou du steak. Autre accompagnement incontournable, les pommes de terre : *« homefries »* (sautées aux oignons), *« French fries »* (frites) ou en *« hashbrowns »*, c'est-à-dire en galette.
Deuxième volet de ce petit déjeuner *made in USA*, avec ce qui précède on vous sert au choix : les délicieux *« pancakes »* (petites crêpes épaisses) que l'on mange beurrées, à la confiture ou, plus typique, nappées de *« maple syrup »* (sirop d'érable) ou des *« French toasts »* (pain perdu).
Côté pains, on vous demandera de choisir entre *« white »* (pain blanc), *« wheat »* (complet), *« rye »* (noir), *« toasted »*, *« French »* (baguette, parfois ils disent aussi baguette), *« roll »* (petite boule de pain blanc).
Autre alternative pour les pains, les *« bagels »* (petite couronne de pain avec une mie très compacte), souvent servi en sandwich avec du *« cream cheese »* (fromage à tartiner), des « croissants » (pareil)

ou des *« muffins »* (brioches au blé ou maïs), natures ou aux fruits *(« cranberry »* – airelles ou *« blueberry »* – myrtilles).
C'est à peu près tout pour le solide. Les boissons maintenant. Ce qui est agréable aux Etats-Unis c'est que le café est servi à volonté dans la plupart des lieux. Ce qui est moins agréable, c'est qu'il n'est pas bon (idem pour le thé), sauf dans les endroits spécialisés que l'on trouve uniquement dans les grandes villes. Et dans de tels lieux, commander un café devient aussi un casse-tête car il existe une kyrielle de préparations, du noir aux très élaborés avec mousse ou lait ou crème, avec du sirop de chocolat ou de la cannelle, etc. Le mieux, c'est de tenter l'aventure. Pour les jus de fruits frais *(fresh squeezed juices),* ils sont excellents.
Notez quand même que les petits appétits matinaux peuvent commander des céréales à la place des plats aux œufs. Le choix est moins grand et « l'offre » plus classique.

Déjeuner (entre 11h30 et 14h30) et **dîner** (à partir de 17h30-18 heures jusque vers 22 heures) ; la tradition du *« happy hour »* (les boissons sont moins chères) se fait entre 16 heures et 19 heures selon les bars. Vous le constaterez très vite, les Américains consacrent assez peu de temps au repas de midi, souvent pris vite fait sur le pouce (sandwich, hamburger, ou plat à emporter...) et dînent vraiment très tôt.
Dans les restaurants, un même plat coûtera moins cher le midi que le soir, on ne sait pas vraiment pourquoi.
Un repas normal se compose d'une entrée appelée *« appetizer »* (salade, soupe ou petits plats pour patienter) ; ce que les Américains appellent « entrée » sont en fait les plats de résistance, viande ou poisson accompagnés d'un féculent (riz, frites ou purée *« mashed potatoes »)* et d'un légume. Viennent ensuite les desserts notamment les *« cheese cakes »* (délicieux gâteaux au fromage blanc) ou, très courants aussi, les *« carrot cakes »* (gâteaux à la carotte), *« apple pie »* (tarte aux pommes), le *« fudge cake »* (au chocolat épais)...

A tout heure, l'Américain savoure, grignote ou dévore...

Attention ! Les portions servies sont énormes. Une salade de thon aux Etats-Unis, ce ne sont pas trois feuilles de laitue et deux miettes qui se battent en duel, mais un saladier complet avec soit toute la boîte de thon, soit une belle darne de thon frais grillé. Idem pour toutes les commandes, y compris celles des sandwiches. Si en fin de repas il vous reste quelque

Cobb Salad, *un grand classique.*
A tout coin de rue et de plage et à toute heure.

denrée que vous souhaitez emporter, vous pouvez toujours demander un *« doggie bag »*, cela se pratique beaucoup outre-Atlantique, même si l'on n'a pas de chien.

Observation : *Depuis le 1er janvier 2002, la Floride applique une nouvelle loi anti-tabac très stricte. Il est absolument interdit de fumer dans tous les lieux publics, y compris les bars, les restaurants et les clubs.*

Spécialités floridiennes

Dans le nord de la Floride on peut découvrir des recettes dont l'origine remonte au temps des Crackers, les premiers colons américains de Floride. Parmi ces plats, les huîtres de la baie d'Apalachicola cuites à la vapeur, des *« hush puppies »*, sortes de croquettes à la semoule de maïs frites et surtout le fameux *« grits »*, un gruau à base de farine de maïs servi au petit déjeuner avec de la banane plantain. Typique !
L'alligator grillé est parfois proposé dans les restaurants et même dans certains grill-bars de la côte du golfe du Mexique. Epicée et savoureuse, la cuisine cajun est honorée un peu partout dans les Etats du Sud donc également en Floride. Les mets les plus répandus sont le *gumbo*, un ragoût de fruits de mer et le *jambalaya*, un ragoût de viandes, de crustacés et de riz.
Les poissons constituent un des éléments de base de la cuisine floridienne et sont adaptés un peu sous toutes les formes (fumés, grillés, pochés, frits...). L'espèce la plus courante dans les menus est le mulet *(mullet)*, la Floride en étant le principal pourvoyeur aux Etats-Unis. Il ne faut pas s'offusquer de lire sur les cartes de poissons *« dolphin »*. Il ne s'agit en aucun cas de notre cher mammifère Flipper le dauphin mais d'un poisson aussi appelé *mahi mahi*. Un régal au palais ! L'espadon *(swordfish)* est aussi un incontournable des tables du sud de la Floride, à l'instar de poissons comme le *snapper* ou le *grouper* à chair fine et servis grillés, frits ou fumés.
Homards, crabes et crevettes sont des classiques floridiens au chapitre *« seafood »* (fruits de mer).

Les amateurs de viande seront ravis de la qualité du bœuf généralement accompagné de sauces classiques ou sucrées-salées.
Dans les régions méridionales de la Floride jusqu'aux Keys, l'influence culinaire est nettement tropicale : fruits frais exotiques (litchis, mangues, sapotilles, kumquats, caramboles, fruits de la passion...). Là encore, le poisson est à l'honneur sur les tables (mérou, mahi mahi, vivaneau) souvent nappés de sauce fruitée. Les *stone crabs* (crabes de roche), langoustes et beignets de conques sont aussi des classiques délicieux.
Au dessert, impossible d'échapper à la *« Key lime pie »* car c'est le gâteau floridien par excellence. Il s'agit d'une savoureuse tarte au citron aux recettes multiples.

Cuisine cubaine

La cuisine cubaine est une véritable expérience à ne pas rater. Elle offre le plus souvent du porc et du poulet grillés servis avec de la banane plantain, du *yucca* (manioc), du riz, du *boniato* (patate douce) et des haricots noirs *(moros)*. Un mets typique par exemple est le *« ropa vieja »*, un ragoût relevé de bœuf, tomates, poivrons, riz et bananes plantains. Pour les assaisonnements, le *« mojo »* une sauce aillée et citronnée est un classique.
C'est aussi dans les quartiers latino de Miami notamment que l'on savoure le meilleur café, le *« cubano »*, noir et très fort.
Autres spécialités cubaines : *puerco asado* (porc grillé) ; *arroz con pollo* (poulet au riz jaune) ; *filete de pescado* (filet de poisson) ; *jaiba* (petit crabe de roche) ; *cabrito* (cabri).

Boissons

La toute première chose que l'on remarque dès que l'on se met à table aux Etats-Unis, au restaurant ou chez l'habitant (et déjà à bord de l'avion qui nous y emmène), c'est que l'on sert l'eau et les sodas noyés dans de la glace, quelle que soit la température extérieure. Dans et autour des grandes villes on trouve partout de l'eau gazeuse – *« club soda »*, une denrée plus rare voire quasi inexistante dès que l'on gagne les contrées plus reculées.
En matière d'alcool, pour en consommer dans les bars ou les restaurants ou pour en acheter dans les magasins, il faut être âgé d'au moins vingt et un ans, souvent une pièce d'identité sera demandée (surtout dans les bars et les clubs).
En matière de vin, la Floride en produit bien un à Lakeridge mais il ne se trouve pas facilement et est loin d'égaler les vins californiens.
La bière américaine, genre *Budweiser* est assez légère, sinon la Floride compte quelques petits brasseurs. Dans cet Etat, la bière la plus répandue est l'Anheuser-Busch, grand brasseur de Jacksonville.
Côté sodas, pas de problèmes, on en trouve absolument partout et enfants et adultes en consomment souvent à table. Pour faire américain, vous pouvez goûter à la *« root beer »* (bière de racines), un breuvage sans alcool mais franchement pas terrible. En revanche, ce qui est absolument délicieux et très sain, ce sont les *« smoothies »*, des mélanges de fruits frais avec ou sans yaourt.

Festivals et événements

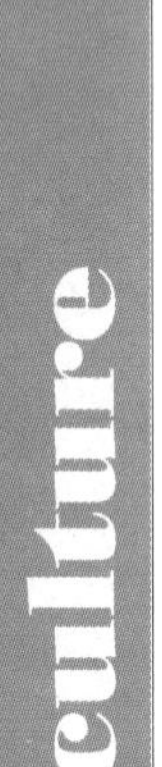

JANVIER

FedEx Orange Bowl (football américain) - Miami
Gator Bowl (football américain) - Jacksonville
Florida Citrus Bowl Classic (football américain) - Orlando
Indian River Native American Festival (festival d'art et artisanat indiens) - New Smyrna Beach.
Art Deco Weekend Festival (fêtes culturelles) - Miami Beach
Winter Equestrian Festival (concours hippique) - West Palm Beach
Miami River Blues Festival (concerts de musique blues) - Miami
Rolex 24 hours of Daytona (course automobile) - Daytona Beach

FÉVRIER

Miami Film Festival (festival international de cinéma) - Miami
Florida State Fair (art, artisanat, spectacles) - Tampa
Miami International Boat Show (salon nautique) - Miami
Speed Weeks – Daytona 500 (courses automobiles) - Daytona Beach
Medieval Fair (fête médiévale) - Sarasota
Edison Festival of Lights (parade de lumières) - Fort Myers
Coconut Grove Arts Festival (art et artisanat) - Coconut Grove

MARS

Florida Strawberry Festival (fête de la fraise) - Plant City
Carnaval Miami (9 jours de fêtes, concerts et parades) - Miami
Calle Ocho Festival (le moment fort du carnaval dans le barrio latino de Little Havana) - Miami
Bike Week (course de moto avec les Hells Angels) - Daytona Beach
Sanibel Shell Fair (depuis 1937, fête des coquillages) - Sanibel Island
Sarasota Jazz Festival (concerts de jazz et de blues) - Sarasota
Underwater Music Festival (symphonie sous-marine pour plongeurs) - Big Pine dans les Keys
Festival of the States (concours de musique et show de vieilles voitures) - St Petersburg

La fête d'Halloween.

Marlboro Grand Prix (course automobile) - Homestead

AVRIL

Springtime Tallahassee (parades et événements culturels) - Tallahassee
Bausch & Lomb WTA Championships (tennis) - Amelia Island
Seven-Mile Bridge Run (course à pied) - Marathon - Keys
Ford Lauderdale Seafood Festival (foire aux fruits de mer) - Fort Lauderdale

MAI

Fun'n Sun Festival (défilés, concerts, concours sportifs) - Clearwater
Conch Republic Celebration (parades, concerts) - Key West
Florida Folk Festival (musique, danses) - White Springs

JUIN

Fiesta of Five Flags (Célébration de la conquête espagnole avec musiques et buffets espagnols) - Pensacola
Cross & Sword (reconstitution historique de l'histoire de la Floride) - St Augustine
International Orchids Fair (foire et exposition d'orchidées) - Kissimmee
Sarasota Music Festival (concerts) - Sarasota

JUILLET

America's Birthday Bash (4juillet, jour de l'Indépendance) - Miami
Hemingway Days Festival (concours d'écriture, concerts, défilés...) - Key West
Space Week (célébration de la conquête spatiale) - Titusville
Florida International Festival (festival de musique) - Daytona Beach

AOUT

Miami Reggae Festival (un des plus grands festivals de reggae des USA) - Bayfront Park, Miami
Shark's Tooth & Seafood Festival (chasse aux dents de requin et fruits de mer) - Venice Beach

OCTOBRE

Fantasy Fest (une fête d'Halloween très déjantée) - Key West
Clearwater Jazz Holiday (concerts de jazz) - Clearwater
Biketoberfest (courses de moto) - Daytona Beach
Fifth Avenue Oktoberfest (fête de la bière) - Naples
Bicycle Festival (courses de vélo, spectacles) - Mount Dora
Walt Disney World Oldsmobile Classic (tournoi de golf) - Orlando
Guavaween (Mardi gras latino-américain) - Ybor City

NOVEMBRE

Florida Seafood Festival (foire aux fruits de mer) - Apalachicola
Miami Book Fair (une des plus grandes foires aux livres des USA) - Miami
Florida Horse & Agricultural Festival (foire agricole) - Tampa
Lincolnville Festival (art, artisanat et buffets exotiques) - St Augustine

DÉCEMBRE

Winterfest Boat Parade (défilés nautiques) - Fort Lauderdale
Grand Illuminations (fête des lumières) - St Augustine
Indian Arts Festival (artisanat des Indiens Miccosukee) - Everglades
Orange Bowl Parade (concours de danses et musiques, défilés...) - Miami

Mallory Square, animation de rue par des artistes en tout genre.

Sports et loisirs

La Floride est une terre de prédilection pour les amoureux de sports et loisirs nautiques, cet Etat étant le premier producteur américain de bateaux de plaisance.

Miami Beach, joggers sur les kilomètres de plages.

Le surf est surtout pratiqué sur la côte atlantique, surtout entre Miami Beach et Fort Lauderdale, un « spot » réputé pour ses belles vagues (et ses requins !). Le golfe du Mexique, plus paisible, attire les passionnés de windsurf et de voile. Les eaux poissonneuses des côtes attirent également du monde entier les amateurs de pêche sportive en haute mer, en quête de marlins, tarpons et espadons.

La multitude de canaux, de lacs et de rivières favorise la pratique – extensive en Floride – du **canoë.** Ainsi, le *Florida Canoe Trail* est un parcours aquatique balisé de plus de mille kilomètres couvrant notamment les Ten Thousand Islands (les Dix Mille îles).

Les amateurs de **plongée sous-marine** découvriront de superbes fonds coralliens dans l'archipel des Keys. Pratiquement tout le long des côtes atlantique et du golfe du Mexique, des balades en **kayak de mer** sont proposées.

La Floride est aussi La Mecque américaine pour les passionnés de **golf** qui peuvent y découvrir plus de mille greens.

La **randonnée** est une des meilleures façons de découvrir les parcs et beautés naturelles de la Floride. Cet Etat a balisé un vaste chemin de grande randonnée, le

Kite surf, parmi les nombreuses activités nautiques.

Florida National Scenic Trail (FNST) qui parcourt plus de mille cinq cents kilomètres de forêts et marécages. Bientôt, le parcourt sera encore agrandi avec l'ouverture d'un tracé qui partira du parc de Big Cypress, au nord des Everglades, contournera le vaste lac Okeechobee, remontera ensuite vers le nord par la grande forêt d'Ocala pour bifurquer vers les rivages du golfe du Mexique à hauteur de Pensacola.

En matière de loisirs balnéaires, un des « musts » pour les Floridiens est le ramassage des coquillages sur les plages du golfe du Mexique. Sanibel Island fut d'ailleurs élue capitale du *« shelling »*, ou collecte de coquillages.

La Floride compte plus de mille parcours de golf. Joueurs de tous âges et tenue décontractée.

Sports et spectacles

Depuis le début du XXe siècle, la Floride accueille sur la plage de Daytona des compétitions automobiles. Désormais, elles se déroulent sur le célèbre circuit de cette ville de la côte atlantique avec, comme événement phare, la course Daytona 500.

Les courses de lévriers ont toujours lieu en Floride malgré les nombreuses manifestations des défenseurs de la cause animale. Dans plusieurs grandes villes se trouvent les cynodromes où se déroulent ces compétitions.

Un sport-spectacle inattendu de Floride est le jaï-alaï, une variante de la pelote basque qui se joue ici sur dix terrains de 54 m de longueur. Miami abrite le plus ancien fronton des Etats-Unis, ouvert en 1926.

Ci-dessous : fitness, VTT, musculation... le culte du corps. Pages suivantes : splendide maison coloniale espagnole dans une végétation tropicale à Key West. Miami Beach, architecture futuriste et Arts déco. Dans le quartier Arts déco, l'hôtel Delano, décoré par Stark. Deux autres exemples d'Arts déco des années 1940. Un classique, le Biltmore Hotel (1926) et sa gigantesque piscine. Sports et loisirs : canoë, surf, beach volley, kayak de mer, boogie board, bateau... parmi les nombreuses activités nautiques.

S. Gayet

DELANO
RITZ
PLAZA

DISCOVERY 158
ADVENTURES
UNLIMITED
Old Town

OCEAN

S. Gayet

SCHOOL BUS
STOP
108
BATTERY BOX

Daytona Bch.
Jacksonville
SOUTH
NORTH
NORTH
1
1
A1A
VISITORS
INFORMATION
CENTER
PARKING

ITINÉRAIRES

Miami
Les Everglades
Les Keys
La côte atlantique
Gold Coast
Treasure Coast
La côte historique
La côte spatiale
Orlando et le centre
Le golfe du Mexique
Panhandle

Floride . Le guide de la Floride . Le guide de la Floride .

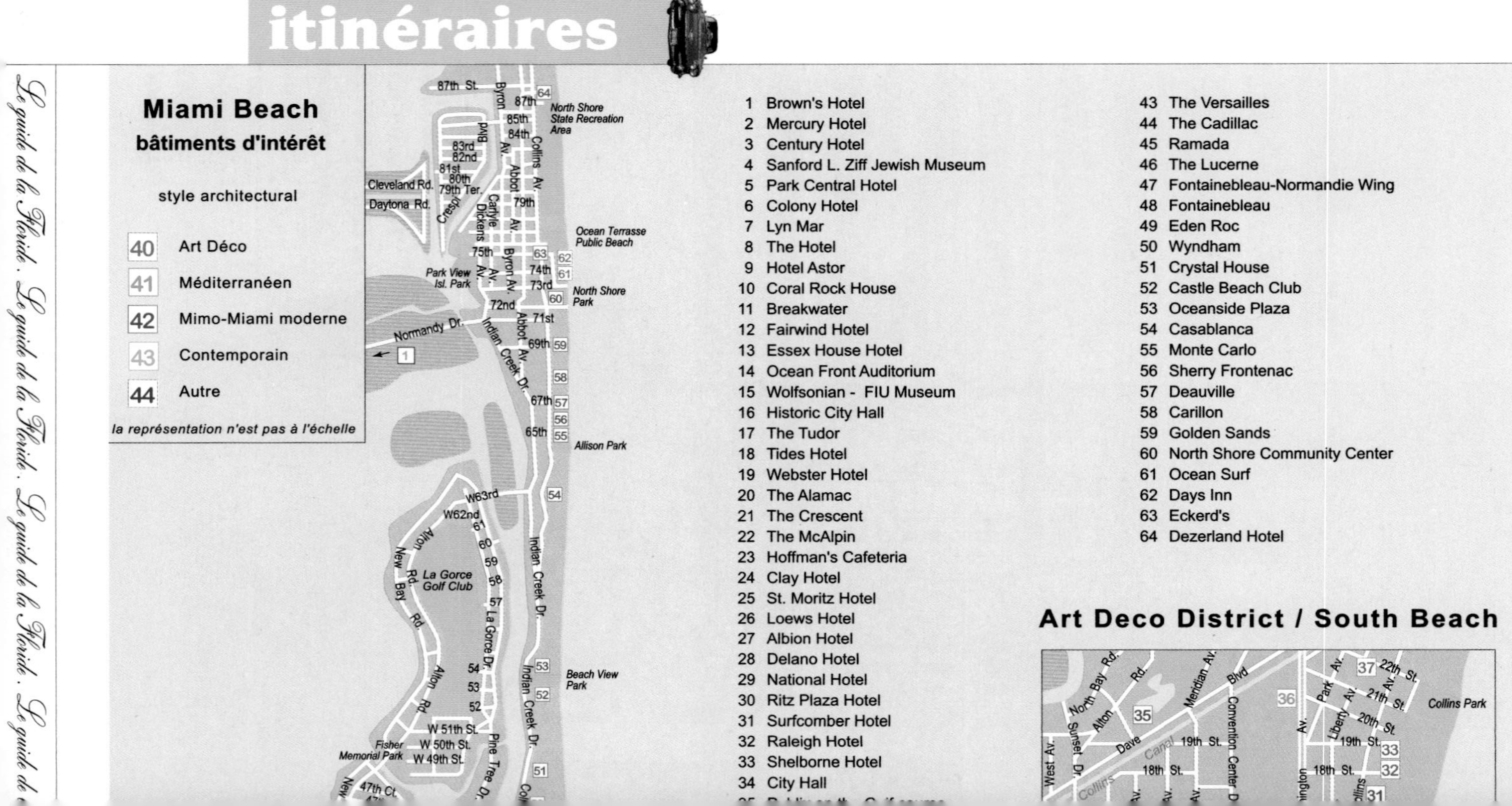
Miami Beach
bâtiments d'intérêt
style architectural
40 Art Déco
41 Méditerranéen
42 Mimo-Miami moderne
43 Contemporain
44 Autre
la représentation n'est pas à l'échelle
1 Brown's Hotel
2 Mercury Hotel
3 Century Hotel
4 Sanford L. Ziff Jewish Museum
5 Park Central Hotel
6 Colony Hotel
7 Lyn Mar
8 The Hotel
9 Hotel Astor
10 Coral Rock House
11 Breakwater
12 Fairwind Hotel
13 Essex House Hotel
14 Ocean Front Auditorium
15 Wolfsonian - FIU Museum
16 Historic City Hall
17 The Tudor
18 Tides Hotel
19 Webster Hotel
20 The Alamac
21 The Crescent
22 The McAlpin
23 Hoffman's Cafeteria
24 Clay Hotel
25 St. Moritz Hotel
26 Loews Hotel
27 Albion Hotel
28 Delano Hotel
29 National Hotel
30 Ritz Plaza Hotel
31 Surfcomber Hotel
32 Raleigh Hotel
33 Shelborne Hotel
34 City Hall
43 The Versailles
44 The Cadillac
45 Ramada
46 The Lucerne
47 Fontainebleau-Normandie Wing
48 Fontainebleau
49 Eden Roc
50 Wyndham
51 Crystal House
52 Castle Beach Club
53 Oceanside Plaza
54 Casablanca
55 Monte Carlo
56 Sherry Frontenac
57 Deauville
58 Carillon
59 Golden Sands
60 North Shore Community Center
61 Ocean Surf
62 Days Inn
63 Eckerd's
64 Dezerland Hotel
Art Deco District / South Beach
North Shore State Recreation Area
Ocean Terrasse Public Beach
North Shore Park
Allison Park
Beach View Park
La Gorce Golf Club
Fisher Memorial Park
Park View Isl. Park
Collins Park

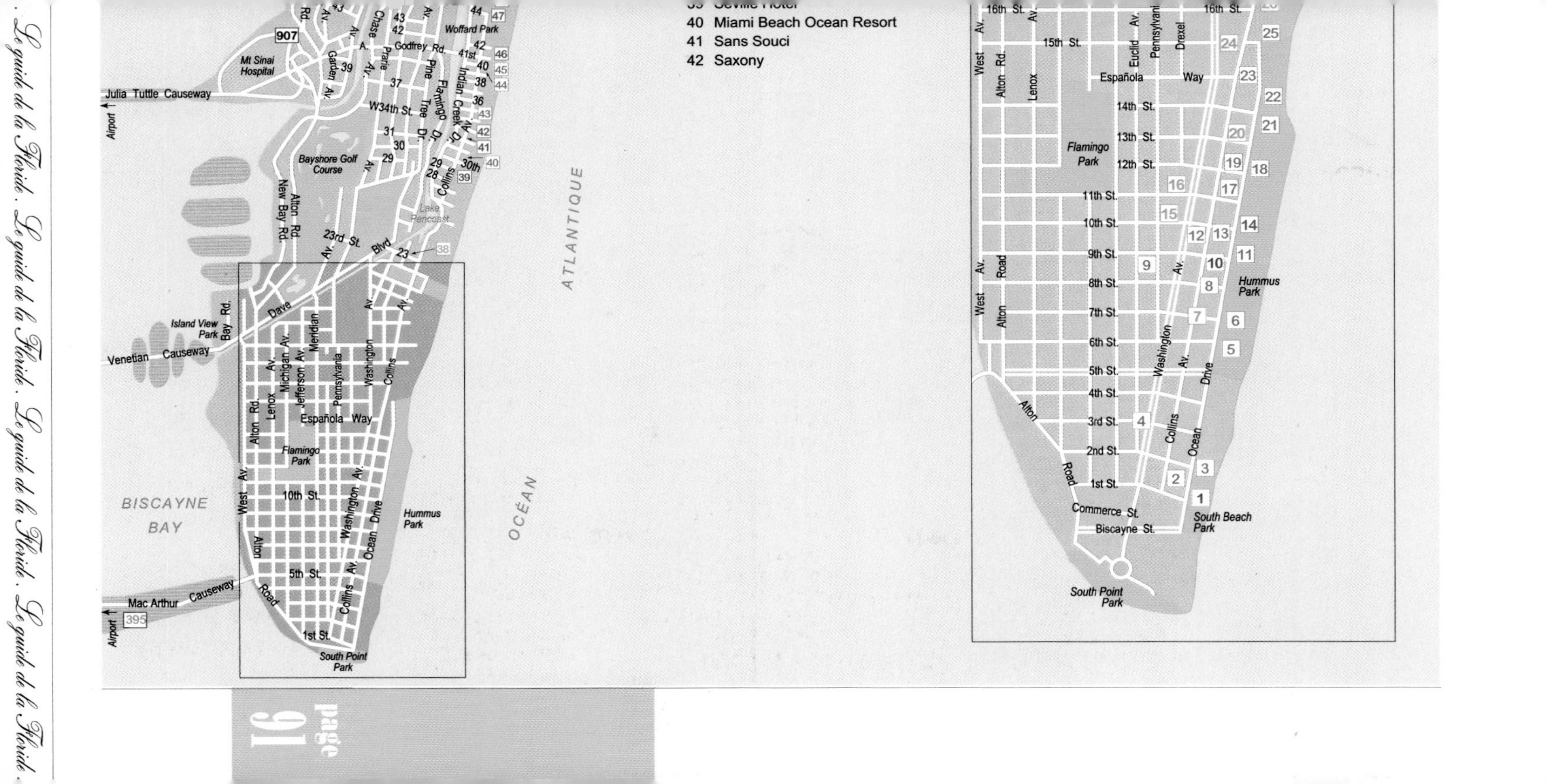

40 Miami Beach Ocean Resort
41 Sans Souci
42 Saxony
ATLANTIQUE
OCÉAN
BISCAYNE BAY
Julia Tuttle Causeway
Venetian Causeway
Mac Arthur Causeway
Airport
Mt Sinai Hospital
Bayshore Golf Course
Island View Park
Lake Pencoast
Woffard Park
Indian Creek Dr.
Flamingo Dr.
Pine Tree Dr.
Alton Rd.
New Bay Rd.
Dade Blvd
Flamingo Park
Hummus Park
South Beach Park
South Point Park
Española Way
Collins Av.
Washington Av.
Ocean Drive
West Av.
Lenox Av.
Euclid Av.
Pennsylvania
Drexel
Alton Road
Commerce St.
Biscayne St.

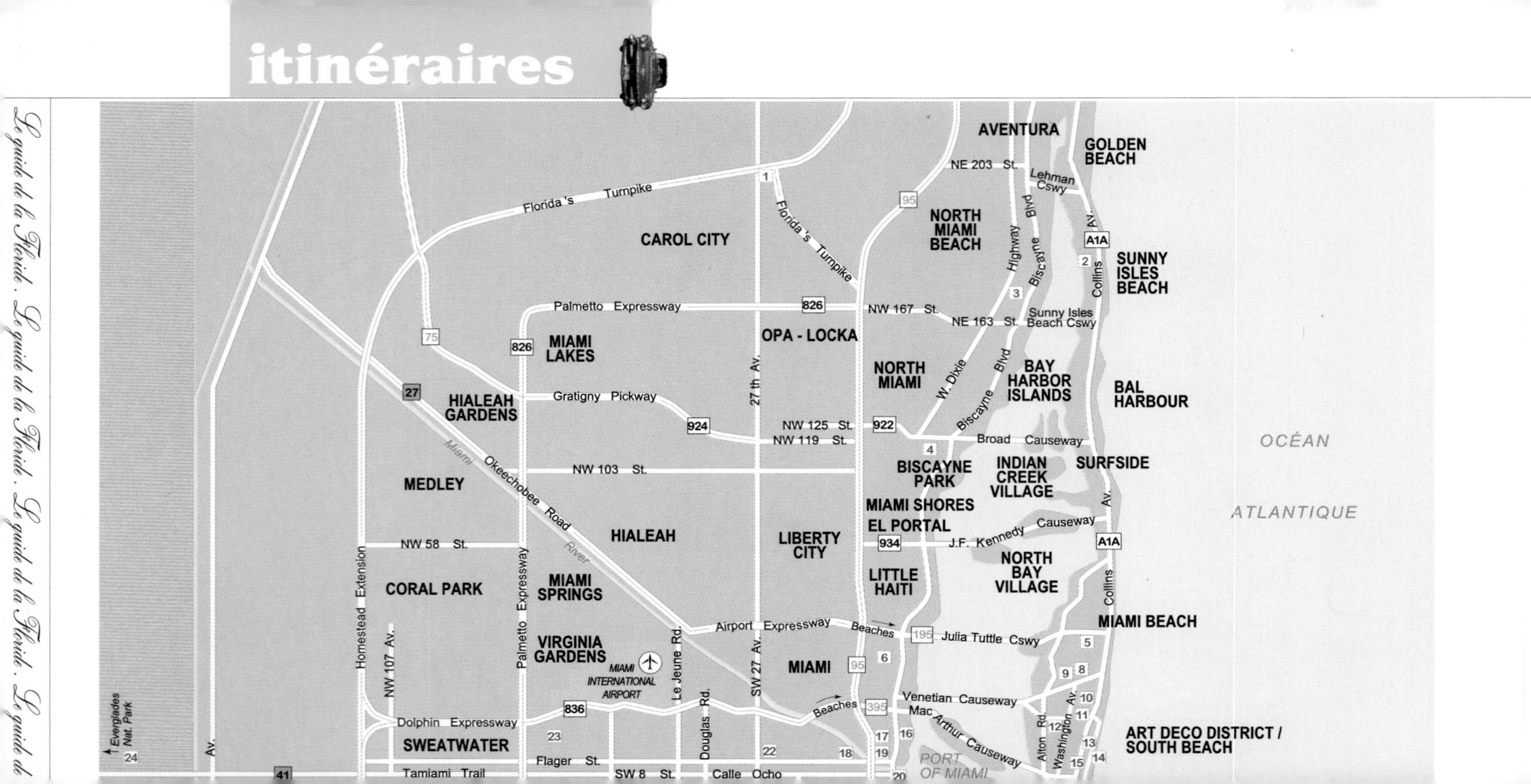
AVENTURA
GOLDEN BEACH
NORTH MIAMI BEACH
SUNNY ISLES BEACH
CAROL CITY
OPA - LOCKA
MIAMI LAKES
NORTH MIAMI
BAY HARBOR ISLANDS
BAL HARBOUR
HIALEAH GARDENS
BISCAYNE PARK
INDIAN CREEK VILLAGE
SURFSIDE
MEDLEY
MIAMI SHORES
EL PORTAL
HIALEAH
LIBERTY CITY
NORTH BAY VILLAGE
LITTLE HAITI
CORAL PARK
MIAMI SPRINGS
MIAMI BEACH
VIRGINIA GARDENS
MIAMI
MIAMI INTERNATIONAL AIRPORT
SWEATWATER
ART DECO DISTRICT / SOUTH BEACH
PORT OF MIAMI
OCÉAN
ATLANTIQUE
Florida 's Turnpike
Palmetto Expressway
Gratigny Pickway
NW 103 St.
NW 58 St.
Homestead Extension
NW 107 Av.
Okeechobee Road
Miami River
27 th Av.
NW 167 St.
NE 163 St.
NE 203 St.
NW 125 St.
NW 119 St.
Broad Causeway
J.F. Kennedy Causeway
Airport Expressway
Beaches
Julia Tuttle Cswy
Venetian Causeway
Mac Arthur Causeway
Dolphin Expressway
Le Jeune Rd.
Douglas Rd.
SW 27 Av.
Flager St.
Tamiami Trail
SW 8 St.
Calle Ocho
W. Dixie Highway
Biscayne Blvd
Lehman Cswy
Sunny Isles Beach Cswy
Collins Av.
Alton Rd.
Washington Av.
Everglades Nat. Park
Av.
A1A
95
195
395
826
924
922
934
836
75
27
41
1
2
3
4
5
6
8
9
10
11
12
13
14
15
16
17
18
19
20
22
23
24

le grand Miami

1 Pro Player Stadium
2 Sunny Isles Beach Resort Association Visitor Information Center
3 Ancient Spanish Monastery
4 Museum of Contemporary Art
5 Miami Beach Chamber of Commerce Visitor Information Center
6 Rubell Family Collection
7 Bass Museum of Art
8 Miami Beach Botanical Garden
9 Holocaust Memorial
10 Miami Beach Convention Center
11 City Hall
12 Art Center / South Florida
13 The Wolfsonian / FIU
14 Art Deco Historic District
15 Jewish Museum of Florida
16 Miami Children's Museum
17 Wolfson Galleries
18 Historical Museum of Southern Florida
19 Miami Art Museum
20 Miami Convention Center
21 Greater Miami Convention & Visitors Bureau
22 Orange Bowl
23 Radisson Centre
24 Everglades National Park
25 Coopertown Airboat Rides
26 Everglades Safari Park
27 Miccosukee Indian Village
28 Art Museum of Florida International University
29 Coral Gables Merrick House
30 Venetian Pool
31 Miami Museum of Science & Space Transit Planetarium
32 Vizcaya Museum
33 Vizcaya Gardens
34 Coconut Grove Convention Center
35 Coconut Grove Chamber of Commerce
36 Lowe Art Museum
37 The Barnacle State Historic Site
38 Miami Seaquarium
39 Biscayne Nature Center
40 Crandon Park Tennis Center
41 GameWorks
42 IMAX Theatre (Sunset Place)
43 Parrot Jungle and Gardens
44 Snapper Creek Tourist Information Center
45 Weeks Air Museum
46 Fairchild Tropical Garden
47 Gold Coast Railroad Museum
48 Miami Metrozoo
49 Deering Estate at Cutler
50 Monkey Jungle
51 Florida Seminole Tourism, Seminole Museum Everglades Adventure
52 Fruit & Spice Park
53 Tropical Fun Center
54 Richard Petty Driving Experience
55 Homestead - Miami Speedway
56 Tropical Everglades Visitor Association
57 Biscayne National Park
58 Florida Pioneer Museum
59 Everglades Alligator Farm

la représentation n'est pas à l'échelle

MIAMI

« La ville la plus exaspérante, la plus exaltante et la plus vivante du monde. »
(Marjorie Stoneman Douglas).

Carrefour entre le Nouveau Monde, anglo-saxon, et l'Ancien, hispanique, Miami est une ville spectaculaire posée dans un décor tropical magnifique. Ses divers quartiers – étonnamment très cloisonnés – présentent tous un visage spécifique et attrayant de Miami. Le « Downtown » forme un paysage urbain époustouflant ; l'enclave Arts Déco, unique au monde, abrite plus de huit cents édifices des années 1920 à 1940, magnifiquement restaurés et entretenus ; Little Havana dégage une atmosphère latino-cubaine, gaie et colorée tandis que Coral Gables, Coconut Grove et Key Biscayne exhibent leurs somptueuses villas et centres commerciaux de style néo-méditerranéen.

Façade du Police Museum & American Police hall of Fame, Miami.

HISTOIRE

En 1566, Pedro Menéndez de Avilés accoste dans la région de Miami, alors surnommée *« Mayami »* par les Indiens *creeks*, qui signifie « eau douce » ou « lac intérieur ».
En 1567, avec une poignée de colons espagnols et de jésuites, il fonde une mission catholique mais se heurte aux Indiens *tequesta*, qui disparaissent peu à peu du fait des guerres mais surtout des maladies importées d'Europe.

Façade de la Fondation Wolfsonian à Miami Beach. De style hispano-mauresque, l'édifice accueille aujourd'hui un musée d'arts américain et européen de 1885 à 1945.

Le mémorial de l'Holocauste « Sculpture of Love & Anguish », Miami.

Au XVIIIe siècle, la région de Miami n'est guère développée par les colons espagnols qui lui préfèrent d'autres lieux plus fertiles, laissant la place aux pirates et pilleurs d'épaves. En 1808, le gouvernement espagnol, alors basé à Cuba, cède les terres situées autour de la Miami River à un Américain, John Egan qui y développe la canne à sucre. Cet effort de colonisation est vite réprimé par les guerres séminoles, empêchant toute implantation européenne. Pour protéger le site et les colons, les Américains décident de bâtir Fort Dallas, en 1838, et une communauté blanche commence alors à s'organiser.

A la fin du XIXe siècle

A la fin du XIXe siècle, William et Mary Brickell deviennent les plus grands propriétaires terriens de Miami et commencent à y construire des commerces. Ils sont suivis dans cette entreprise de développement par Julia Tuttle, surnommée « *The Mother of Miami* », la « mère de Miami », car dès 1891, elle fit tout son possible pour promouvoir la région et y attirer les grands bâtisseurs comme Henry Flagler. Convaincu des douceurs du climat et du potentiel touristique de Miami, il finance la construction de routes, de canaux, de bâtiments communautaires et fait prolonger le chemin de fer qui entre dans Miami le 22 avril 1896. La population croît alors rapidement, passant en trois mois d'à peine

Yacht amarré devant une somptueuse villa sur une île de la ville… très "Miami Vice" !

cent habitants à un millier et Miami commence à attirer de riches touristes américains. Au début du XXe siècle, Henry Flagler prolonge le chemin de fer jusqu'aux petites communautés voisines de Miami (Coconut Grove notamment), où les petits exploitants agricoles sont tirés de leur isolement et peuvent expédier leurs produits vers le reste du pays. L'économie de Miami et de ses communes urbaines prospère rapidement, attirant de plus en plus d'immigrants noirs des Bahamas en quête de travail.

les années 1920 à 1925

Dans les années 1920 à 1925, le boom de Miami s'accélère avec la venue de grandes stars d'Hollywood, la construction de palaces de luxe et la folle spéculation foncière. Tout s'arrête en 1926 : Miami essuie un terrible ouragan puis est montrée du doigt par les autres Etats américains pour entorses fiscales et autres illégalités. Les investisseurs se détournent, l'économie s'effondre et Miami, déjà bien en faillite s'écroule encore un peu plus avec le krach de 1929. Pourtant durant cette période noire, Miami s'en sort mieux que d'autres villes car elle tire profit de la prohibition (ouverture de tripots, importation illégale d'alcool), une dérive qui lui vaut dans les années 1930 le triste statut de capitale de la contrebande et du crime organisé. Toutefois, l'activité touristique reprend avec succès et l'économie repart, notamment l'activité immobilière qui assiste aux premières constructions d'immeubles Arts Déco à Miami Beach. Au cours de la Seconde Guerre mondiale, Miami est transformée en camp d'entraînement militaire et les hôtels de luxe réquisitionnés pour accueillir les soldats. Après la guerre, bon nombre d'entre eux reviennent s'installer à Miami qui a instauré une politique foncière particulièrement avantageuse pour ses soldats.

La révolution cubaine

Le destin de la ville change une nouvelle fois, en 1959, année de la révolution cubaine. La proximité géographique fait de Miami le refuge incontournable pour les anti-castristes. En 1961, des opposants à Fidel Castro, soutenus par les Etats-Unis, tentent d'envahir Cuba au lieu-dit de la « baie des Cochons ». On frôle alors une grave crise, avec la menace nucléaire brandie par l'URSS qui avait installé à Cuba des missiles pointés sur les Etats-Unis. En 1962, la tension est désamorcée, les Américains renonçant à envahir Cuba et les Russes à désarmant leurs missiles. Les années suivantes, des milliers de familles arrivent à Miami, portant le nombre de Cubains à plus de quatre cent mille. Plutôt bien accueillis au début, les exilés établis en une communauté se heurtèrent rapidement à d'autres minorités, celle des Noirs en particulier, contre

qui de nombreuses rixes eurent lieu jusque dans les années 1970.

les années 1980

Dans les années 1980, l'arrivée d'autres populations d'Amérique centrale (Salvador, Nicaragua...) provoqua une montée du sentiment anti-hispanique. La tension s'accrut encore avec l'arrivée de plus de cent mille *Marielitos*, « boat-people » cubains ainsi surnommés car ils avaient embarqué au port de Mariel.

Aujourd'hui, Miami est une ville prospère frappée d'un incroyable boom immobilier. C'est simple, cette jolie ville semble toujours en chantier, les grues y tournant à plein régime. Une ville dynamique donc qui est aussi une vaste place financière tournée vers l'Amérique du Sud. Des centaines de banques y ont leur siège social, des stars du show-business international s'y sont installées et plus de dix millions de touristes visitent chaque année Miami, attirés par ses strass et paillettes et son arrière-goût sulfureux. Car Miami est aussi célèbre pour sa criminalité et ses réseaux de la drogue, une de ses facettes immortalisée par la série télévisée *« Miami Vice »*, connue en français sous le titre *Deux flics à Miami.*

Dans le port, grande activité des bateaux de croisière, souvent à destination des Bahamas.

A voir

(Informations touristiques :
The Greater Miami & The Beaches CVB :
701 Brickell Ave, Suite 2700 ;
Tél. : 305-539-3000 ; Fax : 305-539-3113 ;
www.miamiandbeaches.com)

DOWNTOWN

Le centre-ville de Miami se situe entre la baie de Biscayne et la Miami River. Cette partie de Miami abrite le quartier des affaires où se dressent de très belles tours modernes de verre et d'acier. Un des plus beaux buildings de ce downtown est probablement celui de *Nations Bank* sur Second Street.

Ce centre-ville de Miami reçut le statut de municipalité à la fin du XIXe siècle et en constituait déjà le centre des affaires. Les premiers gratte-ciel apparurent en 1920, le long de Biscayne Boulevard et le quartier connut son réel essor dans les années 1960. Aujourd'hui, il abrite autour de Brickell Avenue, quelques-unes des plus grandes banques internationales, de grands cabinets d'avocats et une kyrielle de sociétés multinationales. Tout le long des rues et avenues, on découvre une multitude de magasins d'électronique, de bagagerie, de vêtements destinés essentiellement à une clientèle latino-américaine. Le soir, l'ambiance bouillonnante du quartier des affaires s'éteint avec la fermeture des bureaux. Seules les magni-

Vue du Downtown depuis le pont menant au port.

Dans le quartier de Brickell Avenue, art dans la rue au milieu des buildings.

Guitare du* Hard Rock Café*, marina du Bayside Marketplace et le Downtown.

itinéraires

fiques illuminations des gratte-ciel lui donnent un peu de vie.

• Metro-Dade Cultural Center

(101 W Flagler St)

Ce vaste complexe, conçu par l'architecte Philip Johnson, se compose de trois édifices de style néo-méditerranéen abritant deux musées et la bibliothèque municipale.

Le premier musée est le **Historical Museum of Southern Florida** *(Tél. : 305-375-1492 ; ouvert tous les jours 10 heures-17 heures ; www.historicalmuseum.org)*. Il retrace dix mille ans de l'histoire mouvementée du sud de la Floride avec des expositions particulièrement intéressantes sur les Indiens *tequesta*, la colonisation espagnole et les traditions populaires de Miami.

L'autre musée est le **Miami Art Museum** *(Tél. : 305-375-3000 ; ouvert mardi- dimanche 10 heures -17 heures ; fermé le lundi)*, consacré à l'art moderne depuis la fin de la Seconde Guerre mondiale. On y découvre notamment des œuvres de Max Ernst, Jasper Johns, Rufino Tamayo, Christo, etc.

Eglise et modernité sur Brickell Avenue.

• Bayfront Park

(Biscayne Blvd, entre 2nd St et 4th St)

Un beau parc d'une dizaine d'hectares, aménagé sur la baie de Miami par l'architecte paysagiste Isamu Noguchi.

Dans ce parc se dressent des statues, dont *Challenger*, dédiée aux astronautes dispa-

BankofAmerica

Bayside Marketplace : marina et boutiques, un lieu hautement touristique.

rus dans l'explosion de la navette spatiale en 1986 et un amphithéâtre qui accueille régulièrement divers concerts et spectacles.

• Bayside Marketplace

(401 Biscayne Blvd)

Un joli centre commercial moderne bâti sur la baie autour de nombreuses placettes où l'on trouve toutes sortes de boutiques de souvenirs, des restaurants (dont le *Hard Rock Café* de Miami, repérable à l'immense guitare jaune), des cafés...
De nombreuses balades en bateau partent aussi de là, notamment pour visiter la baie de Biscayne, le port de Miami et les îles Venetian.

• Freedom Tower

(600 Biscayne Blvd)

Cette tour de style Renaissance espagnole fut construite en 1925 avec des éléments inspirés de la tour Giralda de Séville. Elle fut longtemps considérée comme l'« Ellis Island du sud », car elle servit de centre d'accueil à des centaines de milliers de réfugiés cubains dans les années 1960, d'où son nom de « tour de la Liberté ». Tombée en désuétude dans les années 1970, elle fut restaurée à la fin des années 1980 par divers architectes dont une certaine Tessi Garcia, la sœur de l'acteur Andy Garcia. Malheureusement, ce très bel édifice de Miami n'occupe aucune fonction aujourd'hui, malgré des rumeurs d'ouverture d'un musée dédié à l'histoire des Cubains de Miami.

• Brickell Avenue

Cette large avenue plantée de palmiers s'étire entre Coconut Grove et la rive sud de la belle Miami River. Elle est bordée d'immeubles luxueux et de superbes gratte-ciel de bureaux, cette opulence lui ayant valu le surnom de « *Millionaire's Row* » ou boulevard des Millionnaires.

Bayside Marketplace : tout pour le shopping et la gourmandise.

Little Havana : fresque décrivant la culture cubaine.

LITTLE HAVANA

A l'ouest du downtown, Little Havana – la Petite Havane – est un des quartiers les plus pittoresques et les plus colorés de Miami. Sa principale artère, **Calle Ocho** (8th Street) est très animée avec ses boutiques de mariage, ses fabriques de cigares, d'artisanat cubain, ses petits cafés aux arômes indicibles. Une véritable identité culturelle, cubaine en l'occurrence, se dégage autour de Calle Ocho, où l'espagnol est la langue dominante, parfois même la seule connue des habitants.

• Máximo Gómez Park

(angle SW 15th Ave)

C'est un des lieux les plus sympathiques et animés de Little Havana. Sur cette placette se réunissent les anciens qui passent leur journée, cigares aux lèvres, à jouer

Ambiance plus caribéenne qu'américaine.

Little Havana : fabrication de cigares à la main.

aux dominos, d'où le surnom de l'endroit, « Domino Park ».
Pour l'histoire, Máximo Gómez, natif de République Dominicaine était le leader de l'armée de libération cubaine.

• Cuban Memorial Plaza

(SW 13th Ave)
Cette place abrite un monument de marbre qui rend hommage aux Cubains décédés lors de la tentative d'invasion de Cuba en 1961. L'endroit accueille surtout les meetings politiques.

• Latin Quarter

Ce quartier s'étire le long de Calle Ocho et est le plus visité des touristes dans Little Havana. D'où les réverbères et la présence d'étoiles incrustées dans le trottoir (comme à Hollywood en Californie), à la gloire des stars hispanophones.

Passant au look cubain sur la « Calle Ocho », cœur du quartier. Loin de la baie, sur la Miami River, un cargo à quai dans la ville.

CORAL GABLES

Un ravissant quartier de Miami, élégant et coûteux, où il fait bon se balader au milieu de villas et d'édifices de style néo-méditerranéen. Cette partie de Miami fut entièrement pensée et construite par le richissime Georges Merrick (1886-1942) qui transforma ses milliers d'hectares de terres en friche en banlieue chic. Pour atteindre son but, il fit appel aux meilleurs urbanistes de l'époque dont Frank Button, pour transformer son rêve en réalité. Il devint alors un des promoteurs les plus prospères de Miami.

• Lowe Art Museum

(1301 Stanford Drive ; Tél. : 305-284-3535 ; ouvert mardi-samedi 10 heures-15 heures, dimanche midi-17 heures ; fermé le lundi).

Il s'agit là d'un des plus beaux musées d'art de Miami, riche de plus de cinq mille pièces de l'Antiquité au XXe siècle en passant par les périodes Renaissance et baroque.

• Biltmore Hotel

(1200 Anastasia Ave ; Tél. : 305-445-1926 ; www.biltmorehotel.com)

Luxe, luxe et re-luxe pour ce palace d'architecture néo-méditerranéenne, le plus prestigieux de Miami, également un des plus excentriques puisque conçu en 1926 sur le modèle de la tour Giralda de Séville avec un triple dôme et une tour de quatre-vingt-onze mètres de haut, visible à des kilomètres à la ronde.

Le hall d'entrée est somptueux, les jardins luxuriants et la piscine est tout simplement la plus grande piscine hôtelière des Etats-Unis... Têtes couronnées, stars internationales, présidents de divers pays y sont venus et y viennent encore.

• Venetian Pool

(2701 De Soto Blvd ; Tél. : 305-460-5356)

Une piscine vraiment magnifique conçue en 1922 dans une ancienne carrière et alimentée par des sources. Avec ses ponts en arche, ses réverbères vieillots, elle arbore des faux airs de Grand Canal de Venise... exactement ce que voulait son designer Denman Fink. N'oubliez pas les maillots de bain, les bassins aux eaux émeraude sont irrésistibles.

Coral Gables, golf devant le somptueux et classique hôtel* Biltmore *(1926).

• Fairchild Tropical Garden

(10901 Old Cutler Rd ; 16 km au sud du centre-ville ; ouvert t.l.j 9h30-16 heures ; Tél. : 305-667-1651)

Ouvert à la fin des années 1930, il s'agit du plus grand jardin botanique des Etats-Unis, dont les milliers d'essences se répartissent sur près de trente-cinq hectares.

De très jolies promenades en perspective !

Coral Gables, la superbe « Venitian Pool », gigantesque piscine d'eau de source, cascades, grottes...

• Parrot Jungle & Gardens

(57th Ave ; nouvelle ouverture en janvier 2003 à Miami Beach ; Tél. : 305-666-7834 ; www.parrotjungle.com)

Une explosion de couleurs grâce aux milliers d'oiseaux peuplant ce parc luxuriant qui leur est entièrement consacré : perroquets, cacatoès, aras, flamants roses, toucans...

le parc des perroquets, « Parrot Jungle », un régal pour les enfants.

COCONUT GROVE

Au bord de la baie de Biscayne, cette partie de Miami, bohémienne et artiste dans les années 1960, est devenue un centre animé de boutiques, galeries d'art, cafés et restaurants vraiment agréable.

• Vizcaya Museum & Gardens
(3251 S Miami Ave ; Tél. : 305-250-9133 ; ouvert t.l.j 9 h 30-17 heures)
Sur la baie de Biscayne se dresse cette très belle villa bâtie en 1916 dans le style Renaissance italienne. Elle fut jadis la propriété privée de James Deering (1859-1925), l'inventeur des engins agricoles et transformée depuis en un musée où l'on découvre les nombreuses pièces richement meublées et décorées. La promenade dans les magnifiques jardins est vraiment à faire.

KEY BISCAYNE

Une île-barrière au sud du centre-ville de Miami, réputée pour ses plages et ses spots de planche à voile. Une destination incontournable quand on visite Miami.

Coconut Grove : boutiques dans ce bâtiment original (style du moderniste espagnol Gaudi).

Coconut Grove : détail architectural et centre commercial.

• Miami Seaquarium

(4400 Rickenbacker Causeway ; Tél. : 305-361-5705 ; ouvert t.l.j 9h30-18 heures ; www.miamiseaquarium.com)

Un beau parc d'une quinzaine d'hectares où furent tournés de nombreux épisodes de *Flipper le dauphin*.

Un lieu magique pour grands et petits enfants qui peuvent applaudir des spectacles animaliers et admirer orques, dauphins, lamantins, crocodiles et autres animaux marins.

• Cape Florida Lighthouse

(à la pointe sud de l'île)

Très joli phare de 1825 que l'on visite avec une intéressante présentation vidéo de son histoire. Il dispose d'une splendide lentille de Fresnel. Autour du parc s'étend un parc récréatif tout à fait propice aux pique-nique, balade et farniente au bord de l'eau.

Miami en chiffres

Superficie : *Le « grand » Miami couvre une superficie de 3 145 km².*

Climat : *subtropical et ensoleillé avec une température moyenne annuelle de 23 °C.*

Population : *2 millions d'habitants dont 30,2 % de Blancs, 49,2 % de Latinos et 20,6 % de Noirs américains.*

Hébergements : *466 hôtels et motels, soit 47 700 chambres. Une soixantaine d'hôtels sont en construction.*

L'aéroport *international de Miami est le deuxième plus grand des Etats-Unis en terme de trafic et le dixième au niveau mondial. Il accueille en moyenne par an 33,5 millions de voyageurs.*

Le port de Miami accueille 3 millions de passagers par an. C'est le plus grand port de croisière au monde.

Ci-dessous et page suivante : Coconut Grove, chic et luxe pour les habitants de cet endroit privilégié. Le « Viscaya », palais de style Renaissance, date de 1916.
Page suivante, à droite : Key Biscayne, le « Seaquarium », parc d'attraction avec orques, phoques, lamantins, requins…

itinéraires

.MIAMI BEACH

Longue et belle plage de sable blanc et fin, rues bordées de palmiers, édifices Art déco aux couleurs de confettis, population jeune, bronzée et musclée s'adonnant au beach-volley, au roller ou au surf et qui, le soir, déambule sur Ocean Drive en quête du dernier bar à la mode... Miami Beach est un endroit incroyable, à la fois kitsch, branché et très animé. A ne surtout pas rater !

• Ocean Drive

Une folie kitsch dans un musée Arts déco, ainsi apparaît cette longue rue bordée d'un côté par l'océan Atlantique, de l'autre par de superbes édifices Arts déco, des hôtels et cafés pour la plupart. Le soir venu, le rituel est de *« cruiser »* le long d'Ocean Drive, c'est-à-dire de la remonter dans tous les sens, lentement, pour regarder et être vu. La nuit, les néons s'illuminent et confèrent au lieu une atmosphère de fête et l'ambiance bat son plein dans tous les bars et restaurants qui s'égrènent, aux rythmes des chansons latino. Au numéro 1114 d'Ocean Drive se tenait Casa Casuarina, une belle demeure des années 1930 qui appartenait au créateur de mode Gianni Versace (1947-1997) qui y fut assassiné.

• Washington Avenue

Très belle avenue parallèle à Ocean Drive, un lieu idéal pour faire son shopping dans des boutiques joliment aménagées. Un édifice saisissant pour sa belle architecture années 1930 n'est autre que le **bureau de poste** (au numéro 1300 de l'avenue), surmonté d'un vaste dôme orné d'une fresque relatant des pans de l'histoire floridienne.

• Lincoln Road Mall

Cette artère très commerçante est d'autant plus agréable qu'elle est fermée aux voitures. Plein de petits cafés animés, de restaurants, de boutiques diverses et de galeries d'art. Là aussi se trouve un ancien cinéma Art déco de 1935 transformé en auditorium.
Au numéro 800, il faut s'arrêter à l'**Art-center South Florida**, une galerie d'art qui présente aussi de nombreux petits studios

Ambiance et frime devant le **News Café.**

Voiture de collection devant les hôtels d'Ocean Drive. Egalement de style Arts déco, le « Post Office » de Miami Beach.

où l'on peut rencontrer directement de jeunes artistes locaux (peintres, sculpteurs, céramistes, graveurs...).

• The Wolfsonian

(1001 Washington Ave ; Tél. : 305-531-1001 ; ouvert lundi-samedi 11 heures-18 heures, dimanche midi-17 heures ; fermé le mercredi)

Un édifice de style hispano-mauresque de 1927, ancien entrepôt, qui abrite aujourd'hui un musée où sont réunis des milliers d'œuvres d'art américaines et européennes de 1885 à 1945.

• Sanford L Ziff Jewish Museum

(301 Washington Ave ; Tél. : 305-672-5044 ; ouvert mardi-dimanche 10 heures-17 heures ; fermé le lundi ; gratuit le samedi ; www.jewishmuseum.com)

Installé dans une synagogue bâtie en 1936 par le talentueux architecte Henry Hohauser, ce musée très intéressant retrace deux cents ans d'histoire juive en Floride illustrée par des milliers d'objets et photographies.

• Holocaust Memorial

(1933-1945 Meridian Ave ; ouvert t.l.j 9 heures-21 heures)

Particulièrement impressionnante le soir, cette statue de Kenneith Treister, baptisée « *Sculpture of Love and Anguish* » est une

gigantesque main tendue vers le ciel le long de laquelle escaladent des prisonniers sortant de l'enfer des camps de concentration.

ART DECO DISTRICT Les principaux édifices à voir

Extraordinaire ! Il s'agit de la plus importante concentration d'édifices Arts déco au monde. Cette enclave d'immeubles et hôtels des années 1920 à 1940, entre l'Atlantique et Lenox Avenue, est heureusement classée. Les plus grands architectes de l'époque ont laissé ici leurs empreintes : **Henry Hohauser** (The Jewish Museum, *Century Hotel, Colony Hotel...)*, **Roy France** *(The National, The Cadillac...)*, **Murray Dixon** *(The Hotel* (ex-*Tiffany), The Tides, Ritz-Plaza...)*, **Anton Skislewicz** *(Breakwater)*. Un style Arts déco qui s'inspire des tropiques avec des ornementations de flamants roses, de palmiers, d'éléments nautiques. Se dressent aussi des édifices néo-méditerranéens de créateurs comme **Robert Taylor** *(Clay Hotel)* ou de style Streamline Moderne d'**Albert Anis**, **Morris Lapidus**, **Leonard Glasser** (l'Oceanfront Auditorium) ou **Robert Swartburg**.

Art Deco Welcome Center : 1001 Ocean Drive ; Tél. : 305- 531-3484
www.mdpl.org

• *Mercury Hotel*

(*100 Collins Ave*) : construit en 1926 par l'architecte Russell Pancoast, rénové en 1997 par Karl Myers.

Quartier historique Arts Déco de Miami Beach : ci-dessus, trois "classiques" magnifiquement restaurés et meublés. A droite : tour d'un building en forme de dôme.

Colonnes torsadées, fenêtres en arche, patio luxuriant.

• *Century Hotel*

(*140 Ocean Drive*) : construit en 1939 par Henry Hohauser, rénové en 1988 par Les Beilinson.
Proéminent mât vertical, détails de motifs nautiques/hublots.

• Sanford Ziff Jewish Museum

(*301 Washington Ave*) : construit en 1936 comme synagogue par Henry Hohauser, rénové en 1995 par Giller & Giller.
Etoiles de David stylisées Arts Déco, vitraux.

• *Park Central Hotel*

(*640 Ocean Drive*) : construit en 1937 par Henry Hohauser, rénové en 1988 par Les Beilinson.
Enseignes de néons en aluminium brossé, parterres, « terrazzo » en mosaïques.

• *Colony Hotel*

(*736 Ocean Drive*) : construit en 1935 par Henry Hohauser, rénové en 1990 par Moshe Cosicher.
Enseigne néon verticale, fresque murale dans le hall signée Ramon Chatov.

• *The Hotel*

(*ex-Tiffany – 801 Collins Ave*) : construit en 1939 par Murray Dixon, rénové en 1998 par Les Beilinson.
Tour néon en aluminium, intérieurs design par Todd Oldham.

• Hôtel *Astor*

(*956 Washington Ave*) : construit en 1936 par Hunter Henderson, rénové en 1995 par Patrick Kennedy.
Façade en pierre de corail coupée, sols « terrazzo » en mosaïques et lobby en vitrolite.

• *Breakwater*

(*940 Ocean Drive*) : construit en 1939 par Anton Skislewicz
Enseigne en néon, sols en mosaïques, tour.

NO DIVING

• *Essex House Hotel*
(*1001 Collins Ave*) : construit en 1938 par Henry Hohauser, rénové en 1998 par Patrick Kennedy.
ornementations de mosaïques, fresque d'Earl LaPan.

• *Fairwind Hotel*
(ex-Fairmont – *1000 Collins Ave*) : construit en 1936 par Murray Dixon, rénové en 1990 par Les Beilinson.
Lignes proéminentes horizontales et verticales, reliefs ornementaux.

• Ocean Front Auditorium
(*1001 Ocean Drive*) : déco de 1934 signée Robert Taylor.

• *Tides Hotel*
(*1220 Ocean Drive*) : construit en 1936 par Murray Dixon, rénové en 1996 par Gus Ramos de Mosscrop & Assoc.
Henry Hohauser, rénové en 1989 par Juan Lezcano.
Reliefs décoratifs, colonnes sculptées.

• *The Crescent*
(*1420 Ocean Drive*) : construit en 1938 par Henry Hohauser, rénové en 1988 par Les Beilinson.
Détails gravés dans la façade.

• *The McAlpin*
(*1424 Ocean Drive*) : construit en 1940 par Murray Dixon.
Néons, colonnes

• *Hoffman's Cafeteria*
(*1450 Collins Ave*) : construit en 1939 par Henry Hohauser, rénové en 1999 par Tom Tellesco.
Angles avec motifs nautiques gravés, surplombs de portes en verre brossé.

Page de gauche : l'Hôtel National et sa piscine, un des plus beau de style Art Déco. Ci-dessus : modèles d'appliques dans l'hôtel.

Façade en corail pilé, surplombs de fenêtres ouvragés, sol en mosaïques style terrazzo.

• *The Tudor*
(*1111 Collins Ave*) : construit en 1939 par Murray Dixon.
Déco « sourcils » au-dessus des fenêtres, angle sur le toit.

• *Webster Hotel*
(*1220 Collins Ave*) : construit en 1936 par

• *St Moritz Hotel*
(*1565 Collins Ave*) : construit en 1939 par Roy France, rénové en 1997 par Zyscovich.
Façade en corail pilé, détails architecturaux en vertical, enseigne en néons.

• *Albion Hotel*
(*1650 James Ave*) : construit en 1939 par Igor Polevitsky, rénové en 1997 par Carlos Zapata.
Détails façons cheminées de bateaux, fenêtres en hublots.

• *Delano Hotel*
(*1685 Collins Ave*) : construit en 1947 par

Robert Swartburg, rénové en 1994 par Peter Gumble, design intérieur par Philippe Stark.

• ***National Hotel***
(*1677 Collins Ave*) : construit en 1940 par Roy France, rénové en 1997.
Dôme argenté, lobby art déco, fresques murales.

• ***Ritz Plaza Hotel***
(*1701 Collins Ave*) : construit en 1940 par Murray Dixon, rénové en 1990 par Les Beilinson.
Détails verticaux, sols en mosaïque, tour de verre.

• ***Raleigh Hotel***
(*1775 Collins Ave*) : construit en 1940 par Murray Dixon.
Piscine où furent tournés les films d'Esther Williams.

• ***Shelborne Hotel***
(*1801 Collins Ave*) : construit en 1940 par Igor Polevitsky.
Enseigne sur le toit plat.

• **Bass Museum**
(*2121 Park Ave*) : construit en 1930 par Russell Pancoast, ajouts en 2000 par Isosaki.
Façade en corail taillé, détails nautiques.

• ***Miami Beach Ocean Resort***
(*3025 Collins Ave*) : construit en 1941 par Roy France.
Angles incurvés, détails toiture.

• ***The Versailles***
(*3425 Collins Ave*) : construit en 1940 par Roy France.
Mosaïque décorative.

• ***The Cadillac***
(*3925 Collins Ave*) : construit en 1940 par Roy France, rénové en 2001 par Kobi Karp.
Mosaïque terrazzo formant une Cadillac, tour proéminente.

• ***Ramada***
(*4041 Collins Ave*) : construit en 1940 par Victor Nellenbogen et ajouts de Melvin Grossmar en 1955.

Quartier historique, quelques-unes des nombreuses enseignes sur Ocean Drive.

Miami Beach : sur Ocean Drive, le* Waldorf Hotel*, de style Arts déco.
Ci-dessous : détails architecturaux.

Détails tour et toiture, détails verticaux.

• *Days Inn*

(*7450 Ocean Terrace*) : construit en 1940 par Harry Nelson.
Détails verticaux très marqués, thème nautique.

REVIVAL MEDITERRANEEN

Ce style se caractérise par des finitions en stuc, ornementations en métal et tuiles, fenêtres en arches, synonyme du style architectural du sud de la Floride des années 1920.

• *Lyn Mar*

(*727 Collins Ave*) : construit en 1929 par Wade & Oemler, rénové en 1990 par Les Beilinson.
Fenêtres en arche, urnes ornementales et reliefs.

• Wolfsonian-FIU Museum

(*1001 Washington Ave*) : construit en 1927 par Robertson & Patterson, rénové en 1992 par Hampton & Kearns.
Détails de façade en terracotta, fontaine ornée de feuilles décoratives dorées.

• Historic City Hall

(*1130 Washington Ave*) : construit en 1927 par Martin Luther Hampton, rénové en 1987 par Frankell, Berelli & Blitzstein.
Sol en terracotta, urnes décoratives sur la tour.

• *The Alamac*

(*1300 Collins Ave*) : construit en 1934 par Nellenbogen.
Toit en tuiles d'argile, petits balcons, fenêtres style palladien.

• ***Clay Hotel***
(*1438 Washington Ave*) : construit en 1925 par Robert Taylor, rénové en 1986.

• ***Fisher Clubhouse***
(*2100 Washington Ave*) : construit en 1916 par August Geiger, rénové en 1986 par Zyscovich & Grafton.
Fenêtres et portes en arche, urnes décoratives.

MIAMI MODERN STYLE

L'Art Déco est à South Beach ce que le Modern Miami Style est à North Beach. Un style caractéristique des années 1950 et 1960 : formes arrondies, escaliers aérés, jeux de miroirs, tuiles métalliques en mosaïque, utilisation de l'espace...

• **Ocean Front Auditorium**
(*1001 Ocean Drive*) : construit en 1954 par Leonard Glasser.
Sols en terrazzo...

• ***Surfcomber Hotel***
(*1717 Collins Ave*) : construit en 1948 par MacKay & Gibbs, rénové en 1998 par Joe Biordi.
Façade en escalier, lignes verticales et horizontales bien marquées.

• ***Publix*** on the Golf course
(*1045 Dade Boulevard*) : construit en 1962 par Charles Johnson.
Enseigne néon, détails marbrés.

• ***Seville Hotel***
(*2901 Collins Ave*) : construit en 1955 par Melvin Grossman.

Détail d'horloge, lobby meublé années 50.

• ***Sans Souci***
(*3101 Collins Ave*) : construit en 1949 par Roy France et Morris Lapidus.
Eléments horizontaux « bold » et « bold signage ».

• ***Saxony***
(*3201 Collins Ave*) : construit en 1948 par Roy France.

• ***The Lucerne***
(*4101 Collins Ave*) : construit en 1955 par Carlos Schoeppl
Hall et lobby, « bold signage ».

• ***Fontainebleau-Normandie Wing***
(*4399 Collins Ave*) : construit en 1949 par Robert Swartburg.
Détails verticaux, nombreux ornements décoratifs.

• ***Fontainebleau***
(*4401 Collins Ave*) : construit en 1954 par Morris Lapidus.
Design circulaire de l'immeuble, fresque murale de Haas.

• ***Eden Roc***
(*4525 Collins Ave*) : construit en 1955 par Morris Lapidus, rénové en 1999 par Spillis Candela.
Façade en mosaïque, chandeliers et déco du lobby.

• ***Wyndham***
(*4833 Collins Ave*) : construit en 1962 par Melvin Grossman.
Détails de lignes verticales, façade de verre.

• ***Executive House***
(*4925 Collins Ave*) : construit en 1959 par Robert Swartburg.
Détails des balcons.

• ***Crystal House***
(*5055 Collins Ave*) : construit en 1961 par Morris Lapidus.
Façade de verre, détail de l'entrée en arche, lampadaires.

• ***Castle Beach Club***
(*Miami Beach Hilton – 5445 Collins Ave*) : construit en 1966 par Melvin Grossman.
Salle de bal.

• ***Oceanside Plaza***
(*5555 Collins Ave*) : construit en 1968 par Morris Lapidus.
Lignes en vagues, détails balcons.

• ***Casablanca***
(*6345 Collins Ave*) : construit en 1950 par Roy France.
Colonnes en forme d'hommes, enseigne en néon sur le toit.

• ***Monte Carlo***
(*6541 Collins Ave*) : construit en 1951 par Albert Anis.
Franches lignes horizontales, détails

Dans le quartier Arts déco de Miami Beach, profusion de volumes et de couleurs sur ces bâtiments modern style.

béton.

• ***Sherry Frontenac***
(*6565 Collins Ave*) : construit en 1947 par Henry Hohauser.
Tours jumelles, détails de décoration de la façade.

• ***Deauville***
(*6701 Collins Ave*) : construit en 1957 par Melvin Grossman, rénové en 1998 par Perkins & Will.
Portique voûté ; les Beatles s'y sont produits.

• ***Carillon***
(*6801 Collins Ave*) : construit en 1957 par Norman Giller.
Façade en accordéon, enseigne toiture.

• ***Golden Sands***
(*6901 Collins Ave*) : construit en 1951 par Norman Giller.
Angle incurvé, façade.

• **North Shore Community Center**
(*7275 Collins Ave*) : construit en 1961 par Norman Giller.
Amphithéâtre d'inspiration Arts déco, mur en mosaïque de Carlos Alves.

• ***Dezerland Hotel***
(*8701 Collins Ave*) : construit en 1951 par Albert Anis.

South Beach, splendides façades de style Arts Déco.

Détails horizontaux, « sourcils », collection de voitures des années 1950.

GREATER MIAMI NORTH

Cette partie au nord de la ville peut être visitée si l'on dispose de plusieurs jours à Miami. Oubliée des urbanistes jusqu'alors, sa physionomie est en passe de changer avec notamment la volonté des édiles de donner un nouveau souffle au Design District, belle enclave de studios et show-rooms d'architecture et de décoration intérieure.

Sur Biscayne Blvd, un grand édifice exhibe une voiture de police incrustée sur sa façade. Il s'agit de l'**American Police Hall of Fame & Museum**. Unique aux Etats-Unis, ce musée est dédié aux forces de police, aux scènes de crime...

- **Museum of Contemporary Art (MOCA)**

(770 NE 125th Street; Tél. : 305-893-6211; ouvert mardi-samedi 10 heures-17 heures et dimanche 12 heures-17 heures; nocturne le jeudi jusqu'à 21 heures)
Alors là, c'est très surprenant. Une vaste agora où se dressent deux édifices. L'un,

5 STREET
RENT
1-800-693-2232
TAXI
CENTRAL
532-5555
Central Cab
1176
1176

Page de gauche : tout en couleur et en forme pour ce restaurant « China Grill ».
Ci-dessus : départ du paquebot* Norway *(ex-*France*) au bout de la plage de South Beach, très animée le weekend. Vue d'une chambre de l'hôtel* Tides *sur Ocean Drive avec téléscope à toutes les fenêtres.

très moderne tout en verre et couleurs vives, l'autre, un bloc de béton gris. Devinette : lequel abrite le musée d'art moderne ? Eh non, il est logé dans l'affreux blockhaus conçu par Charles Gwathmey qui ouvrit ses portes en 1996 (l'autre bâtiment est le commissariat central de Miami !). Pas de réticence car une fois franchi le seuil, les expositions sont superbes, riches d'œuvres d'artistes locaux et internationaux : Keith Haring, Quisqueya Henriques, Jasper Johns, Roy Lichtenstein, Claes Oldenburg ou encore Robert Rauschenberg.

Pages suivantes : ambiance Arts déco près de la plage. Ici, les voitures complètent le décor. Arrivée en bande de motards de la police. Nouvelle construction d'appartements luxueux à SoBe (South Beach). Miami Design District : un quartier réservé à l'industrie du design et de la décoration depuis les années soixante-dix ; enseignes, show-rooms. Détails architecturaux en bord de plage. Le « salon » de piscine de l'hôtel* Beach House. *Miami Beach côté mer. Le garçon de plage rangera votre transat en fin de journée. Déco originale faite d'incrustations d'animaux marins pour cette maison privée. Cabanes des « lifeguards » diversement décorées...

CRESCENT

OCEAN PLAZA

SAMPLE SALE
Miami Design District
ARABESQUES
91
SUSANE
R.
OPEN

LIFE
GUARD
ON
DUTY

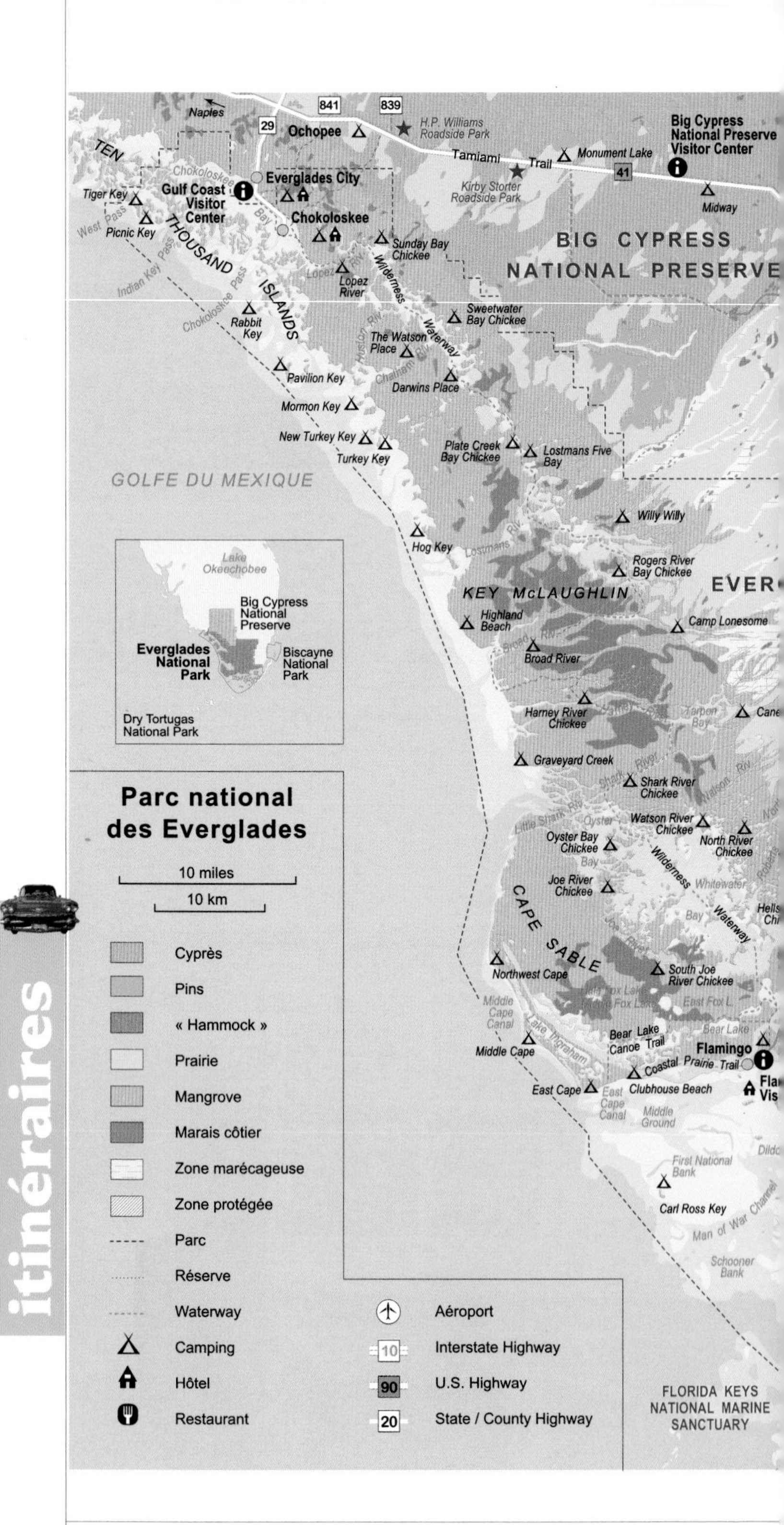

itinéraires

WATER CONSERVATION AREA 3A
WATER CONSERVATION AREA 3B
Tampa
27
95
HIALEAH
826
Florida's Turnpike
MIAMI INTERNATIONAL AIRPORT
112
836
Le Jeune Rd.
MIAMI
Miccosukee Cultural Center
41
Tamiami Trail
Shark Valley Visitor Center
997
821
CORAL GABLES
874
SOUTH MIAMI
Kendall Drive
URBAN DEVELOPMENT ZONE
SHARK RIVER SLOUGH
Observation Tower
KENDALL-TAMIAMI EXECUTIVE AIRPORT
1
Chekika
Richmond Drive
SW 168 th Street
Krome Avenue
AGRICULTURAL AND RURAL DEVELOPMENT ZONES
BISCAYNE BAY
ES NATIONAL PARK
HOMESTEAD AIRPORT
HOMESTEAD AIR RESERVE BASE
SW 137th Av.
BISCAYNE NATIONAL PARK
Waterway
HOMESTEAD
North Canal Drive
SW 328 th Street
Convoy Point Visitor Center
Pa-hay-okee Overlook
Pinelands
FLORIDA CITY
Intracoastal
Elliott Key
Long Pine Key
Ernest F. Coe Visitor Center
Rubicon Keys
Totten Key
Old Rhodes Key
Broad Creek
Royal Palm Visitor Center
Card Sound Road
Ernest Coe
Angelfish Key
Card Sound
LARGO
Mahogany Hammock
Old Ingraham
TAYLOR SLOUGH
Paurotis Pond
Pearl Bay Chickee
Nine Mile Pond Canoe Trail
Hells Bay Canoe Trail
Nine Mile Pond
Noble Hammock Canoe Trail
Crocodile Lake Nat. Wildlife Refuge
905
Hawk Channel
Joe Bay
Manatee Bay
Barnes Sound
Long Sound
Little Blackwater Sound
KEY
JOHN PENNEKAMP CORAL REEF STATE PARK
West Lake Canoe Trail
Cuthbert L.
Henry L.
Seven Palm Lake
Monroe L.
Rankin Bight
Madeira Bay
Little Madeira Bay
Blackwater Sound
North Nest Key
Rattlesnake Key
El Radabob Key
J. Pennekamp Coral Reef State Park Visitor Center
Key Largo Ranger Station
Whipray Basin
Rodriguez Key
FLORIDA BAY
Little Rabbit Key
Twin Key Bank
Tavernier Key
Hawk Channel
OCÉAN ATLANTIQUE
Plantation Key
Windley Key
FLORIDA KEYS NATIONAL MARINE SANCTUARY
Lignumvitæ Key State Aquatic Preserve
Upper Matecumbe Key
Intracoastal Waterway
Lower Matecumbe Key
Long Key

Les Everglades

« Nous sommes ici face à deux merveilles de la nature : la beauté des grands mouvements circulaires, l'horizon sans limite et la beauté du monde en extrême miniature.
Les Everglades, c'est aussi une vue aérienne promise par les oiseaux en forme de cerfs-volants, celle aperçue d'un canoë ou observée par les alligators dont les yeux affleurent les eaux. » (Parole indienne).

Un immense océan d'herbes et de marais où le vert et le bleu se confondent dans les divers écosystèmes qui s'y côtoient : prairie, mangrove, « hammocks », pinèdes. Le Parc national des Everglades constitue la troisième plus grande réserve naturelle des Etats-Unis derrière Death Valley (Californie) et Yellowstone (Wyoming). Un territoire sacré pour les Indiens *séminoles et miccosukee*. Un habitat naturel pour trois cents espèces d'oiseaux, les crocodiles et les alligators. Ici, le visiteur plonge dans un paysage saisissant et sauvage à découvrir en *airboat*, les petits hydroglisseurs.

Une hydrographie exceptionnelle

Le réseau hydrographique des Everglades est très particulier. L'inondation de cette vaste plaine, peu profonde (quinze centimètres en moyenne), trouve son origine dans la vallée fluviale de Kissimmee, au nord. Elle forme une sorte de fleuve de quatre-vingts kilomètres de large, né à l'ère glaciaire, qui s'écoule très lentement depuis l'immense lac Okeechobee vers la baie de Floride et le golfe du Mexique. Les divers écosystèmes qui y cohabitent s'épanouissent au gré des saisons et des pluies, mais l'intervention humaine, pour essayer de contrôler l'écoulement fluvial,

Infinité des routes plates et droites. « Attention aux pumas sur 5 miles », sur la route 41 qui traverse d'est en ouest le sud de l'Etat.

Everglades, excursion en airboat.

a des conséquences dramatiques sur la faune et la flore. Durant la saison des pluies qui débute en mai, il tombe en moyenne 1,54 m d'eau. Ces pluies inondent les prairies environnantes avant de s'écouler lentement en une kyrielle de rivières au travers des Everglades. Le drainage s'effectue lentement. Par kilomètre, le terrain descend de cinq centimètres jusqu'au golfe du Mexique, étendant ainsi le drainage des eaux de la saison pluvieuse. Il s'agit là d'un phénomène vital pour l'écosystème sud-floridien. En effet, le drainage graduel prolonge la saison des pluies de deux à trois mois alors que les eaux de pluie diminuent à partir d'octobre. Cela produit un mélange équilibré d'eau douce et salée dans les estuaires des Everglades. Ce mélange riche et nutritif est vital pour la vie animale marine, notamment les crevettes roses, brochets et truites, importants pour l'industrie de la pêche en Floride. Le marécage fournit aussi de l'eau à plusieurs villes du sud-ouest de l'Etat. Durant la saison sèche, l'eau s'évapore ou circule dans les estuaires. La vie aquatique se concentre alors dans les étangs les plus profonds.

Everglades National Park :
un environnement de marais et forêt...

EVERGLADES NATIONAL PARK

Informations touristiques :
Main Visitor Center et Royal Palm Visitor Center, Hwy 9336 ; Tél. : 305-242-7700 ; The Shark Valley Visitor Center – US Hwy 41 ; Tél. : 305-221-8776 ; The Flamingo Visitor Center à Flamingo ; Tél. : 941-695-3094.

Accès : *Au départ de Miami, prendre l'US-1 jusqu'à Homestead ou la Florida's Turnpike en direction du sud jusqu'à Florida City. Prendre ensuite la SR 9336.*

Canoë sur rivière ou dans les Everglades. Activité de pleine nature très prisée.

Les Indiens *calusa* peuplaient ces marais subtropicaux qu'ils appelaient *« Pa-hay-okee »* signifiant l'eau herbeuse. Au XVIe siècle, l'arrivée des Espagnols causa leur perte et ils disparurent de cette partie de la Floride. Rescapés des guerres indiennes (1817-1818, 1835-1842 et 1855-1858), quelques Séminoles et Miccosukee trouvèrent refuge dans les Everglades *(voir chapitre Histoire et encadré ci-après)* afin d'échapper à la déportation vers des réserves de l'Ouest. Ils y vécurent seuls jusqu'à l'arrivée des trappeurs et des planteurs de canne à sucre au début du XXe siècle. En 1905, sous la pression des spéculateurs, le gouverneur de Floride, Napoléon Bonaparte Broward donne son feu vert pour la construction de plus de deux mille kilomètres de canaux artificiels destinés à drainer les Everglades pour irriguer les exploitations agricoles et libérer des terrains en vue de leur urbanisation. Cette politique destructrice pour l'environnement engendra de nombreuses manifestations de défense de l'environnement sans pour autant y mettre un frein. En 1928 s'achève la construction d'une grande route, Tamiami Trail (US-41) qui traverse les Everglades d'est en ouest et fait barrage à l'écoulement naturel des eaux vers le golfe du Mexique.

Il aura fallu attendre la création du Parc national des Everglades, en 1947, pour stopper cette catastrophe écologique et la publication d'un livre de Marjorie Stoneman Douglas pour faire connaître cette région et prendre conscience de l'urgence qu'il y avait à y restaurer son flux d'origine. La menace, pour autant, n'a pas disparu. Le marécage souffre de la proximité des villes et des grandes plantations dont les eaux polluées de pesticides se déversent dans les marais. Toutefois, il faut noter la promulgation par le parlement de Floride, en 1994, de l'Everglades Forever Act qui devrait permettre de mieux protéger le site en s'attaquant aux divers problèmes écologiques. Par exemple, en 1996, le Congrès des Etats-Unis a décidé de réduire les aides financières aux exploitations sucrières, l'argent ainsi économisé devant servir à restaurer le réseau hydrographique naturel par le déplacement de barrages en amont et le re-routage des eaux vers le sud. Rien n'est joué cependant à ce jour car les intérêts en jeu s'élèvent à plusieurs centaines de millions de dollars et les lobbies de promoteurs, exploitants et financiers pèsent lourds dans ce duel...

Faune des Everglades

Plus de six cents espèces animales peuplent les Everglades et pas toujours des plus sympathiques ! La prudence est vraiment de mise et mieux vaut ne pas jouer aux *Indiana Jones* quand on se balade dans cette région sauvage.

Visite à la ferme d'alligators.
Dans l'Everglades National Park, l'écosystème est unique et fragile, constitué de marais, marécages, mangroves, pins…

Par exemple, sur la vingtaine d'espèces de **serpents** de Floride, cinq venimeux se baladent ici : le Crotale diamantin *(Crotalus adamanteus)*, le Crotale pygmée *(Sistrurus miliarius)*, le Crotale des bois *(Crotalus articaudatus)*, le Mocassin à tête cuivrée *(Agkistrodon piscivorus conanti)* qui nage en surface des eaux et le Serpent arlequin coloré *(Micrurus fulvius)*.
Restons dans le registre du comité d'accueil bienveillant avec les **Crocodiles américains** *(Crocodylus acutus)* menacés d'extinction mais que l'on peut rencontrer dans les eaux glauques et salines des mangroves dans la partie méridionale du parc. Déjà un peu plus sympathiques mais aussi beaucoup plus nombreux, ce qui n'est pas vraiment rassurant, sont les **Alligators américains** *(Alligator mississippiensis)* que vous verrez franchement partout, donc attention ! Ne pas s'approcher, surtout s'il y a des petits car alors vous aurez intérêt à décamper au plus vite.
Quelques **Pumas de Floride** *(Felis concolor coryl)*, dont l'Etat a fait son emblème, survivent dans la partie sud du parc et dans les marécages de Big Cypress. Ils sont difficiles à voir mais qui sait ?
Concernant les oiseaux, le parc des Everglades en dénombre plus de trois cents variétés mais le plus courant, symbole des

Everglades, d'ailleurs, est l'**Anhinga d'Amérique** *(Anhinga anhinga)*, reconnaissable à son long cou et ses ailes noires. On le surnomme parfois « oiseau-serpent » car seul son cou sinueux émerge quand il nage.
Ah oui, il y a aussi les **moustiques**, une cinquantaine de variétés s'ébattent dans les marécages et peuvent complètement gâcher le plaisir de la villégiature. Il est donc absolument indispensable de prévoir crèmes et protections antimoustiques.

Les Indiens séminoles et miccosukee

Les Indiens séminoles sont irrémédiablement associés à la Floride. Toutefois, ils n'existaient pas en tant que communauté identitaire quand les conquérants espagnols accostèrent en Floride. Cette nation indienne est née en fait du regroupement de plusieurs petites tribus nomades et indépendantes les unes des autres et accueillit également d'anciens esclaves africains qui fuyaient les plantations. Le terme « Séminole » dériverait d'un mot creek signifiant « les sauvages » ou « fuyards ». Par la suite, Séminoles et Miccosukee se distinguèrent en formant deux nations distinctes mais aux coutumes très similaires.
Pendant les guerres indiennes du XIXe siècle, la majorité des Miccosukee fut déportée vers l'ouest mais quelques familles parvinrent à s'échapper et se réfugièrent dans les Everglades.
Tout au long du XIXe siècle, les Séminoles et Miccosukee étaient dispersés dans la zone marécageuse. En fait, une seule famille nombreuse vivait sur un îlot formé d'arbres – des « hammocks ». Ils avaient coutume de voyager en pirogue pour aller chasser, faire du commerce ou se rendre visite. Ces anciens canoës étaient creusés dans un seul tronc de cyprès.
Cette nation indienne issue de la souche creek ne se fixa jamais dans une seule communauté comme ce put être le cas de tribus indiennes des réserves de l'ouest. Ils demeurèrent indépendants vivant entre eux durant une centaine d'années, jusqu'à la construction de la grande route Tamiami Trail vers 1930. A cette époque, la tribu vivait dans des « chickees », habitats traditionnels souvent conçus pour deux familles. Les tables servaient la nuit d'emplacement pour dormir, suffisamment élevées pour se protéger de la pluie, des serpents et des alligators. La base de leur alimentation n'a guère changé : riz, viande et poisson, pain frit et pains de potiron.
En 1962, les Miccosukee furent reconnus au niveau fédéral comme tribu indienne à part entière, marquant ainsi la séparation entre eux et la tribu des Séminoles. Aujourd'hui, la tribu miccosukee compte à peine cinq cents âmes et celle des Séminoles entre trois mille et cinq mille personnes. Chaque tribu dispose de services complets pour l'éducation, la santé et la sécurité où se combinent certaines pratiques indiennes avec d'autres occidentales. Au travers de ces changements, ils ont réussi à préserver leur identité et leur langue. Chaque année, au printemps, est célébrée la ***Danse du Maïs vert*** *dans un grand « pow wow ». Une cérémonie sacrée au cours de laquelle les clans se réunissent pendant quatre jours, chantent et dansent pour fêter le don du maïs qui « les renouvelle et forge le secret de leur force ». La connaissance de la médecine indienne reste fortement ancrée et le folklore traditionnel fait partie intégrante de l'éducation des jeunes Indiens.*

Miccosukee Cultural Center : Indiens vendant de l'artisanat.

A Ochopee, le plus petit bureau de poste des USA.

BALADES

Au sud du parc

• Anhinga Trail (0,8 km) et Gumbo Limbo Trail (0,6 km)

Deux petites balades d'à peine un kilomètre qui démarrent de Royal Palm Station et empruntent des sentiers et pontons en bois. Elles sont toujours très prisées des visiteurs qui viennent observer les animaux (alligators, oiseaux, tortues) au milieu de marais ponctués d'îlots de palmiers. La promenade de Gumbo Limbo passe au travers d'une jungle de palmiers, lianes et gommiers rouges (*gumbo limbo*).

• Pa-hay-okee Overlook (0,5 km)

Une tour d'observation suffisamment élevée pour offrir une très belle vue panoramique sur les Everglades.

• Mahogany Hammock (0,5 km)

Une belle végétation où se mêlent fougères, orchidées, acajou (*mahogany* en anglais) et autres essences tropicales.

• Mangrove Trail (0,4 km)

Une promenade au milieu d'une épaisse mangrove, une forêt de palétuviers dont les racines aériennes s'enchevêtrent, bloquant tout passage.

• Flamingo

Cette petite ville marque la fin de la route SR 9336. Possibilité de louer des bicyclettes, des kayaks ou canoës et du matériel de pêche. Petits hôtels et restaurants également sur place. Plusieurs chemins de promenade et voies navigables pour kayaks partent d'ici (West Lake ; Nine Mile Pond ; Hells Bay ; Bear Lake).

Au nord du parc

• Shark Valley

(à 48 km à l'ouest de Miami par Tamiami Trail / US-41 ; ouvert t.l.j 8 heures-17 heures ; Tél. : 305-221-8776)

Un bon endroit pour se promener à pied ou bicyclette sans trop de risques dans ce marigot qui se déverse lentement dans la rivière Shark dont les eaux saumâtres sont infestées de requins (*sharks* en anglais). Un chemin balisé d'une vingtaine de kilomètres s'enfonce dans la plaine marécageuse des Everglades et l'on y rencontre évidemment beaucoup d'alligators. Au bout, on atteint la **tour d'observation** d'environ dix-huit mètres de haut d'où l'on peut juger de la platitude des Everglades. Pour ceux qui préfèrent découvrir Shark Valley sans effort, un tram organise des tours sur un circuit de vingt-cinq kilomètres environ. *Les départs se font depuis le parking, tous les jours entre 9 heures et 15 heures ou 16 heures selon les saisons. Egalement location de bicyclettes au parking.*

Ci-dessus : Everglades, "10 000 îlots" de mangroves. Ci-dessous : l'hôtel de ville de la petite ville d'Everglades City.

• Miccosukee Indian Village

(sur la route Tamiami Trail / US-41à 1 km de Shark Valley ; ouvert t.l.j 9 heures-17 heures ; Tél. 305-223-8380)

Un village indien recréé avec les habitats traditionnels *(chickees)*, un petit musée d'artisanat, des Indiens qui tissent sous vos yeux de superbes patchworks colorés ou tressent des paniers. Tous les jours, du côté des fosses aux alligators, de mini-shows de lutte à mains nues où l'on observe la dextérité avec laquelle les Indiens peuvent capturer et ligoter ces reptiles.

• Everglades City (environ 500 habitants)

(au sud de Tamiami Trail sur la Hwy 29)

Une bourgade fondée dans les années 1920 pour la construction de Tamiami Trail. C'est une des entrées du parc, la plus septentrionale, et une base pour les pêcheurs. Un bon point de départ aussi pour s'aventurer dans les Ten Thousand Islands.

• Ochopee

Une étape anecdotique dans les grands espaces des Everglades. Ici, dans ce hameau d'à peine cent habitants, vous allez voir la fierté locale : la cahute en bois posée au milieu de nulle part se trouve être le plus petit bureau de poste des Etats-Unis !

• Ten Thousand Islands

(Depuis Tamiami Trail ou US-41, direction le sud par Hwy 29 jusqu'à la Gulf Coast Ranger Station ; à moins de 3 heures de voiture de Miami)

Le parc organise tous les jours de belles excursions en bateau à la découverte de la baie de Chokoloskee et ses « dix mille îles » qui forment un des plus grands estuaires de mangrove au monde.

On rencontre de nombreux animaux, notamment des lamantins et des oiseaux variés. Possibilité aussi de se balader en kayak mais, pour cela, prendre toutes les précautions nécessaires auprès des Rangers à l'entrée du parc des Everglades. Si vous en avez le courage, vous pouvez faire une balade extraordinaire en kayak ou canoë le long de **Wilderness Waterway**, une voie navigable de cent soixante kilomètres, entre Flamingo et Everglades City. A vos rames et pagaies !

Paysage rural classique de prairies, marais et troupeaux.

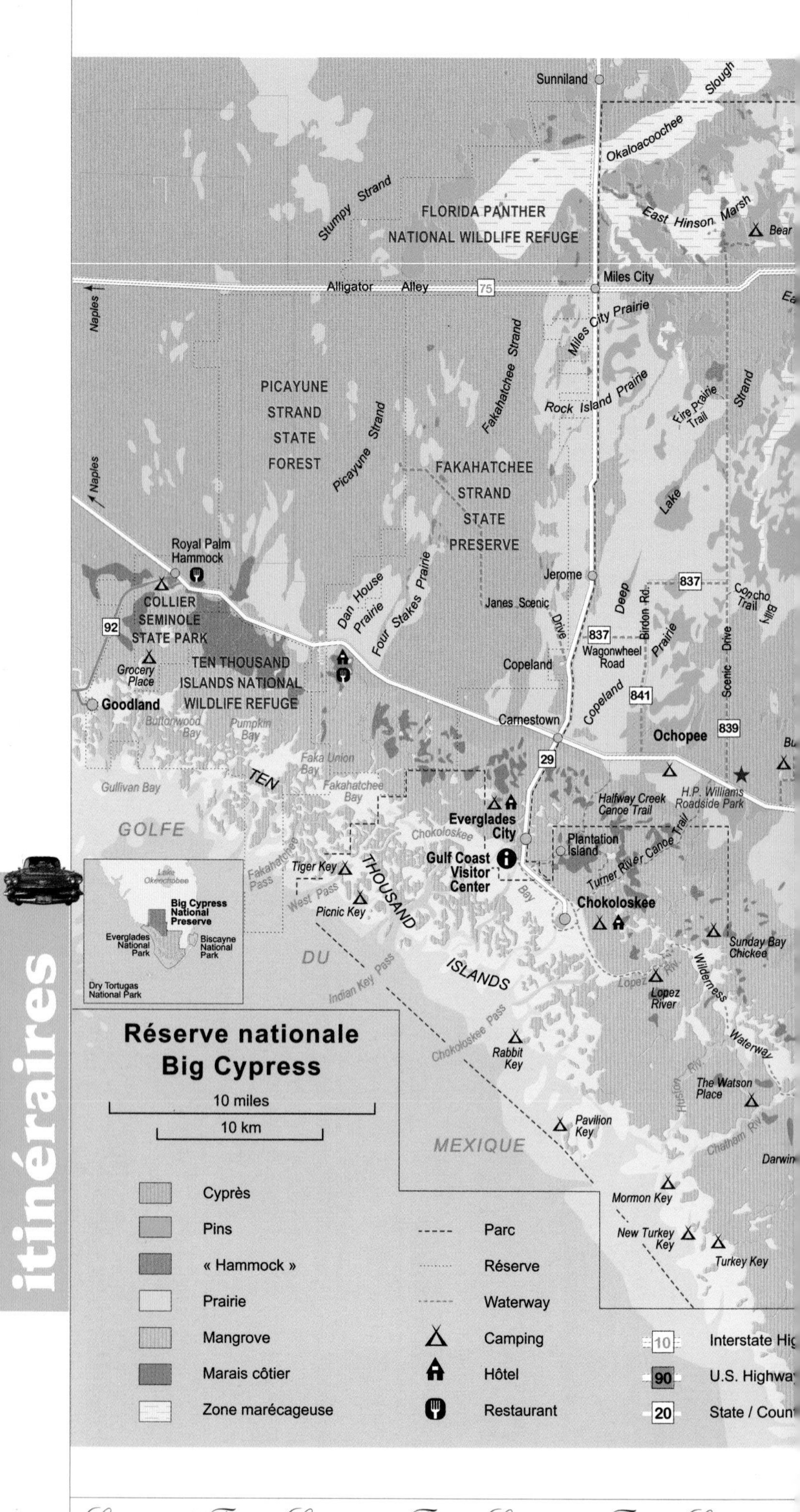

Réserve nationale
Big Cypress
10 miles
10 km
Cyprès
Pins
« Hammock »
Prairie
Mangrove
Marais côtier
Zone marécageuse
Parc
Réserve
Waterway
Camping
Hôtel
Restaurant
Interstate Hig
U.S. Highwa
State / Coun
Sunniland
Okaloacoochee
Slough
East Hinson Marsh
Bear
FLORIDA PANTHER
NATIONAL WILDLIFE REFUGE
Stumpy Strand
Alligator Alley
75
Miles City
Miles City Prairie
Naples
PICAYUNE
STRAND
STATE
FOREST
Picayune Strand
Fakahatchee Strand
Rock Island Prairie
Fire Prairie Trail
Strand
FAKAHATCHEE
STRAND
STATE
PRESERVE
Lake
Royal Palm
Hammock
COLLIER
SEMINOLE
STATE PARK
92
Jerome
Dan House Prairie
Four Stakes Prairie
Janes Scenic Drive
Deep
Birdon Rd.
837
Concho Trail
Billy
Wagonwheel Road
Prairie
Scenic Drive
Grocery Place
TEN THOUSAND
ISLANDS NATIONAL
WILDLIFE REFUGE
Copeland
Goodland
841
Carnestown
Ochopee
839
Buttonwood Bay
Pumpkin Bay
29
Faka Union Bay
Fakahatchee Bay
TEN
Gullivan Bay
Halfway Creek Canoe Trail
H.P. Williams Roadside Park
Everglades City
GOLFE
Chokoloskee
Plantation Island
Gulf Coast Visitor Center
Turner River Canoe Trail
Fakahatchee Pass
Tiger Key
THOUSAND
West Pass
Picnic Key
Bay
Chokoloskee
Sunday Bay Chickee
DU
ISLANDS
Indian Key Pass
Lopez Riv.
Lopez River
Wilderness Waterway
Chokoloskee Pass
Rabbit Key
Huston Riv.
The Watson Place
Pavilion Key
Chatham Riv.
MEXIQUE
Darwin
Mormon Key
New Turkey Key
Turkey Key
Lake Okeechobee
Big Cypress National Preserve
Everglades National Park
Biscayne National Park
Dry Tortugas National Park
itinéraires

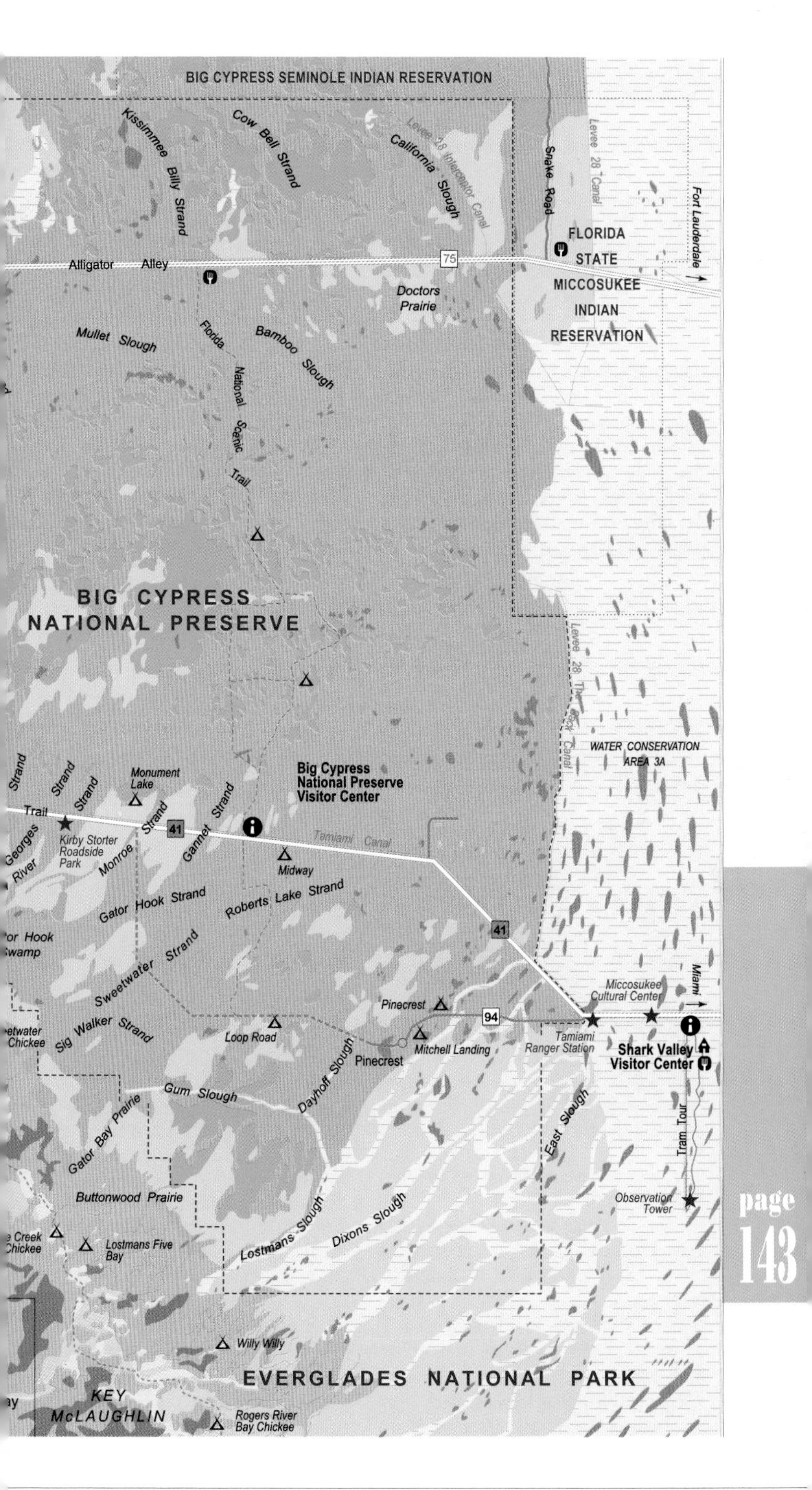
BIG CYPRESS SEMINOLE INDIAN RESERVATION
Kissimmee Billy Strand
Cow Bell Strand
California Slough
Levee 28 Interceptor Canal
Snake Road
Levee 28 Canal
Fort Lauderdale
FLORIDA STATE
MICCOSUKEE INDIAN RESERVATION
Alligator Alley
75
Doctors Prairie
Mullet Slough
Florida National Scenic Trail
Bamboo Slough
BIG CYPRESS NATIONAL PRESERVE
Levee 28 Tieback Canal
WATER CONSERVATION AREA 3A
Monument Lake
Big Cypress National Preserve Visitor Center
Trail
Kirby Storter Roadside Park
Georges River
Monroe Strand
Gannet Strand
41
Tamiami Canal
Midway
Gator Hook Strand
Roberts Lake Strand
Sweetwater Strand
Sig Walker Strand
Miami
Miccosukee Cultural Center
Pinecrest
94
Loop Road
Mitchell Landing
Tamiami Ranger Station
Shark Valley Visitor Center
Dayhoff Slough
Gum Slough
Gator Bay Prairie
East Slough
Tram Tour
Buttonwood Prairie
Observation Tower
Lostmans Five Bay
Lostmans Slough
Dixons Slough
Willy Willy
EVERGLADES NATIONAL PARK
KEY McLAUGHLIN
Rogers River Bay Chickee

BIG CYPRESS NATIONAL PRESERVE

(Le parc naturel se situe entre Miami et Naples. Il s'étend à environ 11 km au nord du Parc national des Everglades au-delà de l'Interstate 75 (I-75) qui traverse la réserve aussi accessible par l'US-41 ou Tamiami Trail ; Tél. : 941-695-4111)

Un vaste marécage de plus de 6 215 km², constitué d'îles sablonneuses couvertes de pins, de « hammocks » de bois dur, de prairies inondées et de forêts tropicales. La flore et la faune y abondent. On trouve de nombreuses broméliacées et d'orchidacées accrochées aux cyprès, des alligators, des serpents venimeux, des panthères et des ours noirs.

Big Cypress Preserve : excursion en « Swamp Buggies » en terre Séminole.

Environ un tiers de la réserve de Big Cypress (Grand Cyprès) est couvert de cyprès. La grande partie de ces arbres se développe aux abords des prairies marécageuses. Ce sont de grands cyprès dépouillés de feuilles. Ceux qui restent aujourd'hui dans le parc naturel sont très âgés, six cents à sept cents ans pour les plus vieux. Leur base bulbeuse s'étend vers le sol pour s'accrocher à la matière végétale riche et organique. Les circonférences dépassent parfois la taille d'une ronde de quatre personnes. Les cyprès sont ici désormais protégés et ne sont plus abattus pour fabriquer gouttières, cercueils, bancs de stades, barriques ou coques de bateaux.

Avant l'arrivée des Blancs, les tribus miccosukee et séminoles cohabitaient dans cette région. Plus tard, les grands projets de construction ont touché l'endroit, transformant les rivières sinueuses en canaux rectilignes et les prairies en plantations d'agrumes et de canne à sucre. Puis les bûcherons s'implantèrent dans cette région, suivis par les compagnies pétrolières et les spéculateurs fonciers. Commença alors la construction de routes et de canaux de drainage qui finit par assécher les terres, bouleversant l'écosystème local.

Big Cypress est devenu facilement accessible depuis la construction du *Tamiami Trail* en 1928. L'exploitation économique a commencé durant le développement rapide de l'industrie du bois dans les années 1930 et 1940.

Les petits établissements d'Ochopee, de Monroe Station et de Pinecrest attirèrent des chasseurs, pêcheurs, éleveurs de bétail ou collecteurs de plantes à vertus médicinales. Le premier puits pétrolier de Floride a été foré en 1943 au nord de la réserve actuelle, non loin de Sunnyland. Pendant les années 1960, le drainage de Big Cypress fut entrepris en vue de laisser des terres aux spéculateurs. En 1968, Big Cypress fut classé réserve nationale afin d'empêcher le tarissement de cette zone, les eaux de ces marécages alimentant le parc des Everglades.

Randonnées pédestres

Un chemin de cinquante kilomètres permet de découvrir le côté sauvage de Big Cypress avec parfois des passages peu aisés dus aux inondations. Il est donc préférable de s'y aventurer durant la saison sèche qui débute en octobre. De courts sentiers sont, quant à eux, faciles : le *Tree Snail Hammock*, au départ de Loop Road Scenic Drive ; le *Concho Billy Trail* (4 km) et le *Fire Prairie Trail* (4 km) tous deux au départ de la route 839. Originellement créées pour l'exploitation pétrolière, ces routes en gravier sont fermées aux voitures mais ouvertes aux piétons et cyclistes.

Balades en canoë

Il y a deux petites rivières où il est possible de faire des excursions de cinq-six heures en canoë. Depuis la route US-41, la balade démarre au point nommé Turner River et s'achève à Chokoloskee ou au centre des visiteurs d'Everglades City. L'autre option suit Halfway Creek qui commence à Seagrape Drive.

• Ah-Tah-Thi-Ki Museum

(dans le parc de Big Cypress Preserve ; ouvert du mardi au dimanche 9 heures-17 heures ; Fermé le lundi ; Tél : 941-902-1113 ; www.seminoletribe.com)
Un musée vraiment bien fait, consacré à la tribu des Séminoles que l'on apprend à connaître au travers d'une vidéo et d'une exposition d'art et artisanat. Autour du musée est récréé un village traditionnel avec ses artisans que l'on voit à l'ouvrage. Moyennant près de 100 $ on peut passer la nuit dans ce village, dormir dans un « *chickee* » et partager une soirée avec les Indiens autour d'un feu de camp.
Non loin, possibilité de faire une balade en *airboat* ou en buggy avec **Billie Swamp Safari**, un excellent tour organisé par des Séminoles *(Tél : 800-949-6101 ; www.seminoletribe.com/safari)*

On nourrit l'alligator en liberté pour amuser les touristes. Pages suivantes : au nord des Everglades, un village séminole dans le Big Cypress Preserve, l'airboat, moyen de transport le plus pratique dans cet environnement.

L'archipel des Keys

Un chapelet de huit cents îles qui s'égrène à l'extrême sud-est des Etats-Unis comme un pointillé entre l'océan Atlantique et la baie de Floride. Une cédille d'environ trois cents kilomètres entre Key Largo au nord et Dry Tortugas au sud. A seulement cent quarante kilomètres de Cuba, Key West est plus proche de La Havane que de Miami !
Ici, la vie n'a plus grand-chose de commun avec celle de l'Amérique trépidante. L'ambiance y est résolument tropicale et le quotidien nonchalant et bohème. Une destination incontournable de Floride pour laquelle on emprunte une route spectaculaire qui survole l'océan turquoise et indigo.

Ci-dessous et à droite : « Seven Mile Bridge », le plus long des 42 ponts reliant toutes les îles jusqu'à Key West.

Florida Keys composées de centaines d'îles appelées cayos, 45 seulement sont habitées.

L'archipel des Keys se compose de 4 000 km² de récif corallien vivant, le troisième plus grand au monde derrière la Grande Barrière d'Australie et celle du Belize. Il se forma voici plus de dix millions d'années et est devenu un vaste sanctuaire marin protégé. Au nord et au centre se trouvent les *Upper* et *Middle Keys,* des îles qui attirent les amateurs de pêche sportive et de plongée sous-marine. Au sud, dans les *Lower Keys,* on découvre la ravissante île de Key West. Au total quelque soixante-dix-huit mille habitants vivent

A Key West, simplicité et beauté.

dans les Keys, essentiellement sur les îles de Key Largo, Marathon et Key West.

Les Espagnols baptisèrent *« cayos »* l'ensemble d'îlets qu'ils longèrent sur leur route vers le nord, un terme ensuite américanisé en *« keys »* qui désigne ces petites îles. Jusqu'au début du XXe siècle, les Keys n'intéressaient pas vraiment les Américains. Trop de moustiques, pas de liaisons autres que quelques bateaux marchands et un environnement trop inhospitalier de corail et mangrove. Vivaient alors dans ces îles des Indiens calusa et des pêcheurs d'éponges et de coquillages. Il faut attendre 1904 et l'arrivée d'Henry Flagler pour tirer les Keys de leur isolement. Il prolongea de Miami à Key West la ligne ferroviaire de la Florida East Coast Railway. Ce tronçon fut appelé « Overseas Railroad » et, en 1912, le premier train entra dans Key West. Mais en 1935, un violent ouragan détruisit tout, y compris la voie ferrée. En 1938, l'idée du rail fut abandonnée mais pas celle d'une liaison routière. Fut alors construite une route baptisée « Overseas Highway », en prolongement de l'US-1 qui s'arrête à Key West. Cette route au-dessus de l'océan est vraiment spectaculaire. Elle

Réserve marine : bureau d'informations sur l'eau grâce à un bateau circulant entre les divers récifs.

emprunte quarante-trois ponts, funambules suspendus au-dessus des eaux turquoise de la baie de Floride.

C'est aussi dans cet archipel que se trouve un hôtel unique au monde situé par dix mètres de fond *(voir Key Largo)*. Et le point le plus méridional du continent américain, à Key West. Les amoureux de nature et de mammifères marins pourront vivre une expérience indicible, celle de nager avec les dauphins, ou marcher sur les traces de grands écrivains comme Hemingway.

Se rendre dans les Keys

*- **Par la route US-1 :** elle suit le tracé originel de la ligne de chemin de fer construite par Henry Flagler puis détruite en 1935 par un ouragan.*

L'Overseas Highway (170 km) relie les Keys depuis Key Largo jusqu'à Key West grâce à 43 ponts. Parmi eux, le célèbre « Seven Mile Bridge » long de 7 miles, bien sûr, soit près de 13 km.

*- **Par avion :** plusieurs vols nationaux relient Marathon et Key West à Miami, Orlando, Tampa ou encore Fort Lauderdale.*

*- **Par bateau :** 23 compagnies de croisière font escale à Key West.*

KEY LARGO (environ 13 000 hab.)

Humphrey Bogart et Lauren Bacall y tournèrent *Key Largo* et Bogart y emmena Katharine Hepburn à bord de l'*African Queen*, un film de 1948. Ce rafiot à vapeur est toujours ancré à Key Largo au ponton de l'hôtel *Holiday Inn Key Largo Resort* et ne sert plus qu'à promener les touristes nostalgiques.

Key Largo est située tout au nord de l'archipel entre l'océan Atlantique indigo et la baie de Floride, aux eaux translucides. C'est la plus grande (quarante-deux kilomètres de long pour à peine deux de large) d'où son nom donné par les Espagnols au XVIe siècle, *Cayo Largo* ou « longue île ». Au XIXe siècle, elle servit de refuge à de nombreux pirates qui pillaient les bateaux marchands.

Les rivages de Key Largo sont superbes, formés de mangroves et de petites palmeraies où vivent de nombreux oiseaux, tortues et crocodiles. Les fonds sous-marins sont réputés pour la plongée en bouteilles ou plus simplement en masque et tuba. Au large, en effet, se trouve un superbe récif corallien vivant, le troisième au monde par sa taille. Cette formation corallienne longe plus de trois cent vingt kilomètres de rivage et peut atteindre vingt-quatre mètres de profondeur ; elle s'étire de Fowey Rock (au sud de Miami) à Dry Tortugas (au sud-ouest de Key West) dans le golfe du Mexique. Cette énorme réserve marine naturelle est protégée par le Florida Keys National Marine Sanctuary.

A voir

(Informations touristiques : Key Largo Chamber of Commerce : 106 000 Overseas Hwy; Tél. : 305-451-1414 ou 800-822-1088)

• John Pennekamp Coral State Park

(MM 102.6; ouvert t.l.j de 8 heures au coucher du soleil; Tél. : 305-451-1202; www.dep.state.fl.us/parks)

Créé en 1960, c'est le tout premier parc sous-marin des Etats-Unis, d'une superficie de vingt-deux mille hectares. Un univers amphibie fascinant, paradis pour tous, grands et petits, plongeurs confirmés ou débutants. Les richesses de la faune et de la flore marines peuvent êtres admirées avec seulement un masque et un tuba. Le parc protège plus de deux cents espèces de poissons tropicaux multicolores, de magnifiques gorgones, des épaves de galions, des éponges et des coraux. Il est possible de camper dans le parc, de faire des balades en bateau à fond de verre et, bien sûr, de nager.

• Key Largo Undersea Park

(MM 103.2au 51 Shoreland Drive; ouvert t.l.j de 9 heures à 15 heures; Tél. : 305-451-2353; Fax : 305-451-4789; www.jul.com)

Ici vous attend une aventure peu commune. Celle de séjourner au ***Jules' Undersea Lodge,*** un hôtel tout confort situé à dix mètres de profondeur, le seul qui existe au monde. Le parc est un beau lagon cerné d'une mangrove. Dans les années 1980, des chercheurs avaient construit un laboratoire de recherche immergé au large de Puerto Rico, refuge pour les aquanautes qui exploraient les fonds marins. Abandonné, le laboratoire fut ramené à Key Largo et transformé en un hôtel de petite capacité certes (six personnes maximum) mais assez fantastique avec tout le confort (TV, vidéo, micro-ondes, frigo, cuisine, salle de bains et toilettes). Les bagages sont descendus en caissons étanches par un des plongeurs professionnels du parc, de même que les repas. Il faut posséder son premier niveau de plongée en bouteilles pour y aller mais il est possible de le passer sur place, divers forfaits étant proposés. Cet hôtel amphibie est très couru, surtout pour les voyages de noce, et l'on y vient du monde entier. Il faut donc réserver longtemps à l'avance.

• Dolphins Plus

(MM 99.5; Tél. : 305-451-1993; www.pennekamp.com/dolphins-plus)

Un centre de recherche et d'éducation sur les dauphins qui propose aux visiteurs de découvrir ces merveilleux mam-

7 miles à l'ouest des îles, un spot de « snorkling » et plongée dans les eaux turquoises.

mifères puis, après une présentation théorique, de nager et de jouer avec eux. Un programme thérapeutique est aussi proposé aux personnes souffrant de handicaps.

• Wild Bird Center
(MM 93.6 ; ouvert t.l.j 8 h 30-18 heures ; Tél. : 305-852-4486)
C'est un centre de réadaptation pour les oiseaux sauvages, aménagé pour les balades dans un marais de mangrove situé sur la baie de Floride.

Tél. : 305-664-2431) Un grand spectacle où les comédiens sont les dauphins, les otaries, les raies et les requins. Ici aussi on peut nager avec les dauphins.

• Somewhere in Time
(MM 82.8 ; ouvert t.l.j 9 heures 17 heures ; entrée gratuite ; Tél. : 305-664-9699)
Un petit musée de trésors d'épaves récupérés des galions espagnols naufragés dans les eaux de Floride. On y découvre des objets religieux, des pièces et des bijoux.

Plongée et pêche au gros parmi les principales activités nautiques.

ISLAMORADA (moins de 2 000 hab.)

Cette île des Middle Keys, à environ 110 km de Miami, doit son nom espagnol « île pourpre » à la couleur des coraux de ses fonds et comprend Plantation Key, Windley Key et Matecumbe Key.

A voir

(Informations touristiques : Chamber of Commerce, MM 82.5 ; Tél. : 305-664-4503 ou 800-322-5397 ; www.florida-keys.fl.us/islacc.htm)

• Theater of the Sea
(MM 84.5 ; ouvert t.l.j 9 h 30-16 heures ;

• Long Key State Recreation Area
(MM 68 ; ouvert 8 h 30-coucher du soleil ; Tél. : 305-664-4815)
Un beau parc naturel qui fut toutefois très endommagé par le passage d'un ouragan en 1998. Possibilité de camper, de pêcher, de faire des balades en canoë ou de la plongée au milieu d'un très beau site. Une belle balade, le Golden Orb Trail (1,6 km) traverse une mangrove puis un *« hammock »* aux essences tropicales et atteint une jolie plage.

• Lignumvitae Key State Botanical Site
(Tél. : 305-664-4815)
Une île transformée en parc de cinq cent soixante hectares, située au sud d'Islamorada. Toute l'île n'est qu'une grande forêt tropicale vierge et un site botanique protégé depuis 1972. Prévoir de l'antimoustique !

Key Largo. « Dolphins Plus », un centre de soins, de recherche et de loisirs où les dauphins sont en milieu naturel.
Soins donnés à une otarie.
A Key Largo, « Undersea Lodge » le seul hôtel sous-marin au monde !

MARATHON (environ 12 000 hab.)

A mi-parcours sur la route des Keys, Marathon servait jadis de campement pour les cheminots. Le nom lui fut attribué pour rappeler l'urgence dans laquelle ils durent achever les travaux avant la mort d'Henry Flagler. Aujourd'hui, Marathon est surtout célèbre pour la pêche au gros et son centre de recherche sur les dauphins, un des plus réputés au monde. A voir aussi son hôpital pour tortues de mer.

A voir

(Informations touristiques : Chamber of Commerce : MM 53.5 ; Tél. : 305-743-5417 ou 800-262-7284 ; www.florida-keys.fl.us/marathon.htm)

• Pigeon Key Museum
(MM 47 ; ouvert t.l.j 9 heures-17 heures ; Tél. : 305-289-0025)
Pigeon Key est une petite île à l'ouest de Marathon. Au départ du centre d'accueil, on monte à bord d'une navette qui emprunte le Old Seven Mile Bridge, c'est-à-dire l'ancien pont, pour se rendre à un ancien camp de cheminots. Ce pont fut achevé en 1912 mais balayé en 1935 par un ouragan. Le musée est là pour rendre hommage aux ouvriers de ce chantier océanique de grande envergure.

La borne colorée, à Key West indique le point le plus au sud des USA.

• Seven Mile Bridge
Ce pont superbe entre Knight Key et Little Duck Key relie les Middle Keys aux Lower Keys. Bâti en 1988, il est formé de deux cent quatre-vingt-huit tronçons longs chacun de quarante et un mètres.
Il remplace l'ancien pont et quand on le traverse, on a l'impression de s'envoler au-dessus de l'océan qui scintille vingt mètres plus bas. Points de vue magiques !

• Dolphin Research Center
(MM 59 ; ouvert t.l.j 9 heures-16 heures ; Tél. : 305-289-1121 ; www.dolphins.org)
Sur Grassy Key est installé ce passionnant centre d'études et de recherches sur nos amis Flipper.
On peut assister aux programmes sur le comportement social des dauphins que l'on voit évoluer dans des bassins naturels. Possibilité également de nager avec ces magnifiques mammifères toujours prompts à faire des blagues.

• Tropical Crane Point Hammock
(MM 50 ; ouvert lundi-samedi 9 heures-17 heures et dimanche 12 heures-17 heures ; Tél. : 305-743-9100)
Une forêt tropicale de vingt-cinq hectares où l'on peut voir des expositions sur les naufrages et les pirates et sur la faune et flore locales dans le petit musée d'histoire naturelle très bien conçu.

LOWERS KEYS

Une des principales attractions dans ces îlets couverts de pins qui s'égrènent entre Pigeon Key et Key West, est le National Key Deer Refuge mais aussi une plage magnifique et des fonds marins superbes pour les plongeurs.

A voir

(Informations touristiques : Chamber of Commerce, MM 31 sur Big Pine Key ; Tél. : 305-872-3580 ou 800-872-3722 ; www.florida-keys.fl.us/lwrkycc.htm)

• National Key Deer Refuge
(MM 30 sur Big Pine Key ; ouvert lundi-vendredi 8 heures-17 heures ; Tél. : 305-872-2239)
Une réserve animale créée en 1954 pour protéger le cerf à queue blanche, le plus petit cerf d'Amérique du Nord, que l'on ne rencontre que dans les Keys. Tombée à moins de quarante dans les années 1950, sa population serait de quatre cents cinquante aujourd'hui. Plusieurs chemins de balade balisés permettent de savourer une belle nature tropicale et d'approcher les daims qu'il ne faut surtout pas nourrir !

• Bahia Honda State Park
(MM 36.5 au pied du pont Seven Mile Bridge)
Un très beau parc naturel où l'on trouve une des plus belles plages des Keys pour

Vieux panneaux publicitaires d'influence hispanique à Key West.

Key West, cartes postales en noix de coco (!) sur un stand de Mallory Square.

la qualité de son sable blanc et fin et pour sa longueur. Un lieu enchanteur pour se baigner ou s'adonner à toutes sortes d'activités (plongée, pêche, kayak, bateau).

KEY WEST (environ 25 000 hab.)

Capitale de la « *Conch Republic* », c'est-à-dire des descendants des premiers colons de l'île qui se nourrissaient de conques, Key West est un lieu vraiment plaisant où l'on se balade à pied ou mieux, à bicyclette. Les rues proprettes sont bordées de jolies maisons en bois aux couleurs pastel noyées souvent dans une belle végétation tropicale. La vie s'écoule tranquille, avec une patine de bohème comme pour rappeler le passage d'écrivains et d'artistes renommés. Malgré la foule, en hiver, sur Duval et Truman, deux artères commerçantes, il serait dommage de manquer cette belle villégiature. Et surtout, goûtez à la traditionnelle « *Key lime pie* », un délice !

Les Indiens calusa peuplaient l'île avant l'arrivée des Espagnols au XVIe siècle. Découvrant de nombreux ossuaires, ils baptisèrent l'île « *Cayo Huesos* » ou « île aux Ossements » dont la forme anglicisée donna au XVIIIe siècle, Key West. En 1821, l'île fut achetée aux Espagnols par un Anglais, John Simonton, chasseur d'épaves qui en fit la base d'un commerce très lucratif qui attire encore de nos jours de tels aventuriers. Après la guerre de Sécession, Key West vit une nouvelle industrie prospérer, celle de la fabrication des cigares, avec le transfert en 1869 de la grande fabrique de Vicente Martinez Ybor de Cuba à Key West. Au cours des années 1890, de nombreux Cubains révolutionnaires affluèrent et parmi eux, José Martí, le leader de l'indépendance cubaine. Cette immigration favorisa le développement de l'industrie du cigare et Key West devint rapidement un des plus grands producteurs au monde.

Masques de pirates des Caraïbes, Key West.

Durant la guerre hispano-américaine (1898), Key West fut une base stratégique puisqu'à seulement cent quarante-quatre kilomètres de La Havane. Puis, une fois de plus, l'intervention d'Henry Flagler sur ce petit coin d'Amérique changea la destinée de Key West, sortie de son isolement grâce à la construction du chemin de fer puis d'une route qui prolongeait l'US-1. Les années 1930 furent marquées par la crise et l'île n'y échappa pas. En 1934, la petite ville fut tellement endettée qu'elle déclara faillite et sa population se composa essentiellement d'assistés sociaux. Toutefois, la venue d'Ernest Hemingway qui y acheta une maison lui donna un nouveau souffle. L'île attira dès lors écrivains notoires (John Dos Passos, Tennessee Williams, Elizabeth Bishop, le poète Robert Frost, Truman Capote, Alison Lurie...) et personnalités, dont le président des Etats-Unis Harry Truman qui, charmé par Key West, y venait régulièrement. Les années 1980 virent une nouvelle grande vague d'immigration cubaine. Des milliers de *Marielitos*, (Cubains qui avaient embarqué au port de Mariel) passèrent par Key West avant de s'éparpiller dans d'autres villes et Etats américains. En 1982, les patrouilles des frontières renforcèrent les moyens de lutte contre l'immigration clandestine et le trafic d'armes et de drogue dont Key West semblait être une importante plate-forme. C'est à ce moment que des habitants de l'île manifestèrent leur opposition aux mesures prises comme les barrages routiers et proclamèrent l'indépendance de Key West alors baptisée « *Conch Republic* ». Une anecdote qui demeure encore vivace dans la ville où l'on peut voir son drapeau un peu partout, un soleil sur fond indigo.

Aujourd'hui Key West est une station très à la mode et voit sa population tripler en hiver. Retraités américains, touristes du monde entier se mêlent aux gays, aux pêcheurs et aux artistes qui ont élu domicile dans ce petit paradis tropical aussi surnommé « Antichambre du Paradis ».

Key West. Champagne croisière au coucher du soleil, un classique de l'île pour les touristes. Le vélo est le moyen de transport privilégié de l'île. Parasols et tables colorées, tôt le matin en attendant les "fêtards".

Drapeau de l'île de Key West, avec comme symbole un coquillage, la conque.

A voir

(Informations touristiques : The Greater Key West Chamber of Commerce, 402 Wall St à Mallory Square ; Tél. : 305-294-2587 ou 800-527-8539 ; www florida-keys.fl.us/keywcc.htm ; Key West Visitor's Bureau : 3840 N Roosevelt Blvd ; Tél. : 305-296-4444 ou 800-284-4482 ; www.fla-keys.com)

L'architecture de Key West

Le quartier historique de Key West – Old Town – abrite plus de deux mille édifices du XIXe siècle, la plupart classés au patrimoine national américain. Old Town concentre des maisons élégantes aux architectures très variées. Le style néoclassique fut importé par les marins au XIXe siècle. Il se manifeste ici par la construction de petits auvents au-dessus des fenêtres. On peut voir une trentaine de ces maisons, appelées « eyebrow houses » (maisons à sourcils), notamment sur Frances Street et William Street. Le style victorien, plus courant, se distingue par des ornementations fines sur les façades et faîtes des toits et des moulures un peu tarabiscotées. De beaux exemples se voient sur Truman Street. Plus modestes sont les « conch houses » typiques de Key West et donc visibles un peu partout. Sans chichis sur leurs façades, elles sont en bois avec un porche et surtout un petit belvédère sur le toit appelé « widow's walk ».

Les maisons dotées de vérandas qui font le tour de l'édifice s'inspirent du style bahaméen (des Bahamas) et de nombreux petits hôtels de charme de Key West sont aménagés dans de telles « Bahama houses », aérées et parfaitement adaptées au climat tropical des Keys.

• Mallory Square Dock

Juste derrière le Mallory Market sur Front Street, cette esplanade du front de mer constitue un excellent point de départ pour découvrir Key West. Et ici, Mallory Square est synonyme de *« sunset »*, oui, le coucher du soleil. Tous les soirs, le rituel local veut que chacun y converge pour admirer « le plus beau coucher de soleil des Etats-Unis », aux dires des autochtones, bien sûr. L'ambiance est toujours festive et bon enfant : pendant que l'astre rougeoyant décline, jongleurs, mimes, vendeurs ambulants, cartomanciennes, musiciens animent l'endroit. Le mieux est d'y venir une heure avant la nuit pour jouir d'un spectacle vraiment sympathique côté square et toujours magnifique côté mer.

Quant à Mallory Square, les anciens entrepôts maritimes en briques ont été transformés en boutiques et restaurants. Vision aussi impressionnante des grands paquebots de croisière qui accostent quotidiennement juste à côté.

Mallory Square :
musées, boutiques, restaurants...

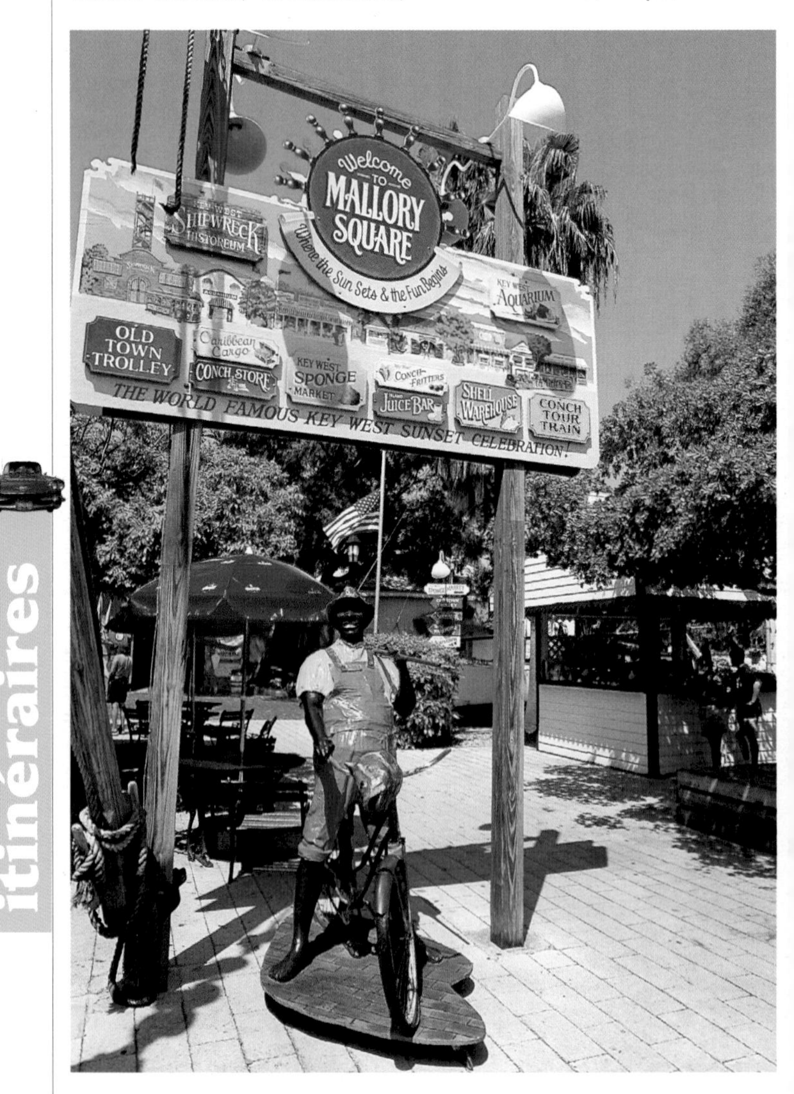

itinéraires

• **Key West Aquarium**
(1 Whitehead St sur Mallory Square; ouvert t.l.j 10 heures-18 heures; Tél. : 305-296-2051)
Inauguré en 1932, cet aquarium présente une splendide faune et flore tropicales qui évoluent dans les eaux de la région. Des bassins ouverts permettent aux visiteurs, surtout aux enfants intrigués, de toucher les espèces vivantes (étoiles de mer, conques, concombres marins, anémones...).
Des aquariums abritent des requins, des raies et des barracudas.

Le musée raconte l'histoire du célèbre chasseur de trésors Mel Fisher, décédé en 1998, et expose quelques-uns des trésors qu'il a remontés des épaves de galions espagnols, notamment de la *Nuestra Señora de Atocha* qui a coulé au large de Key West en 1622. On peut voir quelques pièces du butin, joyaux, objets en or et en argent...

• **Audubon House**
(205 Whitehead St; ouvert t.l.j 9h30-17 heures; Tél. : 305-294-2116)
Une ravissante maison de style néoclas-

FLA USA

• **Key West Shipwreck Historeum**
(1 Whitehead St; visites guidées uniquement, t.l.j 9h45-16h45; Tél. : 305-292-8990)
Un musée très intéressant et très vivant, ouvert en 1994 dans un entrepôt maritime aménagé comme au XIXe siècle. Y est relatée l'histoire palpitante des chasseurs d'épaves de Key West.
Des comédiens vous emmènent dans des aventures du passé et l'on se balade au milieu d'objets hétéroclites récupérés dans des épaves. Il est conseillé de monter au sommet de la tour de guet car la vue, panoramique, est magnifique.

• **Mel Fisher Maritime Heritage Society Museum**
(200 Green St; ouvert t.l.j 9h30-17 heures; Tél. : 305-294-2633)

Ci-dessus : Key West Shipwreck Historeum, un musée dans un entrepôt maritime.
Ci-dessous : Enseigne d'un hôtel où le nudisme est toléré.

sique bâtie vers 1840 par le capitaine John H. Geiger dont la famille vécut plus de cent vingt ans ici. En 1958, le colonel Mitchell Wolfson racheta la maison, la restaura pour en faire un musée dédié au célèbre naturaliste John James Audubon, français naturalisé américain qui vint à Key West en 1832 pour y étudier les oiseaux *(voir encadré)*. Le musée recèle de nombreux meubles d'époque, des oiseaux en porcelaine et des planches d'Audubon. Le jardin est magnifique.

John James Audubon et les oiseaux

Jean-Jacques Audubon naquit en 1785 à Haïti, alors une colonie française, mais vécut sur les bords de la Loire où il commença à s'intéresser à la faune locale. Inconnu en France, ce naturaliste devint aux Etats-Unis le symbole de la protection de la nature, un véritable écologiste avant l'heure, qui s'est notamment distingué dans l'étude des oiseaux. Il arrive à l'âge de dix-huit ans aux Etats-Unis où il épouse une Américaine, se fait naturaliser et devient John James Audubon. En 1826, il publie ses premières planches d'oiseaux avec un éditeur français puis ses œuvres connaissent un succès retentissant un peu partout dans le monde. De retour aux Etats-Unis, il poursuit son œuvre dans de nombreux Etats mais, perdant la vue, ne pourra l'achever avant de mourir en 1851.

Ses publications : Le Grand Livre des Oiseaux, *435 planches chez Mazenod-1987 ;* Journal du Missouri, *Ed. La Table Ronde-1990 ; une biographie de Claude Chebel,* L'Epervier d'Amérique, *Ed. Lattès-1985.*

• Hemingway House

(907 Whitehead St ; ouvert t.l.j 9 heures-17 heures ; Tél. : 305-294-1575)

Une vraiment belle maison de style colonial espagnol, classée musée national, ceinte d'un très beau jardin noyé sous une luxuriante végétation tropicale et doté de la première piscine d'eau de mer des Keys. Ernest Hemingway (1889-1961), grand écrivain et prix Nobel de littérature en 1954 y vécut entre 1931 et 1940.

Hemingway découvrit Key West en 1928 avec Pauline, sa seconde épouse. Tous deux charmés par l'île, ils y revinrent plusieurs fois et, en 1931, y achetèrent une maison qu'ils restaurèrent. Hemingway y demeura jusqu'en 1940. Séparé de sa femme, celle-ci y resta jusqu'à sa mort en 1951. Les journées de l'écrivain se déroulaient entre l'écriture, dans le studio qu'il a aménagé dans une partie du jardin, relié à sa chambre par une passerelle, la pêche sportive et les beuveries entre amis dans les tavernes de Key West, notamment chez *Sloppy's Joe*, un bar désormais incontournable de Key West sur Duval Street.

La maison, que l'on visite, fut construite en 1851 avec de la roche corallienne par un des plus célèbres chasseurs d'épaves de Key West, Asa Tift. Au fil de la visite, on découvre l'intérieur qui fut familier à Hemingway, ses objets, de nombreuses photographies de lui et son bureau avec la machine à écrire sur laquelle il écrivit quelques-uns de ses chefs-d'œuvre : *« Mort dans l'après-midi », « Pour qui sonne le glas », « Le Vieil homme et la Mer », « En avoir ou pas »* dont un des personnages, Freddy, s'inspire de Joe Russell, l'ami d'Hemingway qui tenait le *Sloppy's Joe Bar.*

Les chats occupent une place à part dans la vie de l'écrivain et dans sa propriété. Déjà, dans la chambre à coucher, on peut

Capt. Tony's Saloon, ***un des plus vieux bars où Hemingway aimait se rendre. A droite : maison d'Ernest Hemingway où il vécut de 1931 à 1940.***

voir un chat en céramique fait par Picasso. Et dans le jardin, une quantité de chats à six doigts qui sont les rois des lieux et seraient les descendants des chats de l'écrivain.

• Key West Lighthouse

(938 Whitehead St; ouvert t.l.j 9h30-16h30; Tél. : 305-294-0012)

Quoi ? Un phare en pleine ville ? Et qui sert encore ? Eh oui. L'important n'est pas vraiment d'être au bord de l'eau mais de constituer le point le plus haut. Or, ce joli phare en brique blanche construit en 1846, haut de vingt-sept mètres, est bien le point culminant de Key West. Après en avoir gravi les quatre-vingt-huit marches, on gagne une superbe vue panoramique de l'île. La maison du gardien est aménagée en petit musée avec une exposition de lentilles.

• Little White House

(111 Front St; visites guidées uniquement 9 heures-17 heures; Tél. : 305-294-9911)

Cette maison fut en fait la résidence de vacances du 33e président des Etats-Unis, Harry S. Truman (1884-1972). Construite en 1890 elle fut aussi habitée par l'inventeur Thomas Edison. Quand Truman découvrit les charmes de Key West et sa nonchalance, il vint passer ses moments libres dans cette modeste demeure qu'il surnomma sa « Little White House » (petite Maison Blanche).

• Jessie Porter's Heritage House & Robert Frost Cottage

(410 Caroline St; visites guidées uniquement lundi-samedi 10 heures-17 heures et dimanche 13 heures-17 heures; Tél. : 305-296-3573)

Le phare de Key West est le plus haut point de l'île, il est situé en face de la maison d'Hemingway.

GUILD HALL GALLERY
614
GUILD HALL
GALLERY
KEY
WEST
ARTISTS
Exclusively

Panneau touristique : fin de la route US 1, qui vient du Canada en longeant la côte atlantique jusqu'à Key West, lieu de villégiature où tout est possible.

Une spacieuse maison de style *conch* vert pastel, construite en 1834 par le capitaine George Carey, puis restaurée vers 1935 par Jessie Porter Newton qui joua un rôle important dans les milieux littéraires de Key West. Au fond du jardin, un petit cottage hébergea le poète Robert Frost qui venait passer les hivers à Key West.

• The Oldest House ou Wrecker's Museum

(322 Duval St; ouvert t.l.j 10 heures-16 heures; Tél. : 305-294-9502)

La plus vieille maison de Key West date de 1829 et fut bâtie sur Whitehead Street avant d'être déplacée en 1832 sur son lieu actuel. Elle appartenait à un capitaine, chasseur d'épaves et l'on peut y admirer un mobilier colonial et une belle collection de maquettes de navires.

• Curry Mansion

(511 Caroline St; ouvert t.l.j 10 heures-17 heures; Tél. : 305-294-5349)

William Curry, ancien maire de Key West et son fils Milton firent construire ce manoir de style victorien aujourd'hui transformé en *bed & breakfast.*

Key West, ambiance typique des Caraïbes : boutique de cadeaux et souvenirs dans les rues de l'île, plages et palmiers, maison coloniale espagnole dans une végétation luxuriante.

• Southernmost Point

(à l'angle de South St et Whitehead St)

Une grosse borne striée rouge, noir et jaune matérialise le point le plus méridional des Etats-Unis. D'ici, Miami est à deux cent vingt kilomètres et La Havane à cent quarante-quatre seulement. Un « spot » où viennent se faire photographier tous les visiteurs et qui attire donc les marchands ambulants.

Autres visites et environs

• Key West Cemetery

(Margaret St et Passover Lane; visites guidées par l'Historic Florida Keys Foundation, tous les jours sur réservations; Tél. : 305-292-6829)

Un cimetière peu commun pour certaines de ses stèles et surtout pour quelques épitaphes humoristiques. L'une, par exemple, dit « Je vous l'avais dit que j'étais malade »; ou cette autre d'une veuve disant de son époux « Au moins je sais où il dormira ce soir »... Plusieurs dalles commémorent les marins disparus dans le torpillage de l'*USS Maine* en 1898 avec la statue d'un matelot. Un coin du cimetière honore la mémoire des réfugiés cubains qui périrent au cours de l'insurrection de 1868-1878 contre l'Espagne.

• East Martello Museum

(3501 S Roosevelt Blvd; ouvert t.l.j 9 h 30-17 heures; Tél. : 305-296-3913)

Cette tour ronde en brique abrite une

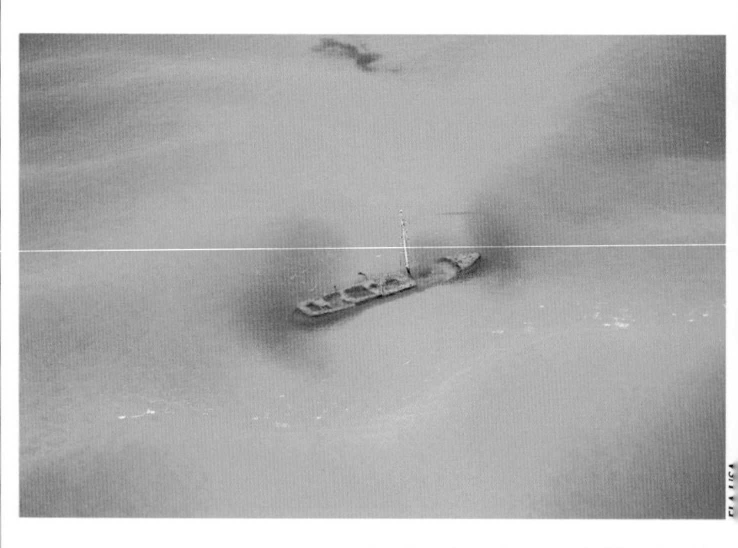

Dry Tortugas, les fonds marins de sable et les épaves de bateaux font la joie des plongeurs.

galerie d'art et un musée relatant l'histoire de Key West. Elle fut construite entre 1862 et 1873, en pleine guerre de Sécession par les Nordistes face à la mer pour défendre Key West des invasions sudistes. Une tour jumelle, **West Martello Tower** fut bâtie sur White St et Atlantic Blvd mais il n'en reste plus rien.

- **Fort Zachary Taylor State Historic Park**

(Southard St ; ouvert t.l.j 8 heures-coucher du soleil ; Tél. : 305-292-6713)
Il s'agit des vestiges de l'ancien fort en brique construit en 1845 par les troupes de l'Union qui voulaient empêcher celles des Confédérés d'envahir Key West. Un petit musée expose de vieilles pièces d'artillerie du temps de la guerre de Sécession.

- **Excursion / Dry Tortugas National Park**

(accessible par bateau ou avion ; Tél. : 305-242-7700)
Ce parc est situé sur un minuscule archipel à environ cent kilomètres au sud-ouest de Key West, en plein golfe du Mexique. Sur l'îlot Garden Key se dresse le **fort Jefferson**, plus grand fort côtier construit en 1846. De forme hexagonale, ses murs mesurent quelque quinze mètres de haut et plus de deux d'épaisseur. Il servit de prison durant la guerre de Sécession. Une jolie plage permet de se baigner ou de faire de la plongée. En 1935, le président Roosevelt le déclara monument national.

FLA USA

Le parc est ouvert aux excursions d'une journée uniquement (pas de camping).

Ci-dessous : le fort Jefferson sur l'îlot Garden Key.

Pages suivantes : Florida Keys, ce phare guide les bateaux la nuit mais sert aussi de spot de plongée. Key Largo, le parc Dolfins Plus. Splendide maison coloniale espagnole. Joli bungalow individuel et « house boat » logement sur l'eau.

LA CÔTE ATLANTIQUE

La Gold Coast

La «Gold Coast» ou Côte d'Or, s'étire sur près de cent vingt kilomètres entre Miami et Palm Beach. Long ruban de plages de sable fin, opulentes villas, beaux parcs, riches résidents, riches retraités et touristes en quête de soleil, c'est ce que l'on découvre au fil de son périple le long de cette portion de la côte atlantique, la plus peuplée de Floride et résolument tournée vers le tourisme.

Les Indiens *tequesta* habitaient la région bien avant l'arrivée des Européens en 1513, année où Ponce de León accosta dans la baie de Biscayne. Toutefois, les premières implantations coloniales ne se firent qu'en 1567 avec Pedro Menéndez de Avilés. Au XIXe siècle, la région vécut une grande mutation grâce à l'arrivée du chemin de fer *Florida East Coast Railway* et avec lui, le boom touristique. Les villes de Fort Lauderdale ou Boca Raton qui vivaient alors de l'agriculture devinrent des stations balnéaires très courues dans les années 1920.

***Conseil** : Deux possibilités s'offrent aux voyageurs pour découvrir la Gold Coast au départ de Miami et donc en remontant vers le nord. Emprunter la route US-1, plus rapide pour traverser les diverses agglomérations mais peu intéressante. Nous conseillons de longer la côte par la A1A. Vous traversez alors, entre Fort Lauderdale et West Palm Beach, de petites stations balnéaires et des plages comme Pompano*

Pont levant sur «Intracoastal Waterway», l'autoroute maritime qui longe la côte atlantique.

Beach, Dania, Delray Beach... Bref, une agréable villégiature sur la route des plages.

FORT LAUDERDALE (environ 150000 hab.)

***Welcome** dans la «Venise américaine», ainsi surnommée du fait des quatre cents kilomètres de canaux navigables ou «**waterways**» qui la sillonnent. Cette ville très agréable, avec ses belles maisons dotées de pontons où sont amarrés de superbes bateaux, se situe à près de quarante-cinq kilomètres au nord de Miami et est devenue une destination touristique privilégiée. C'est aussi la capitale du comté de Broward.**

Durant quatre mille ans, les Indiens tequesta et séminoles vivaient le long de la rivière Rio Nuevo qui s'écoule au centre de Fort Lauderdale. La première colonisation européenne du XVIe siècle ne modifia pas tellement la région car les Européens restaient campés sur le littoral. Il faut attendre le XVIIIe siècle pour que la ville prenne tournure avec l'organisation d'une petite communauté agricole apparemment tranquille. Toutefois, en 1836, en pleine période de la deuxième guerre séminole, des Indiens massacrent William Cooley, chef de la colonie américaine, contraignant les occu-

pants à partir. En mars 1838, le major William Lauderdale (auquel la ville doit son nom) et une troupe de soldats volontaires arrivent sur place, bâtissent un fort et forment une nouvelle communauté blanche en plein territoire indien, décidés à s'y ancrer définitivement. Dans les années 1890, Fort Lauderdale devint une petite cité prospère et qui plus est, tirée de l'isolement grâce au chemin de fer de la *Florida East Coast Railway* qui la reliait à Miami, St Augustine et de grandes villes des Etats du Nord. Une nouvelle immigration vint gonfler la population, essentiellement des Danois, Japonais et Suédois. Quand, en 1906, le gouverneur de Floride, Napoléon Bonaparte Broward décida d'assécher les Everglades, plus de deux mille spéculateurs vinrent à Fort Lauderdale pour y acheter des terres nouvellement asséchées. Les années 1920 assistèrent alors à un incroyable boom immobilier et la population de Fort Lauderdale passa rapidement de deux cents à vingt mille âmes. Les berges de la New River (rebaptisée ainsi par les colons américains) virent grandir de vastes villas luxueuses et dans le centre de la ville, les premiers gratte-ciel furent bâtis. Puis survint, en 1926, un terrible ouragan qui dévasta Fort Lauderdale qui, à peine remise, rechuta avec le krach de 1929. Le sursaut vint avec la Seconde Guerre mondiale, Fort Lauderdale ayant alors été une base importante pour les troupes en partance vers l'Europe. Au lendemain de la guerre, la ville connut un véritable essor économique grâce à l'immobilier, qui perdura jusque dans les années 1970. Depuis, cette jolie ville réputée mondialement comme paradis de la plaisance (près de trente-cinq mille yachts y ont jeté l'ancre) est dynamique, opulente et agréable à parcourir, par voie de terre ou d'eau... Sa plage, longue de près de dix kilomètres, est aussi bien connue des surfeurs.

Réputée pour son ambiance chic et branchée, Fort Lauderdale est un "spot" de voile mondialement connu.

BAHIA·MAR

A voir

*(Office du tourisme :
Greater Fort Lauderdale Convention & Visitor's Bureau au 1850 Eller Drive, Suite 303 à Port Everglades ; ouvert lundi au vendredi 8 h 30-17 heures ;
Tél. : 954-765-4466 ; www.sunny.org)*

• Museum of Art

(1 E Las Olas Blvd ; ouvert mardi 11 heures-21heures, mercredi au samedi 10 heures-17 heures et dimanche 12 heures-17heures ; fermé le lundi ; Tél. : 954-525-5550)
Dressé sur Las Olas Boulevard aux boutiques luxueuses, c'est un des musées d'art les plus intéressants de Floride. Il abrite la plus vaste collection expressionniste, hors Europe, du groupe **CoBrA,** acronyme pour Copenhague, Bruxelles et Amsterdam : mille deux cents œuvres de Karel Appel, Asger Jorn, Pierre Alechinsky, Carl-Henning Pedersen, Christian Dotremont... Le musée expose aussi des peintures de l'impressionniste américain William Glackens (1870-1938) et une belle collection de style Pop'Art avec de nombreuses œuvres d'Andy Warhol.
Une des plus jolies balades, **Riverwalk,** longe les rives de la New River entre Bubier Park et le centre d'arts du Broward Center. A effectuer par exemple entre ce musée d'art et le palais de la Découverte.

Des kilomètres de plages sur la côte atlantique. A Fort Lauderdale, les terrains de basket côtoient cette plage surveillée par un « lifeguard ». Marina de bateaux de pêche au gros. « Stranahan House » monument le long de la New River.

• Museum of Discovery & Science

(401 SW 2nd St au sud de Broward Blvd ; ouvert lundi au samedi 10 heures-17 heures et dimanche 12 heures-18 heures ; Tél. : 954-467-6637 ; www.mods.org)
Ouvert en 1992, ce musée est impressionnant par sa structure sur trois étages et par ce que l'on y voit. Dès l'entrée, on remarque une incroyable horloge gravitationnelle d'une quinzaine de mètres de haut ! A l'étage, on évolue parmi des plantes tropicales indigènes et l'on découvre la flore et la faune de Floride y compris celles du récif corallien. On parcourt ensuite les salles dédiées au corps humain et à la génétique. Au deuxième étage se tient une des expositions préférées des jeunes car on est dans le monde des jeux et des sports virtuels avec la possibilité de jouer au volley-ball virtuel. Dans le « Space flight simulator » on explore le cosmos... Un cinéma Imax passe des films en 3D.

FLA USA

Museum of Discovery & Science à Fort Lauderdale.

• Historic Village Complex

(entre SW 2nd St, NW 1st Ave, Broward Blvd et la rivière)

Fort Lauderdale, une tradition de la ville, la croisière, dîner et show… très kitsch !

Il s'agit là d'un ensemble d'édifices classés au patrimoine de la ville, construits au début du XXe siècle. L'un d'entre eux abrite le Fort Lauderdale Historical Society Museum (*219 SW 2nd Ave; ouvert mardi au vendredi 10 heures-16 heures; Tél. : 954-463-4431*), un musée dédié à l'histoire locale. Dans cet îlot de maisons historiques on peut aussi voir la jolie auberge New River Inn de 1905 et considérée comme le plus vieil édifice du comté de Broward. A voir aussi Philemon Bryan House de 1905 ou encore King-Cromartie House de 1907.

• Stranahan House

(sur la New River au SE 4th St; ouvert mercredi au dimanche 10 h.-17 h; Tél. : 954-524-4736) Cette maison en bois typique de l'architecture floridienne est une des plus anciennes résidences privées de Floride, bâtie en 1901 par Frank Stranahan, un commerçant de l'Ohio.

• Bonnet House

(900 N Birch Road près de la plage; visites guidées uniquement – mercredi au vendredi 12 h 30, 13 h 15, 13 h 45; samedis et dimanches à 14 h 30; Tél. : 954-563-5393)

Dans un parc boisé de quinze hectares au cœur de la ville, on découvre cette belle demeure en roche corallienne et bois de pin conçue par l'architecte Frederic Bartlett. A l'intérieur, on peut admirer notamment une importante collection d'œuvres post-impressionnistes, une vaste fresque murale.

• **International Swimming Hall of Fame**

(1 Hall of Fame Drive et SE 5th St ; ouvert t.l.j. 9 h-19 h ; Tél. : 954-462-6536)

Etrange combinaison de musée et complexe sportif. Autour de la piscine olympique, une salle d'exposition retrace l'histoire des sports aquatiques (natation, water-polo, plongée, natation synchronisée) et présente une profusion de photographies, médailles, peintures ou sculptures relatives à ces disciplines et aux athlètes internationaux.

• **Hugh Taylor Birch State Recreation Area**

(au nord de la plage sur Sunrise Blvd et route A1A ; ouvert t.l.j. de 8 heures au coucher du soleil ; Tél. : 954-564-4521)

Un très beau parc de plus de soixante-dix hectares sur une île entre l'Atlantique et l'Intracoastal Waterway. Idéal pour pique-niquer ou pratiquer toutes sortes d'activités de plein air (vélo, canoë, pêche...).

La Mecque du shopping !

Vous voulez une autre bonne raison pour vous rendre dans les environs de Fort Lauderdale ? Elle s'appelle Sawgrass Mills Factory Outlet Mall. C'est la plus grande concentration d'entrepôts de marques aux Etats-Unis, l'Eldorado des « fashion victims » (Saks Fifth Avenue, Levi's, Banana Republic, Ungaro, Kenneth Cole, Ralph Lauren, *etc.). Près de trois cents boutiques réunies dans un centre commercial long de presque deux kilomètres et pourvu de... onze mille places de parking !*
(12801 W Sunrise Boulevard à Sunrise sur la Hwy 838, à 25 km à l'ouest de Fort Lauderdale. Ouvert lundi au samedi 10 heures-21 h 30 et dimanches 11 heures -20 heures ; Tél : 954-846-2350)

BOCA RATON (environ 160 000 hab.)

A dix-sept kilomètres au nord de Fort Lauderdale et à un peu moins de soixante de Miami, Boca Raton constitue une station balnéaire prospère pour touristes fortunés, riches résidants retraités et golfeurs impénitents. La ville est agréable bien que le béton envahisse un peu trop le littoral. Dommage !

L'essor de la ville est le fait de l'architecte Addison Mizner (1872-1933) qui contribua aussi au développement de Palm Beach.
En 1925, il commença à spéculer en achetant des terrains autour du lac, construisit un palace de luxe et un club privé de style hispanique, *The Cloister*, et les riches touristes américains affluèrent. Aujourd'hui, la ville compte quelques entreprises de haute technologie comme Sony et une université, Florida Atlantic University qui lui apporte un souffle jeune.

Boca Raton : sculptures devant le musée international « of Cartoon Art ».

A voir

*(Office du tourisme :
Greater Boca Raton Chamber of Commerce : 1800 N Dixie Hwy ; Tél. : 561-395-4433 ; www.bocaratonchamber.com)*

• Boca Raton Museum of Art

*(801 W Palmetto Park Road ;
ouvert mardi-samedi 11 heures-17 heures et dimanche 12 heures-17heures ;
fermé le lundi ; Tél. : 561-392-2500 ; www.bocamuseum.org)*

Devant le musée de l'Art, buste de Botero.

Plusieurs expositions temporaires accompagnent l'exposition permanente avec des peintures de Matisse, Picasso, Andy Warhol…, des collections d'art africain et précolombien.

• International Museum of Cartoon Art

(201 Plaza Real ; ouvert du mardi au samedi 11 heures-17 heures et dimanche 12 heures-17heures ; Fermé le lundi ; Tél. : 561-391-2200 ; www.cartoon.org)
Dans Mizner Park, un complexe de boutiques et d'appartements en stuc rose de style méditerranéen, se tient depuis 1996 ce musée vraiment sympathique, entièrement consacré aux dessins animés et aux bandes dessinées. Plus de cent cinquante mille planches de dessins, quelque dix mille BD et un millier d'heures de films d'animation y sont présentés.

• Red Reef Park & South Beach Park

(1400 N Ocean Blvd sur la route A1A ; ouvert t.l.j 8 heures-22 heures ; Tél. : 561-338-1473)
Un parc d'une vingtaine d'hectares doté de la belle plage South Beach où l'on peut faire de la plongée et se baigner dans une eau chaude. Une partie du parc abrite le **Gumbo Limbo Nature Center**, une superbe forêt tropicale propice aux balades, la plupart des essences étant accompagnées de petits panneaux explicatifs.

DELRAY BEACH (environ 48 000 hab.)

Une petite station moins fastueuse que Boca Raton ou Fort Lauderdale mais qui recèle un très beau site inattendu dans ce coin de Floride, le Morikami Museum & Japanese Gardens. Il témoigne de l'importante immigration japonaise qui eut lieu au tout début du XXe siècle. A cette époque en effet, Henry Flagler fit venir des fermiers japonais spécialisés dans la culture des ananas, qui constituèrent la petite commune de Yamato, à l'ouest de Delray.

• Morikami Museum & Japanese Gardens

(4000 Morikami Park Road; suivre l'I-95 vers le sud, bifurquer sur Linton Blvd puis prendre Jog Road jusqu'au parc. La direction est bien indiquée; ouvert mardi-dimanche 10 heures-17 heures; Fermé le lundi; Tél. : 561-495-0233; www.morikami.org)

Dans une immense pinède ponctuée d'étangs aménagés à la japonaise se tient ce musée consacré à la culture et à l'art de vivre japonais. George Sukeji Morikami faisait partie du contingent de fermiers appelés par Flagler. Enrichi par la culture des ananas, il décida de rester aux Etats-Unis et légua sa propriété à l'Etat floridien. Le musée lui-même est un bel édifice en stuc blanc et boiseries. Il présente des objets et œuvres sur l'art et l'artisanat japonais.

Le pavillon Seishin-an est une maison de thé et le visiteur peut assister à une cérémonie du thé (3e samedi de chaque mois à 12 heures, 13 heures, 14 heures et 15 heures). Un peu à l'écart se trouve la ravissante villa Yamato-kan décorée dans la tradition japonaise avec notamment un jardin de méditation. On enlève, bien sûr, ses chaussures à l'entrée. La visite conduit ensuite dans un magnifique jardin de bonsaïs paysagé avec une cascade et un étang.

WEST PALM BEACH (environ 760 000 hab.)

A quatre-vingt cinq kilomètres au nord de Miami, West Palm Beach est une ville moderne posée sur la rive occidentale du lac Worth. Comme beaucoup de villes américaines, de graves problèmes d'insécurité y font parfois la une des journaux, les zones défavorisées n'étant guère éloignées des quartiers résidentiels. Outre le plaisir des immenses plages, la ville abrite un des plus beaux musées d'art du sud de la Floride.

A voir

(Office du tourisme : 201 Clematis St dans le Cuillo Center for the Arts; Tél. : 561-585-3433)

• Norton Museum of Art

(1451 South Olive Ave; ouvert du mardi au samedi 10 heures-17 heures et

Ponton le long de la côte atlantique.

dimanche 13 heures-17 heures ; Fermé le lundi ; Accès gratuit le mercredi entre 13 h 30 et 17 heures ; Tél. : 561-832-5196 ; www.norton.org)
Ce musée fut fondé en 1941 par l'industriel Ralph Hubbard Norton (1875-1953) et réunit une belle collection de quelque quatre mille cinq cents pièces : œuvres américaines et européennes des XIXe et XXe siècles (Brancusi, Chagall, Cézanne, Matisse, Gauguin, Braque, Hopper, Warhol, Pollock, Rauschenberg...) et d'art chinois de 1700 avant J.-C. (superbes jades funéraires, statuettes en bronze, céramiques...).

• Mounts Botanical Garden
(531 North Military Trail ; ouvert t.l.j 8 h 30-16 h 30 et dimanche 13 heures-17 heures ; Tél. : 561-233-1749)
Tout à côté de l'aéroport, on peut savourer une jolie balade dans ce grand parc qui présente toutes sortes d'essences tropicales et subtropicales, une roseraie, et même une petite jungle.

• Ann Norton Sculpture Garden
(253 Barcelona Road ; ouvert du mardi au samedi 10 heures-16 heures ; Tél. : 561-832-5328)
Ce musée est installé dans l'ancienne propriété de Ralph Norton et présente les sculptures en brique et granit de son épouse Ann Weaver Norton (1905-1982) disposées dans un ravissant jardin.

PALM BEACH (de 9 000 à 30 000 hab. selon les saisons)

Située sur une île parallèle à la côte, la ville de Palm Beach est synonyme de richesse. Depuis le début du XXe siècle, elle attire les fortunes de la planète et les touristes qui peuvent y admirer d'incroyables manoirs et y croiser les grands du Gotha mondain international.

L'architecture de la ville est le fait d'Addison Mizner et du financier Paris Singer, fils du géant des machines à coudre. Le style qui prédomine s'inspire du colonial espagnol et de la Renaissance italienne. Les rues sont spacieuses, magnifiquement fleuries de bougainvillées et bordées de palmiers et, au-delà des frondaisons verdoyantes, on aperçoit d'immenses propriétés privées, de goûts variés, certes, mais ayant toutes un point commun : elles valent des millions de dollars !
Pour l'anecdote : ce nom de Palm Beach fut donné à la ville en 1878 après le naufrage d'un galion espagnol, *La Providencia*, qui transportait vingt mille cocotiers entre Trinidad et l'Espagne.

A voir

*(Office du tourisme :
Palm Beach Chamber of Commerce : 45 Coconut Row ; Tél. : 561-655-3282 ; www.palmbeachchamber.com)*

• Worth Avenue
(Entre Ocean Boulevard et Coconut Row)
« Worth Ave » est à la Floride ce que « Rodeo Drive » est à Los Angeles, ou

FLA USA

serait une combinaison des avenues Foch et Montaigne de Paris. Une succession de manoirs et de boutiques, antiquaires et galeries ultra chics, ultra chères et ultra extravagantes ! Tous les grands noms de la joaillerie et de la mode s'alignent le long de cette belle artère aérée qui dégage un faux air européen. Dans l'allée Via Mizner on peut voir l'ancienne villa de l'architecte. Au bout de l'avenue, côté ouest, se dresse un édifice de style vénitien et hispano-mauresque. Il s'agit de l'Everglades Club, la toute première construction de Mizner en Floride sur le golf du même nom. Très fermé cela va sans dire...

• Hibel Museum of Art

(150 Royal Poincinia Plaza; ouvert du mardi au samedi 10 heures-17 heures et dimanche 13 heures-17 heures; Fermé le lundi; entrée gratuite; Tél. : 561-833-6870)

La baie de West Palm Beach.

Ce musée est entièrement consacré aux œuvres d'Edna Hibel née en 1917 : peintures, lithographies, porcelaines et sculptures réalisées au gré de ses voyages, au Mexique notamment.

• Henry Flagler Museum

(entre Whitehall Way et Coconut Row; ouvert du mardi au samedi 10 heures-17 heures et dimanche 12 heures-17heures; Fermé le lundi; Tél. : 561-655-2833)
Cette propriété de cinquante-cinq pièces, appelée « Whitehall » appartenait à Henry Flagler, le roi des chemins de fer de Floride. A l'intérieur, des salons et chambres décorés de meubles d'époque Louis XIV et Louis XVI.

• The Episcopal Church of Bethesda-by-the-Sea

(141 S County Road; ouvert t.l.j 8 heures-17 heures; messes le dimanche à 8 heures, 9 heures et 11 heures)
Une grande église de style néogothique bâtie en 1926 par des architectes de New York. Elle présente un clocher massif et des sculptures d'apôtres en façade. A l'intérieur, on peut admirer un splendide vitrail bleu, le « Te Deum Window » juste au-dessus de l'autel. Sur le côté de l'église, on peut flâner dans le jardin fermé du Cluett Memorial Gardens, orné de fontaines. Des concerts y sont régulièrement donnés.

• *The Breakers*

(1 South County Road; visites guidées uniquement les mercredis à 15 heures; Tél. : 561-655-6611)
Ce palace fut construit dans les années 1925 pour remplacer l'hôtel de Flagler alors ravagé par un incendie. Il est dessiné selon les plans de la villa Médicis de Rome et l'intérieur est stupéfiant du point de vue de la décoration Renaissance. De beaux jardins paysagés agrémentent l'édifice qui offre également deux parcours de golf, vingt et un courts de tennis, une plage privée, cinq restaurants et des boutiques luxueuses. Cet hôtel de cinq cent soixante-douze chambres est affilié au groupe *The Leading Hotels Of The World.* Le prix des chambres ici commence à deux cents dollars (basse saison et sans vue) et grimpe jusqu'à deux mille trois cents dollars (ça, c'est pour une nuit dans la suite impériale !).

La Côte des Trésors

Le surnom de « *Treasure Coast* » est donné à la région qui s'étend entre Fort Pierce et Juno Beach soit près de cent soixante-cinq kilomètres le long de l'océan Atlantique.
Un nom aux accents d'aventure dû à la découverte de nombreuses épaves espagnoles chargées de précieux butins.

De petites tribus indiennes vivaient déjà dans cette partie de la Floride près de quatre mille ans avant l'arrivée des premiers conquérants espagnols au XVIe siècle. Au début du XVIIIe siècle, les galions espagnols sillonnaient la côte, les cales pleines de trésors rapportés de leurs colonies d'Amérique du Sud. En 1715, un violent ouragan provoqua le naufrage d'une douzaine de vaisseaux entre St Lucie et Sebastian. Une grande partie du butin fut pillée par des pirates anglais. C'est de là que vient le surnom de Côte des Trésors. Celle-ci fut colonisée au XIXe siècle et devint une importante terre de cultures d'oranges et d'ananas.

FORT PIERCE (environ 38000 hab.)

Un peu au nord de Hutchinson Island, la ville de Fort Pierce doit son nom aux fortifications construites en 1838 par Benjamin Kendrick Pierce pour défendre la zone des attaques séminoles.
La « vieille ville » qui se résume à Second Street, rassemble de nombreux cafés et restaurants et est à deux pas des jolies berges de l'Indian River.

A voir

- **Harbor Branch Oceanographic Institution**

(5600 US Hwy 1 - Old Dixie Hwy ; visites guidées uniquement, du mardi au samedi à 10 heures, 13 heures et 15 heures ; Tél. : 561-465-2400)

FLA USA

itinéraires

FLA USA

Hutchinson Island.

Ouvert en 1971, ce musée océanographique compte parmi les plus réputés au monde. Il présente quelque quatre cent cinquante mille spécimens de la faune et flore marines du monde entier et des maquettes grandeur nature d'engins de recherche sous-marine.

• UDT-Seal Museum
(3300 North A1A; ouvert du lundi au samedi, 10 heures-16 heures et le dimanche 12 heures-16 heures; Tél. : 561-595-5845; Fermé le lundi en été)
Ce musée intéressant retrace l'histoire et les exploits des commandos d'élite de la marine américaine à savoir les UDT *(Underwater Demolition Teams)* ou hommes-grenouilles et les SEAL *(Sea, Air, Land).* On apprend ici que ces unités ont été créées en 1943 pour préparer le débarquement, qu'elles ont participé, entre autres missions, à la récupération des astronautes lors de leurs amerrissages en plein océan...

• St Lucie County Historical Museum
(414 Seaway Drive; ouvert du mardi au samedi 10 heures-16 heures et dimanche 12 heures-16 heures; Fermé le lundi; Tél. : 561-462-1795)
Ce musée, installé dans une gare, est consacré à l'histoire régionale. On y découvre la vie des Indiens *ais*, premiers habitants de cette région mais aussi les grandes périodes de la conquête espagnole et des naufrages des galions, la vie des Indiens séminoles et le temps des pionniers.

Seules les tempêtes viennent briser le calme et les beautés préservées de la nature.

HUTCHINSON Island

Sur cette langue de terre longue de trente-cinq kilomètres, une nature relativement préservée côtoie les parcours de golf, les hôtels et résidences balnéaires.
Un musée mérite une visite si l'on se trouve dans les parages. Il s'agit du **Elliott Museum** sur Ocean Blvd, qui présente une belle collection d'objets de l'époque victorienne.
A voir également le **Gilbert's Bar House of Refuge** sur MacArthur Blvd. Cette maison verte en bois servit de station de secours aux naufragés. Elle abrite aujourd'hui de belles maquettes de bateaux et des aquariums.

Jupiter Island

Une longue langue sableuse d'une vingtaine de kilomètres où résident quelques millionnaires. Habitat naturel d'animaux protégés, l'endroit abrite une belle réserve naturelle, **Hobe Sound National Wildlife Refuge,** au nord de Bridgeroad, propice à la randonnée.

La Côte « Historique »

Moins visitée que le sud de la Floride, la côte au nord-est de l'Etat offre pourtant de beaux sites. C'est ici, sur cette frange d'environ deux cents kilomètres de long, que se trouve la ravissante ville de St Augustine, la plus ancienne des Etats-Unis. C'est encore là que réside le berceau américain de la vitesse, à Daytona Beach. Une région sans aucun doute très intéressante à explorer.

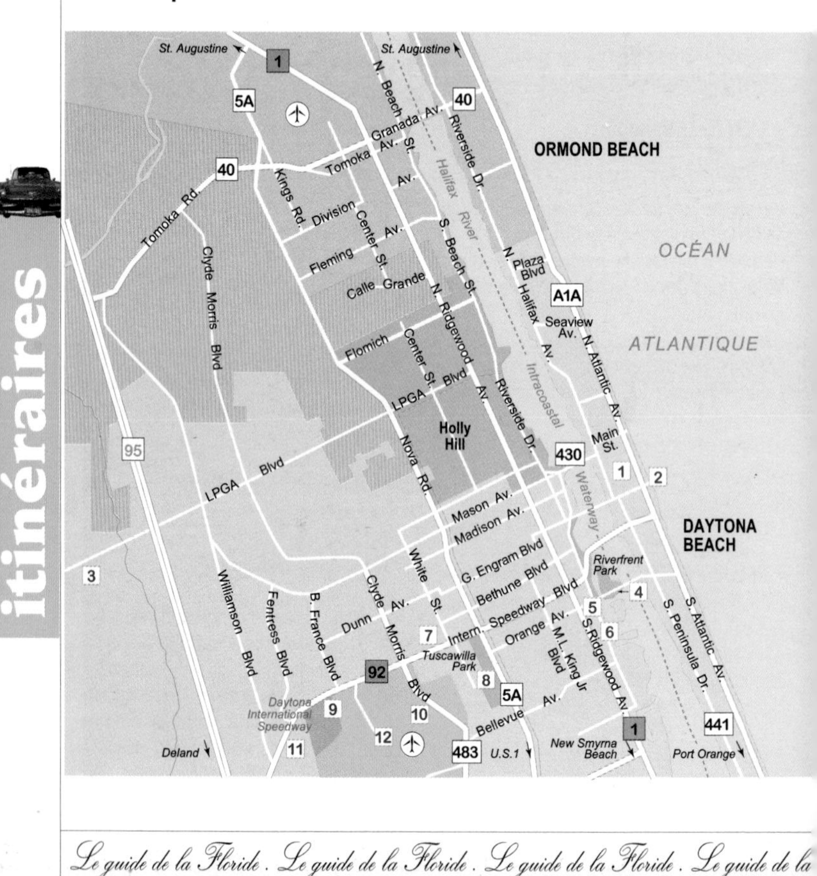

L'explorateur Ponce de León aborda cette côte dès 1513 mais le territoire ne fut annexé à l'Espagne qu'en 1565 avec la fondation de la première colonie permanente, Saint Augustine, de fait, la plus vieille ville des Etats-Unis.
Outre des guerres contre les Indiens et la lutte contre les maladies tropicales, les colons devaient affronter les Anglais qui l'occupèrent durant vingt ans. Ensuite, la région revint aux mains des Espagnols qui la gardèrent pendant deux cent cinquante-quatre ans. Au fil de son histoire, cette côte connut la grande époque des planteurs. On y cultivait en effet l'indigo pour la teinture textile, le riz et la canne à sucre. Aujourd'hui, cette côte « historique » vit plutôt du tourisme et de quelques industries qui se développent autour de Jacksonville.

DAYTONA BEACH (environ 61 000 hab.)

C'est le paradis de la vitesse. Le haut lieu de rendez-vous des fous du volant et de la moto. Et la plus grande extravagance, à Daytona, c'est son immense plage de sable blanc dont les trente-sept kilomètres sont ouverts aux voitures !

Ici, les moteurs sont rois, autant s'y faire ou passer son chemin si cela dérange. Même les églises font *« drive-in »* – il faut absolument voir celle située au *3140 South Atlantic Ave.* Les passionnés de Harley-Davidson trouveront dans cette ville vrombissante le plus grand concessionnaire du pays. Un magasin qui vaut le coup d'œil, ne serait-ce que pour y croiser des Hells Angels ou des adeptes des rockers ZZ-Top (au *290 North Beach Street*).
Les courses existent depuis 1902 et se

Ci-dessous : une voiture de course du célèbre circuit automobile.
Le plus grand concessionnaire Harley Davidson des USA.

Daytona Beach

1 Convention Center
2 Boardwalk Pier
3 Ladies Professional Golf Association
4 C. of C.
5 City Hall
6 Marina
7 University of Central Florida
8 Museum of Arts and Sciences
9 Daytona USA Visitor's Center
10 Emery Riddle University
11 Daytona Beach Kennel Club
12 Terminal

Centre d'intérêt
Aéroport
Waterway
10 Interstate Highway
90 U.S. Highway
20 State / County Highway

2 miles
2 km

FLA USA

Voies de circulation et panneaux de signalisation jusque sur la plage : Daytona Beach, une ville où la voiture est reine.

déroulaient déjà sur le sable damé de la plage où de nombreux records de vitesse furent battus (445 km/h en 1935). Le grand circuit de Daytona fut construit en 1959 et accueille depuis d'impressionnantes courses de stock-cars, dont la célèbre Daytona 500, et de motos notamment durant la Bike Week. Cette grande manifestation de motos se déroule début mars. Plus de trois cent mille motards se retrouvent à Daytona Beach pour une semaine de courses et de fêtes.

A voir

(Informations touristiques : Daytona Beach Convention & Visitor's Bureau ; 126 East Orange Ave ; Tél. : 904-255-0415 ; www.daytonabeach-tourism.com)

• Daytona International Speedway
(1801 West International Speedway Blvd ; Tél. : 904-947-6782ou 904-254-2700 ; www.daytonausa.com)
C'est, avec Indianapolis, le circuit de vitesse le plus célèbre des Etats-Unis, long de quatre kilomètres avec des virages

relevés à trente degrés.
Il fut construit en 1959 et accueille cinq Grands Prix et cent vingt-cinq mille spectateurs. En janvier s'y déroule le *Rolex 24 hours of Daytona*, une course automobile ; en février la fameuse course de stock-cars, *Daytona 500* ; en mars, la course de moto *Bike Week* et en octobre, une autre course de motos, la *Biketoberfest*.
Des visites guidées de trente minutes permettent de faire un tour sur le circuit, de visiter les stands de ravitaillement...
Le clou de la visite, pour les fans de vitesse, est la possibilité de faire trois tours de piste à bord d'une voiture de série pilotée par un professionnel à 258 km/h. C'est la *Richard Petty Driving Experience*, du nom du grand pilote américain de stock-car (*Informations au 800-237-3889 ou 800-BE-PETTY ; compter 100$*).

• Klassix Auto Museum
(2909 West International Speedway Blvd ; Tél. : 904-252-0940 ; ouvert t.l.j 9 heures-18 heures)
Pour rester dans le monde automobile, voici un musée consacré aux voitures de collection, essentiellement de belles américaines des années 1950, dont les Corvettes. Les deux-roues ne sont pas en reste car le musée propose une belle collection de Harley-Davidson et d'autres modèles rutilants.

• Museum of Arts & Sciences
(1040 Museum Blvd ; ouvert du mardi au vendredi, 9 heures-16 heures et samedi-dimanche 12 heures-17 heures ; Fermé le lundi ; Tél. : 904-255-0285 ; www.moas.org)
Ce musée situé au cœur du beau parc Tuscawilla est inattendu dans l'atmosphère bruyante de Daytona Beach, et intéressant. Il propose des expositions d'art et d'artisanat américain (de l'époque coloniale au XXe siècle), africain (masques et objets rituels) et cubain (la vie locale du XVIIIe à 1959, date de l'arrivée de Fidel Castro au pouvoir).

Le phare Ponce de León

A moins de vingt kilomètres au sud de Daytona Beach sur Peninsula Drive, n'hésitez pas à vous rendre au **Ponce de León Inlet & Lighthouse.** *Il s'agit là d'un des phares les plus élevés de Floride, haut de cinquante-neuf mètres et tout en pierre orangée. Il faut en gravir les deux cent trois marches jusqu'au sommet pour découvrir une vue splendide sur l'Atlantique.*

Il fonctionne depuis 1887 mais a troqué sa lentille de Fresnel contre un système moderne, mais elle est toujours exposée dans le petit musée attenant.

SAINT AUGUSTINE (environ15 000 hab.)

La plus vieille ville des Etats-Unis, baignée par deux jolies rivières, San Sebastián à l'ouest et Matanzas à l'est. Aussi surnommée la « Cité des Conquistadores » ou la « Cité des Siècles », elle abrite un ravissant centre-ville historique aux ruelles pavées, flanquées de maisons aux tuiles rouges et façades en *« coquina »*, sorte de calcaire coquillier.
Bref, une étape pleine de charme à ne

pas manquer.

Histoire

En ce 28 août 1565, jour de la Saint Augustin, cinq caravelles espagnoles en provenance de Puerto Rico abordent la côte. A leur bord, sept cents colons conduits par le conquistador Pedro Menéndez de Avilés, se lancent sur le rivage. Ils se battent contre les autochtones puis plantent leur étendard. Avilés, nommé « Seigneur de la Floride espagnole » par son roi Philippe II, déclare cette terre possession de l'Espagne. Le 4 septembre, le contingent pose les premières bases d'une nouvelle cité : une église, un fortin et des maisonnettes en bois qu'Avilés baptise tout naturellement Saint Augustine qui deviendra, en 1587, la capitale de la Floride espagnole. Les missionnaires franciscains, venus avec Avilés, ne tardent pas à évangéliser les Indiens *timucua* et à bâtir, avec cette nouvelle main-d'œuvre, la mission catholique *« Nombre de Dios »*, première d'une longue chaîne à venir mais dont il ne reste plus rien depuis les raids anglais survenus au XVIIIe siècle.

L'assise espagnole dans cette contrée est loin d'être stable. Les nouveaux maîtres doivent se battre contre les Indiens mais surtout contre les autres puissances euro-

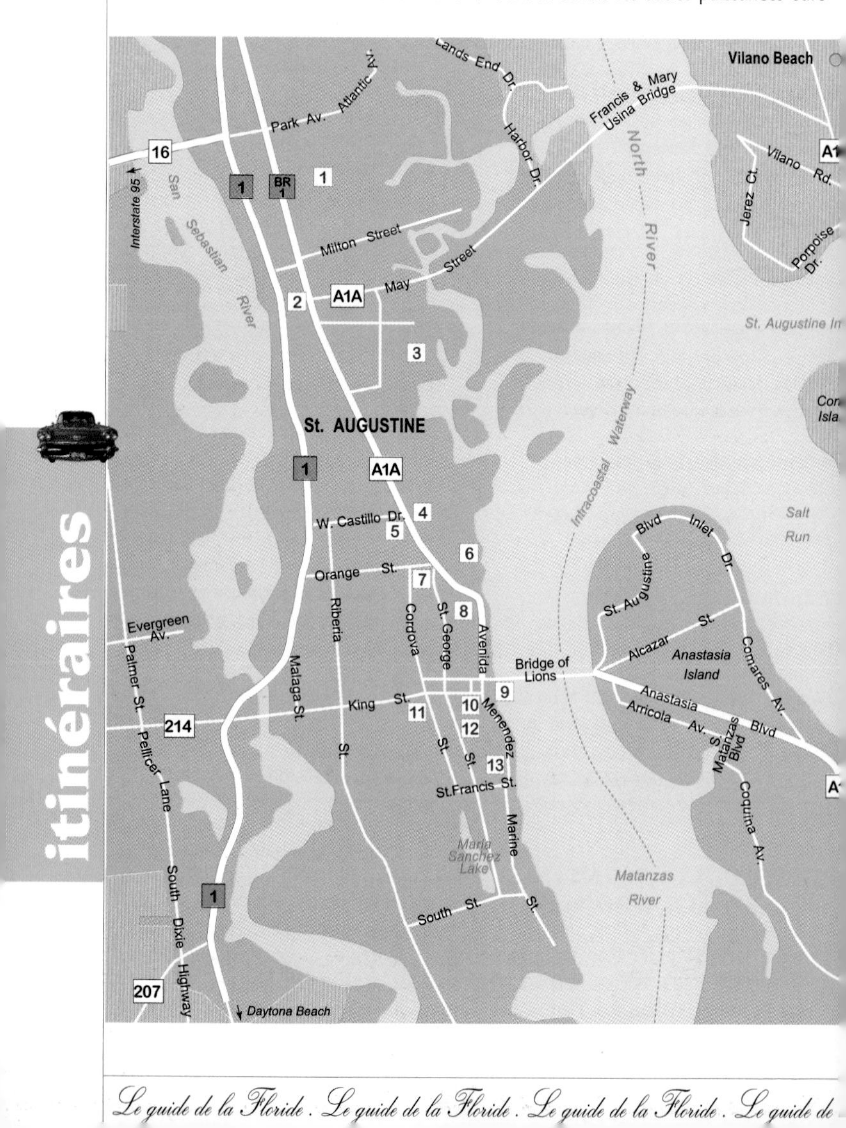

Le Castillo de San Marcos.

péennes qui rêvent de les déloger. A commencer par les Anglais. Les premières attaques contre l'occupant arrivent par l'océan. Le célèbre corsaire Francis Drake coule la flotte espagnole et fait une razzia sur Saint Augustine, détruisant tout sur son passage, y compris les cultures d'orangers. En 1670, la menace vient des troupes françaises, alors installées plus au nord. Face à ces pressions, le gouverneur de Saint Augustine décide de faire construire un fort en pierre, le Castillo de San Marcos. Grâce à la découverte de carrières de *« coquina »* sur l'île d'Anastasia – un calcaire coquillier mêlant coquillages marins et sable qui durcit en séchant – les maisons et la forteresse sont consolidées. Entre 1702 et 1763, de nombreuses attaques fragilisent l'occupation espagnole malgré son alliance avec les Français (1702) et Saint Augustine est plus que jamais convoitée par l'ennemi. Mais il faut que soit signé le traité de Paris en 1763, par lequel l'Espagne cède la Floride à l'Angleterre en échange de Cuba, pour que Saint Augustine change de mains. Le général James Grant en est le premier gouverneur britannique. Sous son autorité, la région va prospérer grâce à l'exploitation de ses sols fertiles et à la construction de voies d'accès avec les colonies anglaises du nord. Toutefois, en 1783, l'occupation britannique de Saint Augustine prend fin. En effet est signé le second traité de Paris par lequel la Grande-Bretagne reconnaît l'indépendance américaine et rétrocède la Floride à l'Espagne. Saint Augustine redevient espagnole. Vraie tour de Babel, Saint Augustine est alors habitée par des Espagnols, des Américains, d'anciens esclaves africains, des Italiens, des Grecs, des Français et des Ecossais... Mais cette deuxième colonisation espagnole est un désastre. L'occupant

St. Augustine

1. Florida School for Deaf & Blind
2. Davenport Park
3. Fountain of Youth
4. Ripley's Believe It Or Not ! Museum
5. Visitor Information Center
6. Castillo de San Marcos Nat. Mon.
7. St. Augustine Sightseeing Trains
8. Spanish Quarter Village
9. St. Augustine Scenic Cruises
10. Patter's Wax Museum
11. City Hall and Lightner Museum
12. Oldest Store Museum
13. Oldest House

Waterway
90 U.S. Highway
20 State / County Highway

0,5 mile
500 m

Le Castillo de San Marcos, monument national, est le plus vieux fort des USA (1672).

n'arrive ni à assurer sa survie économique ni à juguler les tensions qui viennent des colonies américaines soucieuses de mettre la main sur la Floride. Alors, en 1819, l'Espagne cède la Floride aux Etats-Unis. Le 10 juillet 1821, les soldats de l'Union entrent à Saint Augustine et rebaptisent le fort San Marcos en fort Marion. En 1824, la ville perd son statut de capitale de la Floride au profit de Tallahassee. Plus tard, au cours des guerres séminoles et de la guerre de Sécession, Saint Augustine sera une ville refuge mais ne sera pas directement impliquée dans les conflits.
Malgré une ville au ralenti, de plus en plus d'industriels et de spéculateurs sont séduits par les orangeraies, le climat et l'atmosphère « hispanique » qui se dégage de Saint Augustine. Une ambiance nonchalante qui va vite être mise à profit pour en faire une destination phare du tourisme au XIXe siècle. Pour cela, il fallait la sortir de son isolement géographique. Ce que fit Henry Morrison Flagler (1830-1913), un puissant industriel qui découvre la Floride en 1877 et Saint Augustine par la même occasion. Il n'a alors qu'une idée en tête, faire de cette ville « espagnole » une destination pour les riches touristes. Il rachète et améliore le chemin de fer qui la dessert, fait construire routes et ponts puis des hôtels de grand luxe de style hispano-mauresque comme le *Ponce de León*, le *Cordova* et l'*Alcazar*.
Aujourd'hui, Saint Augustine attire plus de deux millions de visiteurs chaque année, séduits par la restauration réussie du quartier historique autour de Saint Georges Street et par les belles plages environnantes.

A voir

(Office du tourisme, 10 Castillo Drive à l'angle de San Marco Ave ; Tél. : 904-825-1000)

• Castillo de San Marcos National Monument

(1 Castillo Drive angle d'Orange St ; ouvert t.l.j 8 heures-16 h 45 ; Tir de canon certains samedis et dimanches à 11 heures, 13 h 30, 14 h 30 et 15 h 30 ; Tél. : 904-829-6506)
Face à la baie de Matanzas, au nord de la vieille ville historique, se dresse, depuis 1672, cet imposant fort, le plus vieux des Etats-Unis. Les murs d'enceinte qui ont résisté à tant d'assauts montrent l'ingéniosité des bâtisseurs espagnols de l'époque coloniale. Si, au tout début de leur arrivée dans le Nouveau Monde, les fortins n'étaient constitués que de palissades en bois, les nombreux incendies modifièrent l'architecture militaire grâce notamment à la découverte sur Anastasia Island d'une carrière de calcaire coquillier. En 1671, les

Le Castillo de San Marcos dans l'histoire

1672 : Le 2 octobre, les Espagnols posent la première pierre du fort de San Marcos.
1695 : En août le fort est enfin construit et aménagé.
1702 : Guerre de succession au trône d'Espagne ; Français et Espagnols combattent les Anglais et l'Autriche. Les missions côtières de Géorgie sont rasées par des troupes de Caroline en route vers Saint Augustine qu'elles occupent puis détruisent. Le fort de San Marcos résiste aux assauts.
1738 : Le gouverneur espagnol de Saint Augustine accorde la liberté aux esclaves noirs détenus par les troupes britanniques. Plusieurs familles noires se réunissent pour bâtir leur propre ville, Fort Mose.
1740 : Saint Augustine résiste au siège organisé par les armées britanniques, géorgiennes et de Caroline du Sud. Des renforts permettent aux Espagnols de renverser les soldats britanniques qui occupaient Fort Mose.
1740-1742 : Le fort Matanzas est construit pour arrêter l'avancée des troupes cantonnées au sud de Saint Augustine.
1756-1762 : Fort Mose est rebâti en dur.
1763 : La signature du traité de Paris donne la Floride aux Anglais en échange de La Havane. Le fort de San Marcos change de nom et devient Fort Saint Mark.
1783 : Le second traité de Paris reconnaît l'indépendance des Etats-Unis d'Amérique et rétrocède la Floride à l'Espagne.
1821 : L'Espagne cède la Floride aux Etats-Unis d'Amérique.
1825 : Le fort San Marcos – Saint Mark est à nouveau rebaptisé fort Marion.
1924 : Fort Marion et Fort Matanzas sont classés monuments nationaux par le congrès.
1933 : Fort Marion et Fort Matanzas quittent la tutelle de l'armée et passent sous contrôle et gestion du Service des Parcs Nationaux, section du ministère américain de l'Intérieur.
1942 : Le fort de San Marcos retrouve son nom d'origine.

Espagnols entament alors la construction d'un fort solide avec ce matériau naturel qui s'acheva seulement vers 1695. En forme d'étoile avec des casemates et des remparts à angles vifs, le Castillo de San Marcos avait de belles proportions : des murs d'enceinte de près de quatre mètres d'épaisseur pour deux mètres soixante-quinze de haut, un énorme pont-levis qui en barrait l'entrée protégée par des douves de huit mètres de haut. En 1702, les habitants de Saint Augustine se réfugièrent dans le fort pour fuir les troupes anglaises. Le fort résista ainsi qu'en 1740 *(voir encadré ci-après)*. Quand, le 21 juillet 1763, les Anglais prennent possession du fort non par les armes mais à l'issue du traité de Paris, ils le rebaptisent fort Saint Mark et ajoutent aux casemates un second étage. Bien plus tard, après encore deux changements de mains, les Américains désormais maîtres de la Floride rechangent le nom du Castillo rebaptisé fort Marion, en l'honneur du commandant des insurgés américains, Francis Marion. Il servira de prison militaire au cours des guerres séminoles de la fin du XIXe siècle. En 1900, fort Marion est désarmé et, en 1924, déclaré monument national. Enfin, en 1942, le fort retrouve son nom d'origine, Castillo de San Marcos.

• St Georges Street

A l'extrémité nord de St Georges St, on franchit la **« Old City Gate »**, dont les deux piliers en *coquina* de 1808 matéria-

Saint Augustine, la cathédrale de style « mission espagnole » date de 1797.

lisent l'ancienne porte de la ville. On entre alors dans St Georges Street, la rue piétonne du quartier historique, avec ses nombreuses boutiques et cafés aménagés dans des maisons des XVIIIe et XIXe siècles, fort bien restaurées et qui se visitent : **Casa Avero** (1762) qui abrite la chapelle grecque orthodoxe avec une très belle collection d'icônes de style byzantin grec ; **Casa de Nicholas de Ortega** (1740) ; **Villalonga House** (1815-1820) ; **Acosta House** (1803-1812).

Au numéro 33 de la rue se tient le **Spanish Quarter Village**, un musée d'histoire où est recréée l'ambiance de la Saint Augustine de 1740. Des allées herbeuses bordées de trente-six petites bâtisses : une maison de fantassins, une vieille forge restaurée... Les employés portent des costumes de l'époque et exercent diverses tâches d'antan (filage, vannerie...). On y visite aussi **De Mesa-Sanchez House** ouverte sur un patio qui appartint à un garde côtier. Des guides en costume retracent l'histoire des lieux.

Au 14 de St Georges Street vous pouvez visiter la plus ancienne école en bois des Etats-Unis : **The Oldest Wooden School House**, édifiée en cèdre rouge et cyprès, elle date de 1750 environ. Au cours des guerres séminoles (1834-1841) elle servit de caserne. Ce petit musée permet de découvrir la vie quotidienne au XVIIIe siècle.

A voir également **Peña-Peck House** au numéro 143 de St Georges Street Construite dans les années 1740, cette élégante demeure abrita le Trésorier royal d'Espagne, Juan Esteban de Peña avant d'appartenir à un certain docteur Peck dans les années 1830. Neuf des douze pièces sont ouvertes au public.

• Cathedral-Basilica of St Augustine

(côté nord de la Plaza de la Constitución ; ouvert t.l.j 9 heures-17 heures)

Il s'agit là de la plus vieille église catholique des Etats-Unis. Les premiers offices furent célébrés en 1565 sur les lieux de sa fondation. Le monastère franciscain d'origine fut détruit par les Anglais et l'édifice que l'on découvre aujourd'hui présente des structures de 1797. Sa façade en

coquillier fut restaurée ainsi que ses murs ; le clocher et le transept furent ajoutés en 1887. En 1976 la cathédrale fut élevée au rang de basilique mineure. A l'intérieur, on découvre un carrelage cubain et des décorations restaurées dans les années 1960.

• Government House Museum

(48 King St; ouvert t.l.j 10 heures-17 heures; Tél. : 904-825-5033)

Depuis le XVIe siècle, cet édifice domine la Plaza de la Constitución. C'est dans ses murs qu'habitait le gouverneur Gonzalo Méndez de Canzo. Aujourd'hui, le musée retrace l'histoire de la ville depuis les Indiens jusqu'au début du XXe siècle.

• Zorayda Castle

(83 King St; ouvert t.l.j 9 heures-17 heures; Tél. : 904-824-3097)

En restant dans King Street, on peut visiter cette belle villa de 1883, due à Franklin Smith et réplique fidèle, bien que plus petite, du palais mauresque de l'Alhambra de Grenade (Andalousie). Le musée permet d'admirer quelques belles pièces d'ameublement et d'arts décoratifs d'Egypte et du Moyen-Orient (bijoux, mosaïques, etc.).

• Lightner Museum

(75 King St; ouvert t.l.j 9 heures-17 heures; Tél. : 904-824-2874)

A l'entrée, une statue du conquistador Ponce de León vous accueille dans ce musée installé dans l'ancien hôtel Alcazar, construit en 1888 par le richissime Henry Flagler sur le modèle de l'imposant

Saint George Street, boutiques et maisons historiques du XVIIIe siècle.

Saint Augustine, somptueux bed & breakfast.

Alcazar de Tolède en Espagne. A l'époque déjà, l'hôtel était destiné à une clientèle très riche et offrait un casino, une piscine, des boutiques, un bowling, une vaste salle de bal, des bains turcs, un gymnase, etc. Devenu musée, on y découvre une collection de minéraux, de vieux objets de mesure, des phonographes à sous (ancêtres des juke-box) et au deuxième étage, une splendide collection de verrerie d'art (Bohème, Bristol, Tiffany, Wedgwood, Meissen...).

• Flagler College – Hotel *Ponce de León*

(74 King St; ouvert mai-août 10 heures-16 heures; Reste de l'année t.l.j 10 heures -15 h 30; Tél. : 904-829-6481)

Un magnifique bâtiment de style Renaissance espagnole édifié en 1887-1888 par Henry Flagler. A l'époque, il en fit un luxueux hôtel appelé *Ponce de León,* devenu aujourd'hui un collège privé très chic. Trois architectes ont participé à cette entreprise, John Carrère, Bernard Maybeck et Thomas Hastings et pour la décoration intérieure, Louis Comfort Tiffany. A l'époque de sa construction, l'hôtel *Ponce de León* était le plus grand édifice en béton coulé. Son architecture mêle plusieurs styles (médiéval, victorien, méditerranéen...) mais avec une prépondérance du style Renaissance espagnole. La façade en béton gris est ornée d'éléments en terre cuite et l'ensemble est rehaussé de deux tourelles.

On peut donc visiter l'intérieur mais avec un guide (trente minutes). On découvre alors un patio en arcades orné de beaux palmiers. Dans le hall d'entrée *(main hall)* on aperçoit une rotonde de vingt-six mètres de haut avec des fresques, une superbe salle à manger décorée par Tiffany...

• González-Alvarez House – The Oldest House

(14 St Francis St; ouvert t.l.j 9 heures-17 heures; Tél. : 904-824-2872)

Ce serait la plus ancienne maison des Etats-Unis, occupée depuis les années 1700 jusqu'à aujourd'hui. Elle fut bâtie en calcaire coquillier par un colon arrivé des îles Canaries. Sous l'occupation britannique, elle servit de taverne. Entourée de beaux jardins, elle abrite des objets d'époque et présente l'histoire de ses occupants au fil des siècles.

• Oldest Store Museum

(4 Artillery Lane; ouvert t.l.j 9 heures-17 heures; Tél. : 904-829-9729)

Une fois franchi le seuil, on se trouve plongé au XIXe siècle. Ce musée redonne vie à l'épicerie de l'époque avec ses comptoirs en bois, des vêtements de grands-pères, un fauteuil d'arracheur de

Le lion, symbole du Pont des Lions, sculpture de l'italien Romanelli. Pages suivantes : le fameux pont qui date de 1926 avec ses tours de style mediterranéen.

dents et une incroyable collection de vélocipèdes.

• Ximínez-Fatio House

(20 Aviles St; ouvert lundi, jeudi et samedi 11 heures-16 heures; Tél. : 904-829-3575)

C'est un des rares édifices en calcaire coquillier encore bien conservé de l'époque espagnole qui date de 1798. Il appartenait au marchand Andrés Ximínez de Ronda (Andalousie) qui en fit une échoppe et sa maison d'habitation. Au XIXe siècle, la maison faisait office d'auberge, tenue par une femme, Louisa Fatio.

• Bridge of Lions

Ce pont splendide qui enjambe la Matanzas River est un des beaux monuments de la ville avec des tourelles de style méditerranéen. Il date de 1926 et relie St Augustine à Anastasia Island. Son nom vient des deux statues de lions qui se dressent à son extrémité occidentale (côté St Augustine) et qui furent sculptées par l'artiste italien Romanelli.

• Fountain of Youth

(155 Magnolia Ave; ouvert t.l.j 9 heures-18 heures; Tél. : 904-829-3168)

Cette fontaine de Jouvence se situe dans un parc archéologique national de huit hectares et demi avec des essences tropicales superbes. Ce parc matérialise le village de Seloy où vécurent les Indiens timucua qui accueillirent sur ces lieux les Espagnols en 1565. Des chercheurs ont excavé des vestiges et des objets susceptibles d'avoir appartenu à Pedro Menéndez de Avilés.
La fontaine que l'on peut voir est placée là où Ponce de León aurait découvert la mythique fontaine de Jouvence qu'il recherchait.

• Mission of Nombre de Dios

(San Marco Ave au coin de Old Mission Ave; ouvert t.l.j 9 heures-17 heures; Tél. : 904-824-2809)

En 1965, pour célébrer le quatre centième anniversaire de la fondation de St Augustine, cette croix en acier de soixante-cinq mètres de haut fut dressée à l'endroit où Pedro Menéndez de Avilés aurait débarqué et fait construire la première mission catholique des Etats-Unis. Au milieu des palmiers et cyprès, un sentier conduit à un petit sanctuaire, **Shrine of Our Lady of La Leche**, une des premières chapelles catholiques des Etats-Unis dédiée à la Vierge Marie.

• Old Jail

(167 San Marco Ave; ouvert t.l.j 8h30-17 heures; Tél. : 904-829-3800)

Une grande bâtisse rouge de style victorien, construite en 1892 pour être la prison du comté et la résidence du premier shérif de la ville, Charles Joseph surnommé la

DANGER

« Terreur » (il mesurait près de deux mètres pour cent cinquante kilos). Transformée en musée dans les années 1960, la vieille prison laisse voir divers objets relatifs au monde carcéral de l'époque mais aussi les appartements privés du shérif, le gibet et les différents quartiers de détention : celui des prisonniers blancs, des Noirs, des femmes et des dangereux.

Aux environs de Saint Augustine

• St Augustine Lighthouse & Museum

(81 Lighthouse Ave – aussi appelée Old Beach Road; ouvert t.l.j 9 h 30-17 heures en hiver et 18 heures l'été; Tél. : 904-829-0745)

A droite : le phare et musée de Saint Augustine. Ci-dessus : après avoir monté les 219 marches, la vue sur Matanzas Bay sera une récompense. Ci-dessous : au sommet, le gardien du phare.

C'est un très beau phare de brique et de métal peint d'une grande spirale noire et blanche qui s'enroule autour de sa tour. Construit en 1874 pour remplacer l'ancien phare en bois et calcaire coquillier qui avait été balayé par une tempête, il compte deux cent dix-neuf marches jusqu'au sommet d'où la vue est splendide sur l'océan Atlantique, les marais et la ville de Saint Augustine.

• St Augustine Alligator Farm

(sur la route A1A South sur Anastasia Island; ouvert t.l.j 10 heures-17 heures; Tél. : 904-824-3377)

Une fois franchi le Bridge of Lions (Pont des Lions) et suivi Anastasia Boulevard, on atteint cette ferme aux reptiles, la plus ancienne de Floride, (le parc animalier fut créé en 1883) et une des plus vastes puisqu'elle compte quelque neuf cents alligators et deux cents crocodiles. Une visite amusante qui ravira petits et grands.

• World Golf Village

(à environ 20 km au nord de St Augustine par la route I-95, sortie 95-A; ouvert t.l.j 10 heures-18 heures; Tél. : 904-240-4200)

Pour les passionnés de golf, ce musée est

entièrement consacré aux plus grands joueurs (bustes en cristal, vidéos, expositions, etc.). Possibilité de pratiquer son swing et de visionner ensuite ses performances filmées... Enfin, un cinéma Imax projette un film, sur le golf bien sûr.

• Fort Matanzas National Monument *(à environ 25 km au sud de St Augustine par la route A1A; ouvert t.l.j 9 heures-16h30; Tél. : 904-471-0116)*
Un grand parc entoure ce fort construit en 1742 en *« coquina »* pour servir d'avant-poste au Castillo de San Marcos. Utilisé jusqu'en 1821 c'est aujourd'hui un monument classé que l'on visite en empruntant un bac, le fort étant bâti sur une île de la rivière Matanzas. Visite intéressante qui peut s'accompagner d'une jolie balade dans le parc boisé alentour.

JACKSONVILLE (environ 980 000 hab.)

C'est, en terme de superficie, la plus grande ville des Etats-Unis (2 200 km²), baignée par le fleuve St Johns qui s'écoule, eh oui, vers le nord. Jacksonville a joué un rôle important dans l'histoire de l'Etat et présente quelques sites dignes d'intérêt, sans pour autant être des « incontournables » lors d'un séjour en Floride.

A voir

(Office du tourisme : Jacksonville et Beaches Convention & Visitors Bureau 201 E Adams St ; ouvert du lundi au vendredi 8 heures-17 heures ; Tél. : 904-798-9111 ; www.jaxcvb.com)

• Cummer Museum of Art & Gardens *(829 Riverside Ave ; ouvert mardi et jeudi 10 heures-21 heures, entrée gratuite de 16 heures à 21 heures ; mercredi, vendredi et samedi 10 heures-17heures ; Fermé le lundi ; Tél. : 904-356-6857 ; www.cummer.org)*

FLA USA

Un beau musée sur les rives du fleuve, ceint de splendides jardins à l'italienne, consacré aux arts décoratifs, à l'art européen et américain de l'Antiquité au XXe siècle en passant par les époques précolombiennes.

Les salles 1 à 4 sont dédiées aux arts

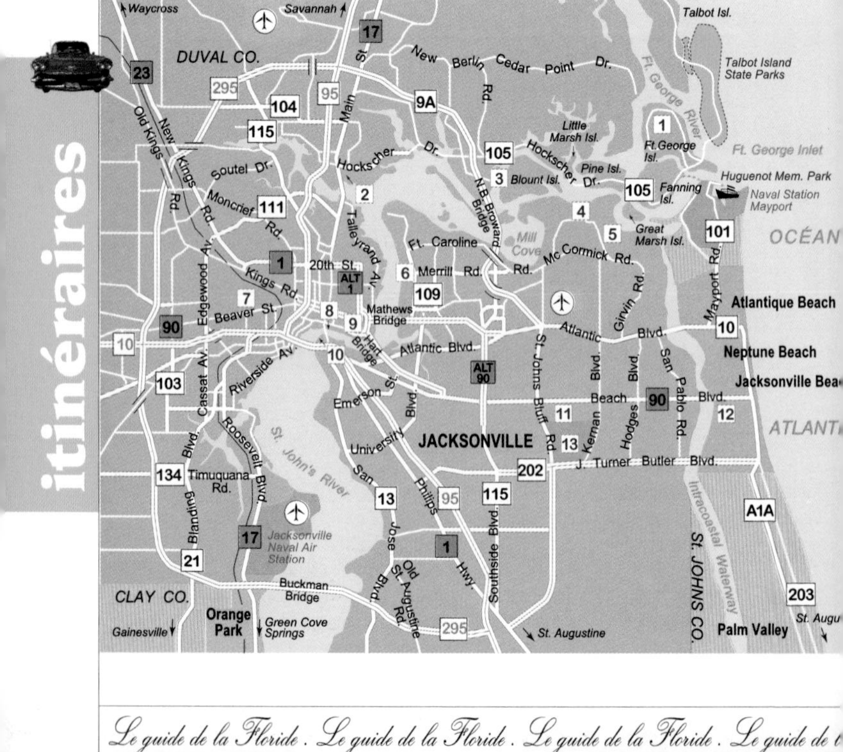

Jacksonville, une des villes les plus étendues des Etats-Unis.

moyenâgeux, baroques et Renaissance avec notamment des peintres comme Raphaël, Antonio Gaddi, Rubens, Albrecht Dürer, Cranach l'Ancien…
Les salles 5 et 6 sont ouvertes aux expositions temporaires et la salle 7 présente une superbe collection de sept cents porcelaines de Meissen. Les salles 8 à 10 présentent des artistes américains et européens du XIXe siècle et la salle 11 de la peinture contemporaine.

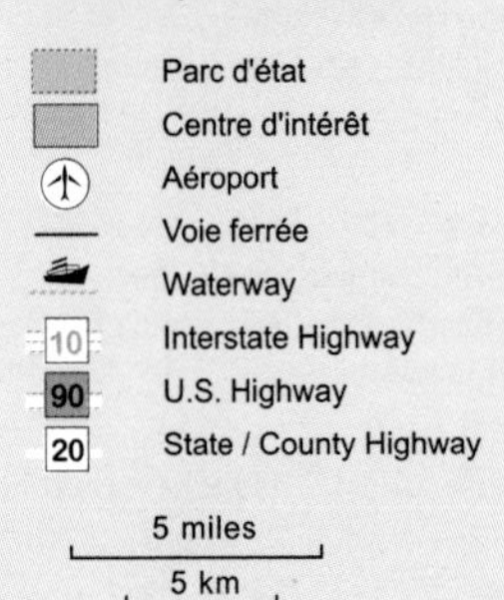

• Museum of Science, History & Planetarium

(1025 Museum Circle; ouvert lundi au vendredi 10 heures-17 heures, samedi 10 heures-18 heures, dimanche 13 heures-18 heures; les spectacles du planétarium se déroulent du lundi au vendredi à 14 heures, les samedi et dimanche à 13h30 et 15h30; Tél. : 904-396-7062; www.jacksonvillemuseum.com)
Un musée qui séduira les enfants car ici tout est présenté sous forme ludique et interactive, aussi bien la physique et la chimie que les sciences naturelles et l'histoire de l'homme. Une exposition très intéressante retrace l'histoire des hommes de la Floride septentrionale, depuis les Indiens timucua jusqu'à la colonisation européenne. L'histoire de Jacksonville est également présentée de façon amusante.

• Riverwalk

Une très belle balade de près de deux kilomètres le long du fleuve St Johns où se rendent en nombre les habitants, le week-end.

La marina de Jacksonville.

• **Jacksonville Landing**
(2 Independent Drive sur la rive nord du fleuve)
C'est le principal centre commercial avec sa profusion de bars, restaurants et boutiques et de nombreuses animations sur la place centrale.

Aux environs de Jacksonville

• **Fort Caroline National Memorial**
(12713 Fort Caroline Road à 20 km du centre-ville par la route 10A-115 East; ouvert t.l.j 9 heures-17 heures; Tél. : 904-641-7155)
Il s'agit d'un fort reconstitué sur les berges sud du fleuve St Johns et qui rappelle la tentative de colonisation de ce territoire par des huguenots français entre 1562 et 1565. Sous la pression de Gaspard de Coligny, chef du parti protestant français, une expédition de trois cents huguenots menée par Jean Ribault débarque en Floride par la rivière St Johns en avril 1562. C'est à son embouchure que les Français bâtissent le fort Caroline. Malgré l'accueil bienveillant des Indiens, les soldats huguenots se montrent agressifs, brutaux et exigeants. En Espagne, le roi Philippe II s'alarme de cette présence calviniste sur ses terres. Il charge Pedro Menéndez de Avilés de régler la situation au plus vite. Le 3 septembre 1565, ce dernier coule la flottille française et massacre les occupants du fort Caroline.

AMELIA ISLAND (environ 15 000 hab.)

A 68 km au nord-est de Jacksonville par l'A1A

De belles plages, une végétation foisonnante, une jolie destination surtout pour les amoureux de golf et de repos luxueux. L'île compte en effet quelques-uns des grands hôtels de Floride dont le *Ritz-Carlton* et l'*Amelia Island Plantation.*

Les Français furent les premiers colonisateurs de l'île vers 1562-1564 mais furent massacrés par les troupes espagnoles de Pedro Menéndez de Avilés qui voulait prendre ce territoire stratégique par sa situation entre la Caroline du Sud et la rivière St Johns.
En 1812, Amelia, baptisée par un général anglais du nom de la fille du roi d'Angleterre George II, tomba dans les mains des Américains, puis à nouveau des Espagnols qui se la firent ravir par un mercenaire écossais en 1817. Après la guerre de Sécession (1861-1865), l'île assiste déjà à un boom immobilier de tourisme (hôtels, pensions de familles...) mais la construction du chemin de fer de Flagler qui ouvrit les régions du sud de l'Etat détourna les visiteurs qui préféraient – aujourd'hui encore – le soleil de Miami ou des Keys.

Farniente sur Amelia Island.

A voir

(Informations touristiques : Amelia Island-Fernandina Beach Chamber of Commerce : Old Fernandina Depot – 102 Centre St ; Tél. : 904-261-3248 ; www.ameliaisland.com)

• Fort Clinch State Park

(2601 Atlantic Ave ; ouvert t.l.j 8 heures-coucher du soleil ; Tél. : 904-277-7274)
Ce fort se dresse depuis la guerre de Sécession en face de l'Etat de Géorgie dont il n'est séparé que par la rivière St Marys. Tout en brique, il fut érigé en 1847 pour défendre le détroit de Cumberland Sound qui donne accès au port de Fernandina mais la lenteur des travaux ne lui permit pas de résister aux attaques dont il fut l'enjeu durant la guerre de Sécession. Le nom donné fut celui du général Duncan Lamont Clinch, un héros des guerres séminoles. Un petit musée expose l'histoire de ce fort en forme de pentagone.

• Fernandina Beach

(à l'extrême nord d'Amelia Island)
C'est ici que le cœur de l'île bat autour des restaurants, des bars et des élégantes demeures victoriennes et de style Queen Anne (fin XIXe siècle) transformées pour beaucoup en petits hôtels de charme.

FLA USA

La côte spatiale

Est ainsi surnommé le ruban côtier sur la façade atlantique qui s'étire entre Fort Pierce et Daytona Beach. Cette « *Space Coast* » est le fief de la haute technologie américaine en matière de recherches et d'études aéronautique et spatiale. C'est là en effet que l'on peut visiter le centre de la NASA au Kennedy Space Center. Et assister aux lancements des navettes spatiales.
Autrefois surnommée la « contrée des moustiques », cette région fut prospère au XIXe siècle dans la culture des oranges qui s'exportaient alors dans toutes les villes d'Europe. Ce n'est qu'au début du XXe siècle que cette côte devint un haut lieu de la recherche technologique de pointe.

Kennedy Space Center, un astronaute.

KENNEDY SPACE CENTER

Ouvert en 1966, le Kennedy Space Center Visitor Complex est un des sites touristiques les plus visités de Floride. Entre marais et orangers, il se situe sur la presqu'île de Merritt Island entre l'Indian River et la Banana River.

Histoire de la conquête spatiale

Du lendemain de la Seconde Guerre mondiale jusqu'en 1964, le lancement des fusées américaines se faisait depuis la base de Cape Canaveral (devenue Cape Kennedy de 1964 à 1973). A cette époque, la guerre technologique entre l'URSS et les USA tourne à l'avantage des Russes qui réussissent à mettre en orbite un satellite artificiel, Spoutnik, le 4 octobre 1957. Le premier satellite américain n'est lancé que le 7 octobre 1958. La guerre des étoiles commence. La NASA (National Aeronautics and Space Administration) est créée dans la foulée. De leur côté, les Russes annoncent le succès du premier vol habité par le cosmonaute Youri Gagarine, le 12 avril 1961. Les missions américaines s'enchaînent avec succès : Mercury et Gemini entre 1961 et 1966. Alan Shepard, premier astronaute américain devient un héros. Dans cette course aux étoiles, les Américains accélèrent : John Glenn effectue en 1962 le premier vol orbital et Edward

White devient le premier Américain à « marcher » dans l'espace en 1965. Arrive ensuite l'épopée des programmes Apollo et ses débuts tragiques, avec la mort, en 1967, des astronautes Virgil "Gus" Grissom, Edward White et Roger Chaffee dans un incendie survenu sur l'aire de lancement d'Apollo 1. Première catastrophe pour la NASA qui reporte tout autre lancement pendant plusieurs mois, qu'elle consacre à d'importantes modifications technologiques de ses capsules spatiales jusqu'à la victoire finale. Le 21 juillet 1969, à 3h50 du matin heure française, deux héros, Neil Armstrong et Edwin "Buzz" Aldrin font *« Un petit pas pour l'homme, un grand pas pour l'Humanité »*. Ils marchent sur la Lune.

Les navettes spatiales

A cause des restrictions budgétaires imposées à la fin des années 1970 aux programmes de recherche spatiale, la NASA met au point des navettes réutilisables, mi-avions mi-fusées. Elles se composent de trois éléments : le vaisseau spatial *(orbiter)* d'environ quarante mètres de long et vingt de haut, doté de trois moteurs principaux à combustible liquide ; deux propulseurs (fusées à poudre) alimentés par du propergol solide ; un réservoir externe de carburant (oxygène liquide) et d'oxydant (hydrogène liquide). Ces navettes volent en orbite basse à 28 000 km/h.

Le 12 avril 1981, la première navette spa-

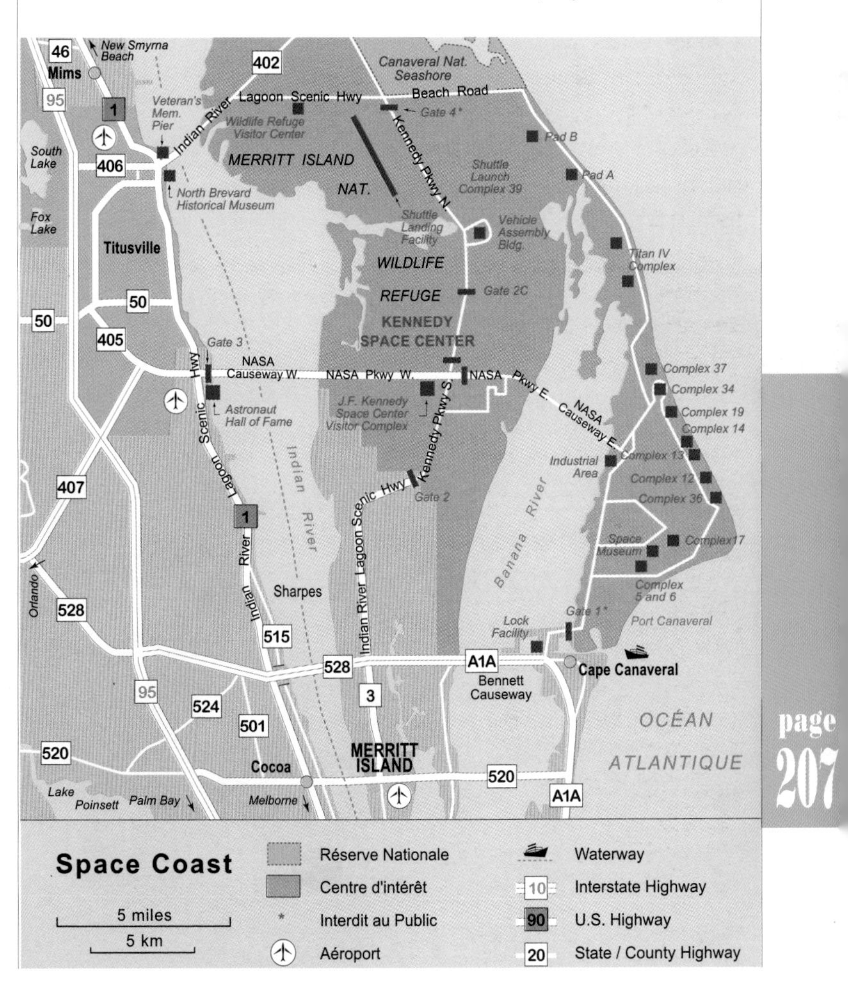

Les vols Apollo

*Les vols **d'Apollo VII** à **Apollo X** furent des vols d'essai ;*
***Apollo VIII** (21-27 décembre 1968) : première capsule habitée à quitter l'orbite terrestre pour se placer en orbite autour de la Lune.*
***Apollo IX** (3-13 mars 1969) : premier test du module et des techniques d'« alunissage ».*
***Apollo X** (18-26 mai 1969) : répétition des manœuvres d'atterrissage et survol de la zone choisie pour les premiers pas de l'homme, sur la mer de la Tranquillité.*
***Apollo XI :** le 16 juillet 1969, la gigantesque fusée Saturn V emporte Michael Collins, Neil Armstrong et Edwin Aldrin. Le 21 juillet à 3h50 du matin heure française (20 juillet aux USA), le LEM (module d'exploration lunaire) baptisé Eagle se pose sur la Lune, cent neuf heures, sept minutes et trente-cinq secondes après son départ. La terre entière, rivée à son téléviseur, retient sa respiration et suit cette aventure extraordinaire. Neil Armstrong descend le premier de l'échelle et découvre la vaste étendue poussiéreuse. Il est le premier homme à fouler le sol lunaire sur la mer de la Tranquillité. Il s'adresse à la planète, par le biais de la base de Houston :* « La surface semble faite de grains très fins, comme de la poudre. Ça colle à mes semelles. » *Il laisse ensuite pour l'Histoire l'empreinte de son pied et prononce la phrase magique :* « C'est un petit pas pour l'homme et un grand pas pour l'Humanité. »
Edwin "Buzz" Aldrin descend à son tour de la capsule, déploie sur la Lune la bannière étoilée des Etats-Unis, dépose une branche d'olivier en or et les médailles des astronautes disparus en mission. Le 24 juillet 1969 à 17h57 heure française, Apollo XI revient sur Terre.
A la date du 19 décembre 1972, une quarantaine d'expéditions spatiales ont été entreprises par cent quatorze astronautes, six missions Apollo ont "aluni" et douze hommes ont foulé la poussière de la Lune.

tiale, *Columbia,* est lancée. Plus de vingt-trois vols suivront jusqu'à l'explosion, le 28 janvier 1986, de la navette *Challenger* avec à son bord, huit hommes et femmes tous disparus. Une tragédie filmée, donc suivie en direct par le monde entier. Depuis la catastrophe, les navettes lancées ont pour mission la mise en orbite de satellites. La NASA travaille actuellement sur la création de la station spatiale internationale, en collaboration avec la Russie, l'ESA (Agence spatiale européenne), le Canada et le Japon.

Missions Mars

En août 1996, les chercheurs de la NASA annoncent la découverte d'une sorte de bactérie fossilisée dans un fragment de météorite qui viendrait de Mars et aurait échoué dans l'Antarctique. Cette découverte, controversée dans le monde scientifique, a néanmoins lancé l'idée d'une forme de vie sur la planète rouge. La NASA poursuit ses recherches sur cette destination.

Visite du KENNEDY SPACE CENTER

Accès : par la US-1 puis la Hwy 405 East. Sur la « Bee Line Expressway », suivre le panneau « John F. Kennedy Center ».
Le centre spatial se trouve à 80 km d'Orlando et environ 300 km de Miami.
Ouvert tous les jours de 9 heures à 18-19 heures ; fermé à Noël et certains jours

itinéraires

de lancement. Tél. : (407) 452-2121 ; Fax : (407) 454-3211
Internet : www.kennedyspacecenter.com

Il est bien sûr interdit de se déplacer librement au sein du centre spatial qui organise des visites guidées au départ du Kennedy Space Center Visitor Complex. La visite est passionnante. On y découvre l'histoire de la conquête spatiale, des relevés géologiques, des simulations de départs de fusées avec toutes les phases de lancement et des films Imax sur écran géant. Un autocar emmène également les visiteurs auprès des fusées et navettes ayant effectué des voyages dans l'espace. Pour connaître les dates de lancements réels de navettes spatiales et y assister, il faut contacter le centre directement au (407) 867-4636 (infos enregistrées).

Direction Cape Canaveral.
Plaque d'immatriculation évoquant la navette spatiale Challenger.
Ci-dessous : navette spatiale au Kennedy Space Center.

Autour du Centre Spatial

Entre Fort Pierce et Titusville, il est possible d'observer de nombreux oiseaux migrateurs et des centaines d'espèces en voie de disparition (lamantins, tortues carène ou pygargue) dans le parc naturel **Merritt Island National Wildlife Refuge**.

Au bout de la pointe se trouve **Canaveral National Seashore**, un « spot » apprécié des surfeurs et des baigneurs qui peuvent se prélasser sur les belles plages sauvages. La petite station balnéaire de **Cocoa Beach** accueille également des compétitions de surf, juste au pied des fusées. C'est aussi un bon point de vue pour observer le décollage des navettes spatiales.

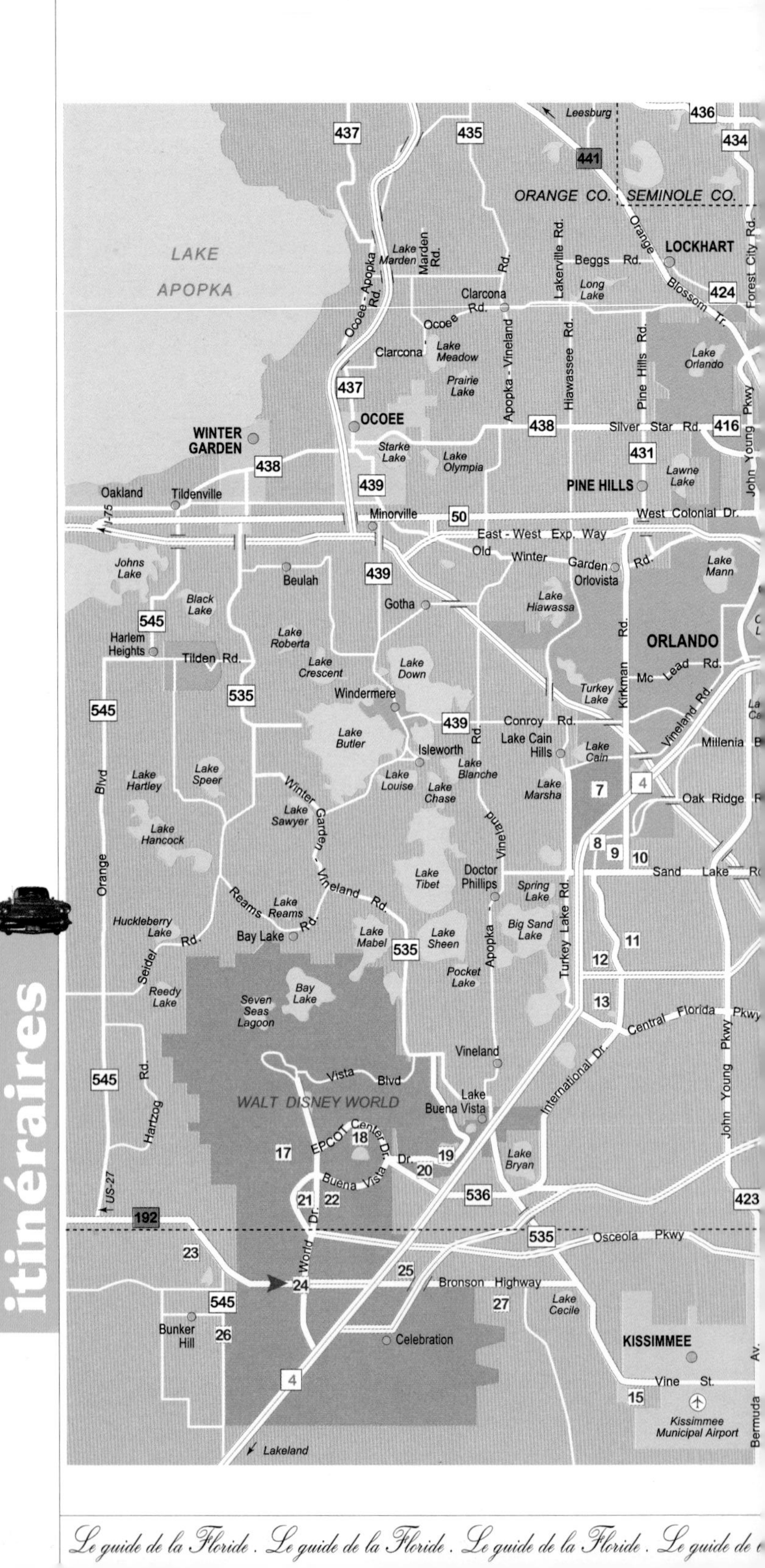

Leesburg
436
434
437
435
441
ORANGE CO.
SEMINOLE CO.
LAKE
APOPKA
Lake Marden
Marden Rd.
Ocoee - Apopka Rd.
Rd.
Lakerville Rd.
Orange
Blossom Tr.
LOCKHART
Beggs Rd.
Forest City Rd.
Clarcona Rd.
Long Lake
424
Ocoee
Clarcona
Lake Meadow
Prairie Lake
Apopka - Vineland Rd.
Hiawassee Rd.
Pine Hills Rd.
Lake Orlando
John Young Pkwy
437
OCOEE
438
Silver Star Rd.
416
WINTER GARDEN
Starke Lake
Lake Olympia
431
Lawne Lake
438
Oakland
Tildenville
439
PINE HILLS
I-75
Minorville
50
West Colonial Dr.
East - West Exp. Way
Old Winter Garden Rd.
Orlovista
Lake Mann
Johns Lake
Beulah
439
Black Lake
Gotha
Lake Hiawassa
545
Harlem Heights
Lake Roberta
ORLANDO
Tilden Rd.
Lake Crescent
Lake Down
Mc Lead Rd.
Kirkman Rd.
535
Windermere
Turkey Lake
Vineland Rd.
545
Lake Butler
439
Conroy Rd.
Millenia
Isleworth
Rd.
Lake Cain Hills
Lake Cain
Orange Blvd
Lake Hartley
Lake Speer
Winter Garden - Vineland Rd.
Lake Louise
Lake Blanche
4
Lake Chase
Lake Marsha
7
Oak Ridge
Lake Sawyer
Lake Hancock
Vineland
8
9
10
Lake Tibet
Doctor Phillips
Sand Lake
Spring Lake
Reams Rd.
Lake Reams
Huckleberry Lake
Bay Lake
Lake Mabel
Lake Sheen
Big Sand Lake
Turkey Lake Rd.
11
Seidel Rd.
535
12
Apopka
Pocket Lake
Reedy Lake
Bay Lake
Seven Seas Lagoon
13
Central Florida Pkwy
545
Vineland
Hartzog Rd.
Vista Blvd
WALT DISNEY WORLD
Lake Buena Vista
International Dr.
John Young Pkwy
EPCOT Center Dr.
18
17
19
20
Lake Bryan
Buena Vista Dr.
21
22
536
423
US-27
192
535
Osceola Pkwy
23
25
World Dr.
24
Bronson Highway
545
27
Lake Cecile
Bunker Hill
26
Celebration
KISSIMMEE
4
Vine St.
15
Kissimmee Municipal Airport
Bermuda Av.
Lakeland
itinéraires

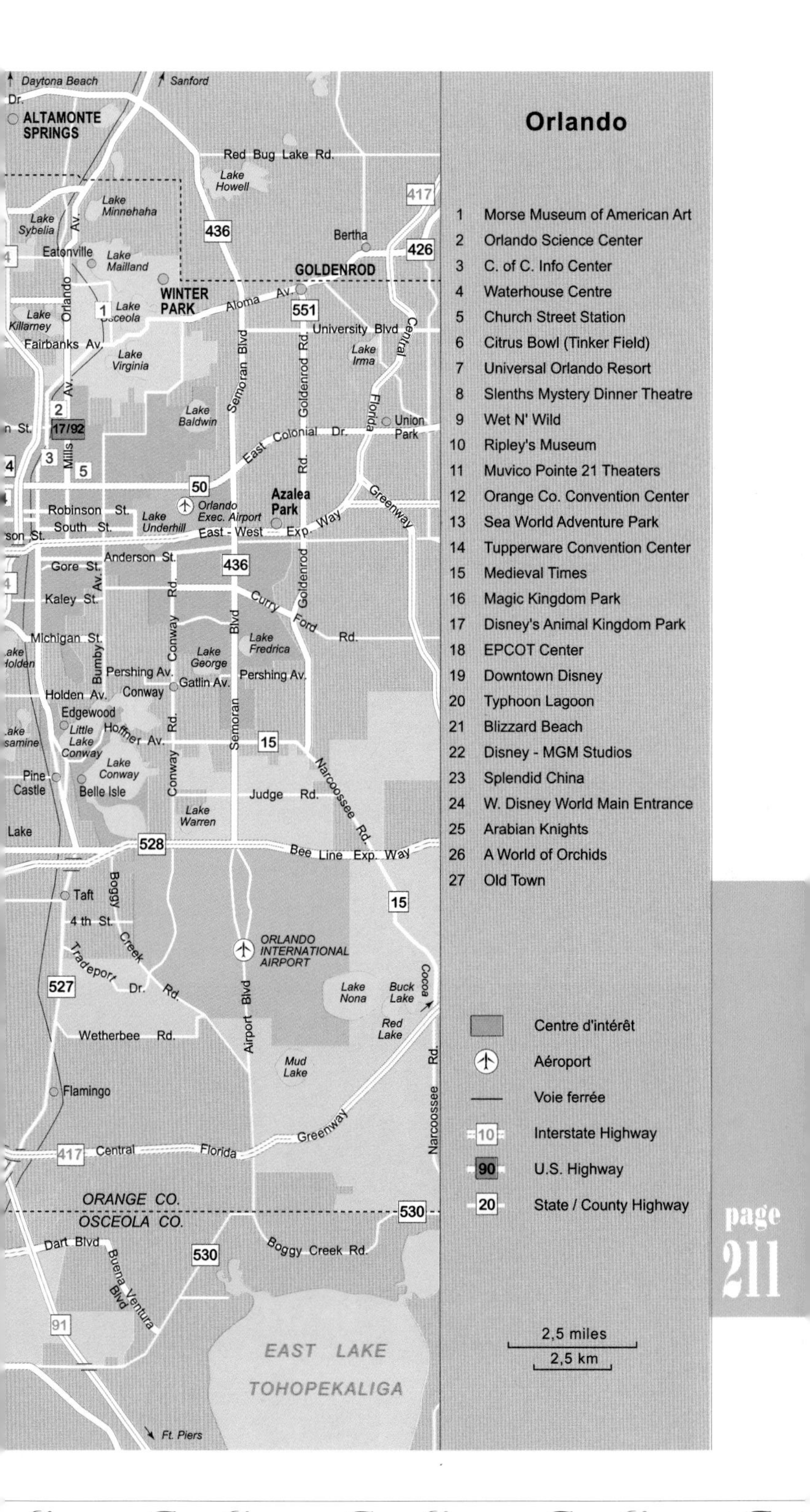
Orlando
1 Morse Museum of American Art
2 Orlando Science Center
3 C. of C. Info Center
4 Waterhouse Centre
5 Church Street Station
6 Citrus Bowl (Tinker Field)
7 Universal Orlando Resort
8 Slenths Mystery Dinner Theatre
9 Wet N' Wild
10 Ripley's Museum
11 Muvico Pointe 21 Theaters
12 Orange Co. Convention Center
13 Sea World Adventure Park
14 Tupperware Convention Center
15 Medieval Times
16 Magic Kingdom Park
17 Disney's Animal Kingdom Park
18 EPCOT Center
19 Downtown Disney
20 Typhoon Lagoon
21 Blizzard Beach
22 Disney - MGM Studios
23 Splendid China
24 W. Disney World Main Entrance
25 Arabian Knights
26 A World of Orchids
27 Old Town
Centre d'intérêt
Aéroport
Voie ferrée
10 Interstate Highway
90 U.S. Highway
20 State / County Highway
2,5 miles
2,5 km
Daytona Beach
Sanford
ALTAMONTE SPRINGS
Red Bug Lake Rd.
Lake Howell
Lake Minnehaha
Lake Sybelia
Eatonville
Lake Maillard
WINTER PARK
GOLDENROD
Bertha
Aloma Av.
University Blvd
Lake Killarney
Lake Osceola
Fairbanks Av.
Lake Virginia
Lake Irma
Lake Baldwin
Union Park
East Colonial Dr.
Semoran Blvd
Goldenrod Rd.
Central Florida Greenway
Orlando Av.
Mills Av.
17/92
Robinson St.
South St.
Lake Underhill
Orlando Exec. Airport
Azalea Park
East - West Exp. Way
Anderson St.
Gore St.
Kaley St.
Curry Ford Rd.
Michigan St.
Lake Holden
Lake Fredrica
Lake George
Bumby Av.
Conway Rd.
Pershing Av.
Gatlin Av.
Holden Av.
Conway
Edgewood
Little Lake Conway
Hoffner Av.
Lake Conway
Pine Castle
Belle Isle
Judge Rd.
Narcoossee Rd.
Lake Warren
Bee Line Exp. Way
Taft
Boggy Creek Rd.
4 th St.
Tradeport Dr.
ORLANDO INTERNATIONAL AIRPORT
Lake Nona
Buck Lake
Red Lake
Cocoa
Wetherbee Rd.
Airport Blvd
Mud Lake
Flamingo
Greenway
Central Florida
Narcoossee Rd.
ORANGE CO.
OSCEOLA CO.
Dart Blvd
Buena Ventura Blvd
Boggy Creek Rd.
EAST LAKE TOHOPEKALIGA
Ft. Piers
417
436
426
551
50
15
528
527
530
91

Orlando et le centre

Orlando, en plein cœur de la Floride, c'est le monde magique de Disney, la frénésie des parcs d'attractions à thème qui attirent près de quarante millions de visiteurs chaque année. Autant dire que vous ne serez pas seuls. Toutefois, si la foule finit par lasser, il faut savoir que le centre, aux paysages vallonnés, offre de belles opportunités d'évasion.

ORLANDO (environ 177 000 hab.)

Au terme de la deuxième guerre séminole (1835-1842), le gouvernement promulgua l'*Armed Occupation Act*. Cette loi allouait soixante-cinq hectares de terre à chaque colon qui s'engageait à rester au moins cinq ans dans la région alors occupée de soldats au fort Gatlin. Ces pionniers posèrent donc les fondements d'Orlando dans le « comté des Moustiques ». L'agriculture y était prédominante (coton, agrumes et élevage) et la production enrichit rapidement la petite cité qui prospéra d'autant plus vite. En 1875, Orlando devint une municipalité économiquement riche. Puis, à la fin du XIXe siècle et au début du XXe, d'autres villes poussèrent le long du tracé ferroviaire de la *South Florida Railway*, le chemin de fer créé par Henry Plant. La conquête spatiale des années 1950 créa de nombreux emplois dans la région, Cape Canaveral n'étant guère éloigné. D'importantes entreprises s'implantèrent autour d'Orlando. Puis survint 1965, une date qui modifia totalement la destinée d'Orlando et de ses environs. Cette année-là, un certain Walt Disney dévoila son gigantesque projet de construction d'un parc à thèmes ici même. Le boom immobilier qui suivit fut inimaginable et les prix des terres flambèrent comme du petit bois. En 1971 fut donc inauguré Walt Disney World, puis Seaworld en 1973 et Studios Universal au début des années 1990. Aujourd'hui, Orlando est la cinquième ville la plus visitée des Etats-Unis (après San Francisco, Miami, Los Angeles et New York), avec près de quarante millions de visiteurs par an. Mais au-delà des empires du loisir, Orlando présente d'autres centres d'intérêts et de belles escapades dans la campagne environnante.

Orlando : oranges de Floride, célèbre boutique.

FLA USA

A voir

(Informations touristiques : Orlando's Official Visitor Center au 8123 International Drive, suite 101 ; Tél. : 407-363-5871 ; www.go2orlando.com)

• Orlando Museum of Art

(2416 N Mills Ave ; ouvert mardi-samedi 9 heures-17 heures et dimanche 12 heures-17 heures; Fermé le lundi ; Tél. : 407-896-4231)

Ouvert en 1924 mais complètement restauré, ce musée présente une importante collection d'art précolombien (Mexique, Pérou, Belize et Costa Rica) ainsi que des peintres américains des XIXe et XXe siècles (John Singer Sargent, Gene Davis...).

• Orlando Science Center

(810 E Rollins St; ouvert lundi-samedi 9 heures-17 heures et dimanche 12 heures -17 heures ; Tél. : 407-896-7151)

Un temple de la science en forme de cylindre de verre ouvert en 1997. Il présente tous les aspects de la science de façon interactive, rendant la visite très vivante et ludique. Parmi les expositions permanentes, *NatureWorks* qui recrée divers écosystèmes de Floride ; *Tunnel of Discovery*, pour s'amuser avec les mathématiques et la physique ; *Cosmic Tourist* sur l'astronomie et la géologie ; *BodyZone*, l'anatomie et *TechWorks* sur les hautes technologies.

Un grand cinéma Imax projette divers films sur les sciences.

• Orange County Historical Museum

(812 E Rollins St; ouvert lundi-samedi 9 heures-17 heures et dimanche 12 heures-17 heures ; Tél. : 407-897-6350)

Juste à côté de l'Orlando Science Center, ce musée raconte la Floride depuis la préhistoire jusqu'à aujourd'hui avec des collections d'objets et outils. En annexe du musée, on peut voir le **Museum of Firefighters**, consacré aux combattants du feu avec, exposées, les premières voitures de pompiers d'Orlando.

• Harry P. Leu Gardens

(1920 N Forest Ave ; ouvert t.l.j 9 heures-17 heures ; Tél. : 407-246-2620)

Harry P. Leu, entrepreneur d'Orlando, fit don à la ville de sa propriété et de ses jar-

Disney World, Magic Kingdom.

dins riches de superbes plantes exotiques. La balade promet d'admirer une magnifique collection de camélias et la plus vaste roseraie de Floride avec plus de mille fleurs de deux cents variétés différentes. Dans Ravine Garden, on se promène parmi des essences exotiques. Une très belle escale.

• Church Street Station

(129 W Church Station, Downtown Orlando ; Tél. : 407-422-2434)
Des allées pavées bordées de magasins et restaurants aux devantures à l'ancienne posent le décor de ce lieu, le plus animé du centre-ville le soir venu. Un complexe qui concentre de nombreuses boutiques de souvenirs, des bars, des cafés et des restaurants pour tous les goûts.

Universal Studios Florida

(à l'intersection de Turnpike's Florida et de l'I-4 ; entrée sur Kirkman Rd – Hwy 435)
Avec Hollywood en Californie, ce sont les plus importants studios de cinéma et de télévision (plus de deux cents hectares) et la visite permet d'assister à des spectacles (*Indiana Jones* par exemple, très bien conçu) et de découvrir les coulisses de cette industrie, notamment sur les techniques de trucages, sensationnelles. De vrais tournages y ont aussi lieu et l'on peut parfois les suivre lors de la balade en petit train au travers du site où sont reconstituées des villes en carton-pâte (New York, Londres du XIXe, un village du Far West, etc.).
Au total, une quarantaine d'attractions (montagnes russes, shows…) dans lesquelles le visiteur devient acteur de films célèbres comme *ET*, *Retour vers le Futur (Back to the Future*, une attraction géniale !), *King Kong*, *Earthquake-The Big One (Tremblement de terre)*, *Twister*, également très impressionnant en 3D. De quoi passer d'excellents moments très « décoiffants » mais hélas, prévoir de longues attentes.

Islands of Adventure

(Tél. : 407-363-8000 ; www.uescape.com/islands)
Un des derniers nés des Studios Disney, ce parc propose des attractions... remuantes ! Parmi nos favorites, **Jurassic Park** et **The Lost Continent**. A l'occasion, prévoir un vêtement de rechange ou acheter sur place une cape imperméable. Vous voilà prévenus.

Wet'n Wild

(6200 International Drive ; Tél. : 407-351-1800 ; www.wetnwild.com)
Un immense parc aquatique avec toboggans gigantesques, piscines à vagues... Pour tout âge.

Seaworld Adventure Park

(7007 Seaworld Drive ; à l'intersection de l'I-4 et de Bee Line Expressway ; Tél. : 407-351-3600 ; www.seaworld.com)
Un parc toujours passionnant et pourtant un des plus anciens de l'empire du loisir floridien puisqu'il fut ouvert en 1973 sur plus de quatre-vingts hectares. L'entrée est plus chère que celle des parcs de Disney mais il faut savoir qu'une partie des fonds récoltés est reversée dans un organisme

Ci-dessous : Seaworld, l'orque Shamu pendant son show. En haut : sensations assurées !

SeaWorld Adventure Park

de sauvegarde et de protection des animaux. Ici, on apprend beaucoup sur les animaux marins tout en s'amusant dans ce parc très bien aménagé. On découvre un espace qui recrée l'ambiance tropicale de Key West et une station de recherche sur la banquise.
Outre la rencontre avec des animaux très variés qui évoluent dans des bassins et aquariums (dauphins, lamantins, orques dont la star *Shamu*, otaries, éléphants de mer, requins et animaux polaires comme les pingouins, manchots et les ours blancs), on assiste à des shows animaliers et à d'autres attractions sympathiques, voire renversantes. Par exemple,

ne pas manquer, seulement si vous avez le cœur bien accroché, l'attraction **Kraken**, le plus vertigineux « roller-coaster » (manège) d'Orlando avec une chute d'un dénivelé de plus de cinquante mètres. Une belle frousse pendant 3′ 39″.
Remuant mais moins que le précédent, on peut se lancer dans **Journey to Atlantis,** un manège sur l'eau autour du thème de l'Atlantide, l'île merveilleuse engloutie. Le plongeon final, d'un dénivelé de dix-huit mètres, garantit des sensations fortes !
Egalement à voir, le film en 3D sur l'Arctique appelé ***Wild Arctic.*** On se trouve embarqué dans un hélicoptère survolant la banquise avec de superbes effets spéciaux (l'avalanche par exemple à laquelle on échappe de justesse) et de très belles images. A la fin du « vol », il faut se balader dans la station arctique reconstituée où l'on admire de magnifiques animaux polaires.
Seaworld Florida étant géré par le plus grand brasseur américain Anheuser-Busch, un espace est consacré à la fabrication de la bière, dans l'espoir, bien sûr, de faire consommer.

Splendid China

(3000 Splendid China Blvd, le long de la Hwy 192 à l'ouest de l'I-4 ; Tél. : 407-396-7111 ; www.floridasplendidchina.com)
Ce parc, inauguré en 1993, présente cinq mille ans ans de civilisation chinoise avec d'impressionnantes reconstitutions de lieux et de scènes.
Bien sûr, la Grande Muraille y figure et est le cadre de nombreux spectacles de danses, musiques et d'agapes *« made in China ».*

Disney World : ci-dessus, monorail circulant entre les parcs et, ci-dessous, « Big Thunder Mountain Railroad ».

WALT DISNEY WORLD

Ce « Monde de Walt Disney » inauguré en 1971 est une vraie planète à part, un univers magique synonyme de villégiature familiale. Il occupe un terrain de douze mille cent quarante hectares, soit plus grand que Paris ou deux fois l'île de Manhattan ! Un monde qui résume à lui seul le capitalisme américain et les loisirs en superlatifs.

Le choix du site en Floride dans les années 1960 fut déterminé par le faible prix du terrain et un climat toujours ensoleillé. Walt Disney entoura d'un grand secret son ambitieux projet, et acheta les terres sous un nom de société écran, la Reedy Creek Development Company. Son idée était de construire une véritable « ville » consacrée aux loisirs et aux vacances en famille, avec hôtels, restaurants, boutiques, cinq golfs, des lacs, des jardins zoologiques, un grand centre sportif, des parcs d'attractions à thème et un vaste réseau de transport interne de ferries, autocars, navettes et monorail, afin qu'aucune voiture ne circule dans ce monde clos. Le résultat est vertigineux il faut bien l'admettre pour les quatre parcs du site *(Magic Kingdom, Epcot, Disney's Animal Kingdom* et *Disney-MGM)* : vingt-huit hôtels soit plus de dix mille chambres, trente-cinq mille employés à temps complet auxquels s'ajoutent les saisonniers, plus de cinq

cent millions de visiteurs depuis sa création, soit environ vingt-trois millions par an ou soixante-cinq mille par jour ! Bref, de tous les parcs Disney dans le monde (Paris, Tokyo, Anaheim en Californie), celui-ci demeure le plus grand rêve de Walt Disney, le plus gigantesque parc de la planète et le plus visité au monde... Et toujours de nombreux projets qui devraient voir le jour ces toutes prochaines années, des milliers d'hectares de terrain n'étant pas encore aménagés.

Walt Disney World est donc un royaume magique, féerique et souvent grandiose pour les enfants mais aussi les adultes qui savent (ou veulent) encore rêver...

Se rendre à Walt Disney World en voiture

Le parc se situe à trente-deux kilomètres au sud-ouest d'Orlando. De l'aéroport, prendre la route à péage Beeline Expressway (Hwy 528 West) puis l'I-4 West jusqu'à la sortie 26B pour accéder aux parcs d'*Epcot, Typhoon Lagoon, Pleasure Island, Discovery Island, Downtown Disney* et *River Country.*

La sortie 25B (*via* la Hwy 192 West) conduit aux parcs de *Magic Kingdom, Disney-MGM, Animal Kingdom...*

Depuis les parkings (5 $ la journée) – GIGAN-TES-QUES ! (des dizaines de milliers de places) – des navettes gratuites vous emmènent directement à l'entrée principale.

Informations et réservations

Walt Disney World Guest Information, PO Box 10000, Lake Buena Vista, FL 32830-1000 ; Tél. : 407-934-7639 ou 407-824-4321 ; www.disney-world.com

Tarifs d'entrée*

Plusieurs options possibles selon la durée du séjour et le nombre de parcs envisagés :

Formules	*Adultes*	*Enfants (3-9 ans)*
• **One-day/One-park ticket** (1 journée dans 1 parc au choix) :	**44 $**	**35 $**
• **4-day Park Hopper Pass** (passeport de 4 jours, 1 journée dans chaque parc)	**167 $**	**134 $**
• **5-day Park Hopper Pass** (passeport de 5 jours, accès illimité aux 4 parcs)	**210 $**	**168 $**
• **Theme Park Annual Pass** (1 an d'accès illimité aux 4 parcs)	**309 $**	**259 $**
• **Water Parks** (1 journée dans un des parcs suivants : Blizzard Beach, Typhoon Lagoon, River Country et Pleasure Island)	**27 $**	**22 $**

(tarifs été 2002)*

Quand visiter Walt Disney World ?

Durant la haute saison, les files d'attente sont un cauchemar, malgré les efforts de Disney pour animer cette épreuve. Eviter donc autant que possible les vacances scolaires d'été, de Noël et de Pâques. Les meilleures périodes pour s'y rendre : entre fin novembre et Noël, ainsi que septembre, octobre et janvier.

Un conseil : arriver aux parcs tôt le matin et prévoir de bonnes chaussures.

Magic Kingdom

Sur un domaine de quarante hectares, ce parc constitue la pièce maîtresse du concept Disney et par conséquent est le plus visité de tous. Les attractions sont organisées autour de sept « pays fantastiques » *(lands) : Tomorrowland, Adventureland, Fantasyland, Frontierland, Mickey's Starland, Liberty Square* et *Main Street.*

• Main Street USA

C'est la première zone que l'on découvre en entrant dans ce parc : un décor de village du début du XXe siècle qui abrite boutiques, cafés et restaurants. Des personnages de Disney s'y promènent pour la plus

grande joie des enfants, souvent intimidés par Mickey, Dumbo, Dingo ou Donald avec qui ils se font photographier. Durant la haute saison, la parade de Disney défile le soir avec chars et jeux de lumières puis grand feu d'artifice *(Fantasy in the Sky)*.

• *Tomorrowland*

« Le monde de demain » attire toujours beaucoup de monde pour ses deux attractions majeures : *ExtraTERRORestrial Alien Encounter* et *Space Mountain*.
La première, imaginée et conçue par

Pinocchio, Mickey, Simplet... au programme.

Georges Lucas nous emmène dans un centre interplanétaire où un scientifique fou, venu d'une autre planète, expérimente le transport intergalactique mais échoue. Un monstre surgit dans votre navette spatiale et le suspense et les frissons commencent... Excellents jeux de lumières et effets spéciaux.
Space Mountain est une attraction plus ancienne (1975) mais vraiment bien faite : une montagne russe dans un espace futu-

Walter Elias Disney (1901-1966)

Né à Chicago de parents espagnols, son vrai nom était José Luis Guirao Zamora mais il fut adopté par Elias Disney. Le père fondateur du dessin animé a reçu trente-neuf Oscars et fait rêver de nombreuses générations d'enfants. A vingt et un ans, il fonde, à Kansas City, son premier studio d'animation avant de partir à Hollywood en 1923 où il crée avec son frère Roy les Disney Brothers Studios. En 1928, premier succès avec Steamboat Willie *dont le héros est une petite souris, baptisée Mickey après avoir failli s'appeler Mortimer. En 1937, il crée le premier long métrage animé (quatre cent mille dessins),* Blanche-Neige et les Sept Nains, *c'est alors la gloire. En 1955, il ouvre en Californie le premier grand parc d'attractions, Disneyland, avant de s'attaquer en Floride à un chantier encore plus vaste dont il ne verra pas le terme mais que son frère achève à sa place.*
Quelques grands succès planétaires de Walt Disney Studios : Pinocchio, Fantasia, Dumbo, Bambi *et* Cendrillon *dans les années 1950;* Peter Pan, Les 101 Dalmatiens *et* Merlin l'Enchanteur *vers 1963;* le Livre de la Jungle *et* Basil Détective *en 1986,* le Roi Lion *en 1993;* Aladin *et* Kuzco *fin 1999-début 2000...*

riste que l'on parcourt à toute vitesse à bord d'un vaisseau spatial, dans le noir au milieu d'une pluie de météorites...
Timekeeper est un film de quinze minutes environ qui nous emmène dans une odyssée fantastique à travers le temps, depuis l'ère des dinosaures à celle du futur. Le voyage permet de croiser quelques célébrités comme Mozart, Léonard de Vinci, Gutenberg...
Grand Prix Raceway plaît aux enfants qui pilotent de petites voitures de course sur un circuit en pente douce.

• *Mickey's Starland*

Une féerie pour les tout-petits (moins de dix ans) qui découvrent un village en miniature aux couleurs pastel où ils croisent tous leurs personnages fétiches. On y visite la petite maison de Mickey et celle, coquette, de Minnie, le bateau de Donald, la ferme de Grandma avec ses animaux...

• *Fantasyland*

Impossible de manquer ce magnifique village, dominé par le château de Cendrillon *(Cinderella Castle)*, haut de cinquante-huit mètres et dont l'architecture tarabiscotée s'inspire d'un château de Louis II de Bavière. Dans les ruelles, on croise Merlin l'Enchanteur, Peter Pan, le capitaine Crochet mais aussi de jolies princesses de contes de fée et les personnages des dessins animés (le Roi Lion notamment a beaucoup de succès). De nombreux carrousels sont des manèges antiques, propices pour amuser les enfants. Un sympathique manège est le *Mad Tea Party :* on s'installe dans des tasses géantes qui pivotent à un rythme endiablé. Une magnifique attraction du point de vue des couleurs et de l'animation est *Small World*, pour laquelle on embarque dans de petits bateaux qui nous emmènent à travers cent pays représentés par cinq cents automates.
Une très belle balade est proposée à *Peter Pan's Flight :* à bord de petits bateaux de pirates, on suit les aventures de ce garçonnet. Comme lui, on s'envole au-dessus de Londres pour découvrir le royaume imaginaire avec tous les personnages de Peter Pan. Vraiment superbe ! Même genre de promenade dans *Snow White's Adventure* qui nous entraîne dans l'histoire de

La billetterie du parc d'attractions Disney MGM Studios, émotions garanties.
Magic Kingdom : un enfant tente de tirer Excalibur, l'épée du roi Arthur, hors de l'enclume où elle est fichée. Décors et personnages.

Blanche-Neige, dans le village des Sept Nains puis dans le repaire de la méchante sorcière...

• *Liberty Square*

Une petite ville américaine de l'époque coloniale avec, au centre de l'esplanade la « cloche de la Liberté » coulée dans le moule de la « Liberty Bell » originale, celle qui sonna le jour de l'Indépendance des Etats-Unis en juillet 1776.
Pour quelques frissons, il faut visiter *Haunted Mansion*, la maison hantée de spectres et aménagée de salles de distorsions avant d'embarquer, « à nos risques et périls » dans des véhicules pour un périple plein de menaces... rigolotes.
Le *Hall of Presidents* plaît certainement davantage aux Américains qu'aux Européens puisque cette galerie retrace l'histoire de leur pays (sous ses aspects les plus glorieux, bien sûr) et les automates représentant les présidents s'animent avec force discours... Bof.

• *Frontierland*

Un ravissant village du Far West avec ses saloons où des « girls » dansent le French Cancan, ses trottoirs en bois et ses épiceries « d'époque » avec, de temps à autre,

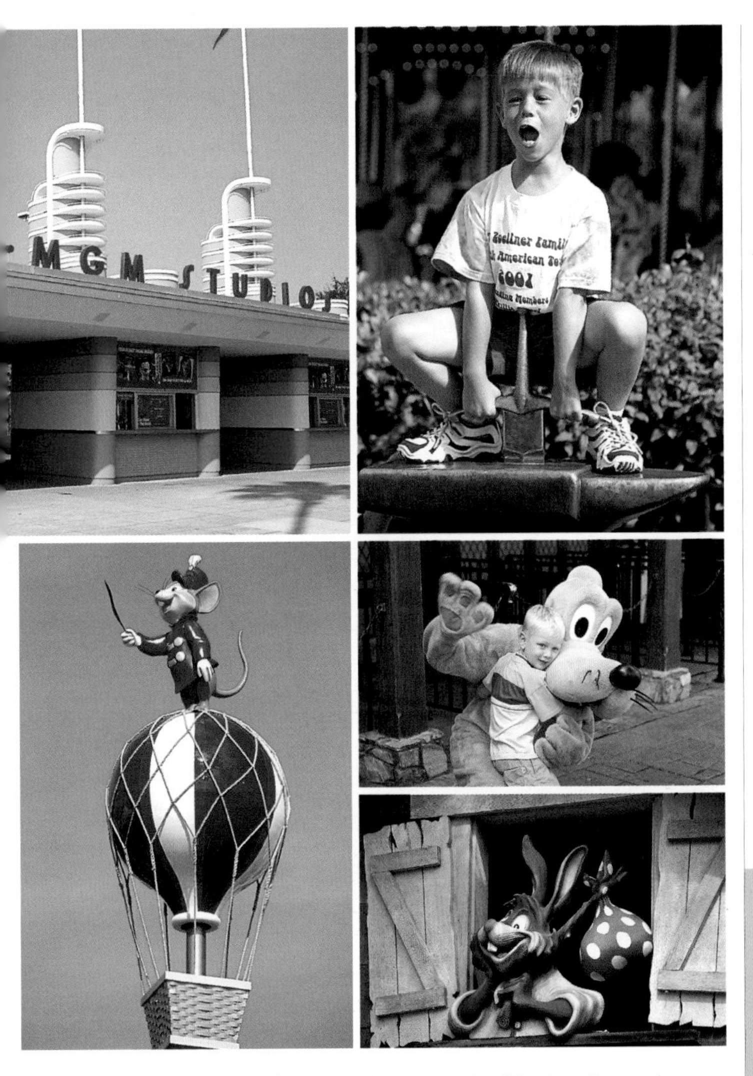

quelques bagarres au colt dans les rues... Prudence ! Sinon, un des espaces où les attractions comptent parmi les plus échevelées de Magic Kingdom.

A commencer par *Splash Mountain* : la balade en pirogue commence de façon très bucolique sur une paisible rivière du sud, traverse des marécages et des bayous à un rythme nonchalant. L'occasion d'admirer les sympathiques personnages du film de Disney *Mélodie du Sud (Song of the South)* comme Frère Lapin et Frère Renard. Puis l'on gravit, mollement, la montagne et là, sortez les impers ! Une chute aquatique de seize mètres de haut plonge la pirogue à soixante-cinq kilomètres-heures dans une pente à quarante-sept degrés... Oups, splash, on est trempé...

Encore envie d'émotions ? Alors surtout, il ne faut pas rater *Big Thunder Mountain Railroad !* A bord d'un petit train, on se balade dans une vieille ville minière du XIXe siècle puis, à toute allure, on passe des cols, des grottes et des canyons – superbement réalisés – avant de s'enfoncer dans une galerie obscure qui, attention, menace de s'effondrer. Une magnifique montagne russe.

Autre jolie balade, plus paisible aussi – celle de *Tom Sawyer Island* que l'on effectue à bord d'un radeau pour découvrir l'île cachée du héros de Mark Twain, la grotte de Joe l'Indien et les remparts d'un fort de cavalerie.

• *Adventureland*

Envie d'exotisme, de jungle, de safari ? Alors c'est ici dans cet espace qui imbrique toutes sortes d'architectures et d'ambiances (polynésienne, mauresque, espagnole, caribéenne...). On peut assister à un spectacle musical humoristique, *Enchanted Tiki Room,* qui présente un monde d'orchidées et d'oiseaux imaginaires au plumage bariolé. Une superbe aventure vous attend au *Pirates of the Caribbean.* A bord d'un bateau, on traverse des marécages pour atteindre un village des Caraïbes mais là, patatras, on est pris dans une attaque de pirates sanguinaires... Superbes mises en scènes et animations !
Beaucoup plus reposante est la *Jungle Cruise*, une descente de rivière dans une jungle épaisse où vivent toutes sortes d'animaux sauvages... Attention aux crocodiles et aux hippopotames qui surgissent sans prévenir ! Ouf, ils sont mécaniques.
Si les enfants ont encore de l'énergie à revendre, il faut les emmener à la *Swiss Family Treehouse :* un banian artificiel de vingt-quatre mètres de haut dans lequel est perchée la cabane des *Robinsons suisses.* On y arrive en gravissant des escaliers et passerelles enchevêtrés dans les branches.

Disney MGM Studios,
« Ride » alliant vitesse, musique, décor...

Disney-MGM Studios

Dans ce parc de soixante-trois hectares, les sensations fortes sont garanties et les attractions absolument incroyables du point de vue des effets spéciaux. A part cela, on y découvre les studios de création des dessins animés où l'on peut voir à l'œuvre bruiteurs, graphistes, dessinateurs, bref, tous ceux qui créent et animent les films Disney. Un petit train fait visiter des plateaux de tournage et des décors vraiment bien rendus (New York, Paris...).
Des spectacles drôles et captivants sont donnés chaque jour dans lesquels le visiteur devient acteur de scènes célèbres, notamment avec *Indiana Jones, La Belle et la Bête, Voyage of the Little Mermaid (La Petite Sirène), Catastrophe Canyon,* un des meilleurs, où l'on risque sa vie dans un véritable déluge (heureusement, tout finit bien)...
Pour ceux qui recherchent frissons et vertiges, deux « roller coasters » vraiment extraordinaires :
Le plus facile à repérer, par sa construction et les hurlements qui s'entendent de partout dans le parc, est *Twilight Zone Tower of Terror ;* effrayant, il faut l'avouer, et franchement pas conseillé à tous les publics. Au bout de Sunset Boulevard on aperçoit un hôtel délabré. A l'intérieur, des clients ont disparu. Ambiance angoissante qui atteint son apothéose à la fin, avec une chute libre de treize étages (près de cin-

quante mètres) dans un vieil ascenseur qui joue au yo-yo...
Une autre attraction incroyable du point de vue de la mise en scène, des décors et des sensations, est le *Rock'n'Roller Coaster*. On se trouve dans un studio d'enregistrement face au groupe Aerosmith. Il doit se rendre à l'autre bout de Los Angeles pour un concert. Avant de quitter le studio, ils nous invitent à les suivre mais il faut faire vite car le temps presse. On embarque alors dans une superbe limousine et là, bien harnachés, leur musique rock dans les oreilles, on vit le départ le plus fou jamais réalisé dans des montagnes russes. Ensuite, c'est tout simplement terriblement décoiffant. Cette attraction est, bien sûr, interdite aux personnes fragiles du cœur, aux trop jeunes et aux femmes enceintes.
Pour se remettre de ces violentes émotions, *The Great Movie Ride* semble une bonne option. Une balade en tramway dans un monde multimédia où se déroulent des scènes de grands classiques du cinéma d'une vérité criante.
Pour les plus jeunes, *Honey I Shrunk the Kids Movie Set Adventure* est vraiment sympathique. Dans un terrain de jeu aux décors inspirés du film *Chérie, j'ai rétréci les gosses*, les enfants évoluent au milieu de brins d'herbe et d'insectes géants qu'ils peuvent escalader dans tous les sens.

EPCOT

Un parc de cent hectares divisé en deux zones : *Future World* dédié aux technologies et inventions futuristes et *World Showcase*, où sont présentées la culture et l'architecture de onze pays dont les pavillons sont disposés autour d'un lagon de seize hectares.

• *Future World*
Matérialisé par l'immense géosphère blanche de cinquante-cinq mètres de haut, c'est une sorte de palais de la Découverte conjugué à un parc d'attractions. On apprend et découvre les technologies de demain de façon ludique et interactive.

Epcot Center, célèbre boule futuriste.

• *Spaceship Earth*
Dans la géosphère, on effectue un beau voyage dans l'espace et le temps à bord d'un petit train qui gravit en spirale 18 étages au fil desquels des animations retracent l'histoire de la communication.
Très intéressant.

• *Wonders of Life*
« Les merveilles de la vie » sont ici révélés par des documentaires, des spectacles multimédias et une belle attraction : *Body Wars*. On est « injecté » dans un corps humain et nous voilà engagés dans une exploration vertigineuse du système sanguin.
Sensations fortes assurées !

Epcot Center, un tour du monde autour du lac : ici, Venise et son carnaval.

• *Living Seas*
Tout sur la vie sous-marine dans cet aquarium d'eau salée, un des plus vastes au monde. Un beau documentaire sur la mer ouvre la visite qui se poursuit au *Caribbean Coral Reef,* une traversée dans un récif de corail puis s'achève à *Sea Base Alpha,* un laboratoire de recherches sous-marines où l'on admire toutes sortes d'espèces animales.

• *Journey Into Imagination*
Un lieu où l'on peut tester ses facultés d'imagination grâce à un extraordinaire voyage au milieu d'automates. Les enfants adorent cette attraction vraiment amusante.

• *World Showcase*
Cette « vitrine du monde » est vraiment bien faite et, en deux kilomètres, on visite pas moins de onze pays : Mexique, Norvège, Chine, Allemagne, Italie, Etats-Unis, Japon, Maroc, France, Grande-Bretagne et Canada. Chaque pavillon, bâti selon un style architectural propre à son pays, présente son artisanat, sa cuisine, ses traditions et sa musique. Nous avons beaucoup aimé les pavillons du Japon, du Maroc, du Mexique, mais tous sont vraiment intéressants.

Disney's Animal Kingdom

Inauguré en 1998, c'est le dernier-né de Disney World, dont les deux cents hectares sont entièrement consacrés à la nature. Il abrite plus de mille animaux de deux cents espèces différentes, plus de quatre millions de plantes de tous les continents, soit plus de trois mille cinq cents essences qui vivent dans divers écosystèmes magnifiquement reconstitués. Divers villages évoquent des pays ou continents :
Africa offre de très belles reproductions d'une ville et d'un port du Kenya. L'attraction phare est le *Kilimanjaro Safari* qui vous conduit dans une expédition remuante en camion tout terrain. On peut alors admirer de nombreux animaux de ce continent qui vivent « en liberté » (rhinocéros, antilopes, lions, éléphants, zèbres, etc.).
Asia, en plein cœur d'une forêt tropicale, permet de voir des tigres du Bengale et des varans de Komodo ainsi que toutes sortes d'oiseaux exotiques. Une attraction sympathique, *Tiger Rapids Run* garantit de

FLA USA

belles sensations et quelques éclaboussures !
A ***Dinoland USA,*** le visiteur découvre un village de pêcheurs abandonné où furent découverts des os de dinosaures et où le thème principal est la paléontologie. L'attraction du site, *Countdown to Extinction*, est vraiment remuante, elle aussi, car elle nous fait remonter le temps à l'ère des grands sauriens menacés par un astéroïde.

Water Parks

Blizzard Beach, Typhoon Lagoon et *River Country* sont d'immenses terrains de jeux aquatiques avec des attractions comme *Summit Plummet* à Blizzard Beach qui permet de dévaler, en bouée, un toboggan doté d'un dénivelé de trente-sept mètres que l'on négocie à près de quatre-vingts kilomètres-heure...

LE CENTRE DE LA FLORIDE

Ceux qui recherchent la nature pour s'adonner au vélo, à la marche, à l'équitation ou au kayak apprécieront les espaces naturels du centre de la Floride dont les vallons rebondissent aux portes d'Orlando en direction du nord. Cette région était jadis peuplée d'Indiens timucua et séminoles dont on ne retrouve l'empreinte que dans les noms des rivières, des sources et des lacs (Witlacoochee, Kanapaha, Wekiwa, Ichetucknee...).

Les incontournables

• Blue Spring State Park

(au nord-ouest d'Orlando et tout au nord d'Orange City ; ouvert t.l.j 8 heures-coucher du soleil ; Tél. : 904-775-3663)
Une agréable balade dans une forêt conduit jusqu'à un lac où vivent encore des lamantins et où l'on peut se baigner ou se promener en bateau. Entre novembre et mars, les eaux de la rivière St Johns qui alimentent la source de Blue Spring se refroidissent, poussant les lamantins (aussi appelés vaches de mer et qu'autrefois les marins prenaient pour des sirènes) à aller vers des eaux plus chaudes.

A gauche, l'agréable lac de l'Ichetucknee dans le centre de la Floride.

FLA USA

Blue Spring State Park.

• Ocala National Forest

(au nord-ouest d'Orlando par l'US 441 ; Tél. : 352-625-7470)
A une vingtaine de kilomètres à l'est de la ville d'Ocala, réputée dans le pays pour ses élevages de chevaux, cette forêt de deux cent quinze mille hectares compte parmi les plus anciennes des Etats-Unis et offre une multitude de possibilités de promenades au gré de chemins balisés qui conduisent vers de superbes sources naturelles comme **Juniper Springs** ou **Alexander Springs**. Les randonneurs pourront se lancer sur le **Florida National Scenic Trail**, un parcourt pédestre de plus de quatre cent quatre-vingts kilomètres dont une centaine traverse la forêt.

• Winter Park *(au nord-est d'Orlando)*

Une petite ville estudiantine qui dégage une atmosphère sympathique avec ses galeries d'art et ses cafés en terrasse. Possibilités de faire du bateau sur des kilomètres de canaux et de lacs.

• Florida Citrus Tower

(à l'ouest d'Orlando par l'US 27 et la Hwy 50)
A côté de la petite ville de Clermont, on peut visiter cette gigantesque plantation d'agrumes. Une tour d'observation permet de voir les alignements qui s'étirent jusqu'à l'infini de quelque dix-huit millions d'orangers et de citronniers.

Pages suivantes. Disney MGM Studios : reconstitution des rues de Hollywood et décor en perspective de New York. Disney World, Magic Kingdom : décor de Fantasyland ; tous équipés Disney, même les jours de pluie ; poussettes en attente devant les attractions ; personnages animant les rues ; les chutes d'eau « Splash Mountain ». Epcot Center : show et feu d'artifice sur le lac. A Disney World, Mickey superstar... même sur un réservoir d'eau !

SWEET
VILLAINS IN
SCARY APOTHECARY

SIGNS of
Happy Motoring

℞ DRUGS ℞
Coca-Cola
SODA
NO PARKING BUS LOADING ZONE
2 HOUR PARKING

TRAVEL
POLICE
2541

The Pinocchio Village Haus

Fantasy Faire
Fantasy Faire

Disney

LE GOLFE DU MEXIQUE
La côte sud-ouest

La côte occidentale de la péninsule floridienne dévoile quelques-unes des plus fabuleuses plages des Etats-Unis au sable blanc comme la neige qui tranche sur les eaux turquoise du golfe du Mexique. Une partie de la Floride encore trop méconnue des touristes européens et pourtant, une des plus insolites et pittoresques, ponctuée d'îles magnifiques, de cités pimpantes au charme tropical, de nature encore sauvage.

Au XVIe siècle, les explorateurs espagnols longèrent cette côte peuplée d'Indiens *calusa* pour jeter l'ancre dans la baie de Tampa. La région ne se développa cependant qu'à la fin du XIXe siècle avec la venue du chemin de fer à l'initiative de Henry Plant qui, à l'instar d'Henry Flagler sur la côte orientale, fut le grand bâtisseur du rail de la côte occidentale. Cette région attira d'illustres Américains comme Henry Ford, Thomas Edison et John Ringling, homme de cirque, promoteur et mécène.

NAPLES (environ 90 000 hab.)

Au nord des Everglades, cet ancien port de pêche est devenu un haut lieu de la mode. La région vit de la culture des légumes et du tourisme. Cette industrie en a modifié le paysage avec la construction de résidences de copropriétés – ou *condominiums* – et l'ouverture d'hôtels comptant parmi les plus prestigieux de Floride, le *Ritz-Carlton* et le *Registry Naples*.

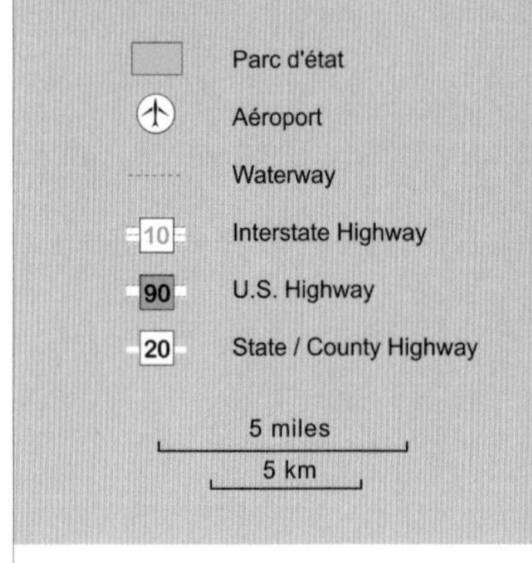

A voir

(Informations touristiques : Naples Area Chamber Visitors Center : angle de 5th Ave et Hwy 41 ; Tél. : 941-263-1858ou 941-262-6141 ; www.naples-online.com)

• Scenic Road

Cette route panoramique part du centre-ville et parcourt sur dix kilomètres les sites les plus intéressants le long de Gulf Shore Boulevard. Une très bonne option pour s'imprégner des lieux et y admirer de superbes villas.

De là, on peut gagner **Naples Pier** (*angle de la 12th Ave South*). Construite en bois en 1888, cette jetée constitue le point de départ des bateaux de pêche sportive, très pratiquée ici. Beaucoup d'animations le week-end avec pêcheurs à la ligne et promeneurs.

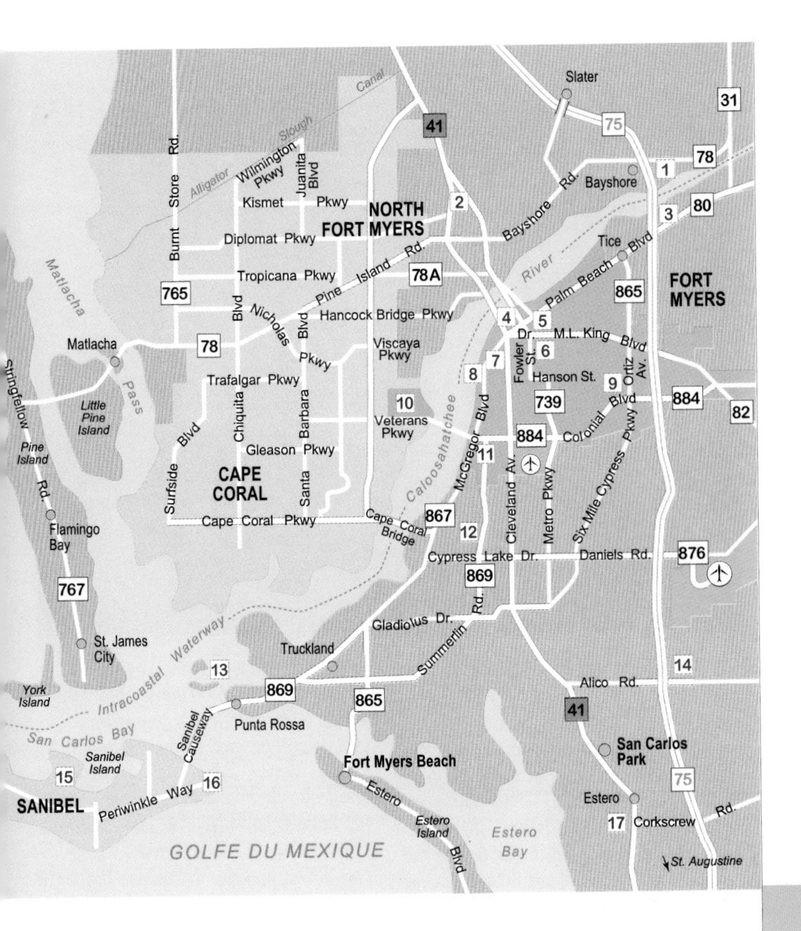

• Old Naples

(5th Ave South et 3rd St South)

Dans ce quartier historique de Naples dominé de palmiers, se concentrent boutiques chics, petits cafés en terrasse, galeries d'art et restaurants.

Un édifice se distingue particulièrement, le **Naples Depot** de 1927 qui servait alors de gare terminus à la ligne de la *Seaboard Air Line Railway*. Aujourd'hui, elle abrite un musée dédié à l'histoire du chemin de fer de la côte ouest de Floride.

• Teddy Bear Museum

(2511 Pine Ridge Rd ; Tél. : 941-598-2271 ; ouvert t.l.j 10 heures-17 heures)

Un musée amusant consacré aux ours en peluche avec une collection d'environ trois mille pièces, certaines datant du début du xxe siècle.

FORT MYERS (environ 46 000 hab.)

Surnommée « la cité des palmiers » pour les deux mille palmiers royaux qui l'ornent, Fort Myers, bâtie le long de la sinueuse rivière Caloosahatchee, offre un joli centre-ville habilement restauré et de très intéressants musées, notamment celui d'Henry Ford et de Thomas Edison, anciens résidants des lieux.

Fort Myers fut construit en 1850 au lendemain de la deuxième guerre séminole (1835-1842) pour assurer la protection des colons menacés par les Indiens. Plus tard, vers 1890, la colonie s'agrandit avec la venue d'éleveurs de bétail et de planteurs d'ananas et la petite cité de Fort Myers devint vite prospère. Mais c'est

Fort Myers, le gigantesque banian devant la maison de Thomas Edison.

l'installation dans la région d'un illustre inventeur qui modifia la nouvelle municipalité. En effet, en quête de soleil, Thomas Alva Edison (1847-1931) découvrit en 1886 les beautés de la rivière Caloosahatchee et des paysages environnants et décida d'y élire domicile. Il acheta une vaste propriété, ouvrit son laboratoire et se lança dans ses fameuses expériences : il mit au point l'ampoule à incandescence, le phonographe, la caméra et le projecteur de film. La ville lui doit l'importation de Cuba des palmiers royaux et de nombreuses autres essences exotiques.

A voir

(Informations touristiques : Lee Island Coast Visitor & Convention Bureau : 2180 West 1st St, suite 100 ; Tél. : 239-338-3500 ; www.leeislandcoast.com)

• Edison & Ford Winter Estates

(2350 McGregor Blvd ; Tél. : 239-334-7419 ; ouvert lundi-samedi 9 heures-16 heures et dimanche 12 heures-16 heures ; www.edison-ford-estate.com)
Une visite passionnante sur les rives d'une large et paisible rivière, des résidences d'hiver des deux célébrités de Fort Myers : Thomas Edison (1847-1931), le génial inventeur et Henry Ford (1863-1947), le constructeur automobile.
Les deux hommes se rencontrèrent en 1896. Henry Ford rêvait alors de construire des voitures et fut encouragé par Edison. En 1916, Ford acheta la propriété voisine de celle d'Edison.
La belle maison d'Edison, baptisée **« Seminole Lodge »** est noyée dans un

extraordinaire jardin tropical que l'inventeur utilisait pour ses expérimentations. La visite permet de découvrir son univers quotidien mais c'est son laboratoire, transformé en musée, qui est vraiment passionnant. Une multitude d'éprouvettes et d'ustensiles de chimie y sont exposés. Certains servirent à ses expériences sur la production de caoutchouc. D'autres aux milliers de tests qu'il fit pour mettre au point la batterie d'accumulateurs avant de la breveter et de la commercialiser. Les salles suivantes du musée sont tout aussi riches : une collection de deux cents phonographes magnifiques, de centaines d'ampoules de toutes tailles et toutes formes et autres objets inventés par Edison (caméras...) et de nombreuses photographies. On peut aussi admirer la voiture que conduisait Edison, un superbe coupé Cadillac de 1908.

Ne pas rater non plus l'immense figuier banian (le plus grand de Floride), planté à l'extérieur du laboratoire, un cadeau du magnat des pneumatiques Harvey Firestone qui le rapporta d'Inde en 1925.

La visite continue chez Ford dont la maison de style colonial, baptisée **« Mangoes »** (mangues), est seulement séparée de la précédente par « la clôture de l'amitié ». Là encore, découverte des lieux, et surtout du garage où sont exposées des automobiles Ford de la première heure.

• Fort Myers Historical Museum

(2300 Peck Ave ; Tél. : 239-332-5955 ; ouvert mardi-samedi 9 heures-16 heures ; fermé les dimanche et lundi)

Dans une gare de 1924, ce musée, très intéressant, retrace l'histoire locale depuis les Indiens calusa et séminoles jusqu'à l'ère industrielle en passant par la période coloniale espagnole.

• Murphy-Burroughs Home

(2505 1st St ; Tél. : 239-332-6125 ; visites guidées uniquement mardi-vendredi 11 heures-15 heures)

Une belle propriété de style anglais du début du XXe siècle qui appartenait à un riche éleveur puis à un banquier. On se promène au fil des nombreuses pièces au milieu d'un très beau mobilier, sous la conduite de guides en costume d'époque.

• Calusa nature Center & Planetarium

(3450 Ortiz Ave ; Tél. : 239-275-3435 ; ouvert t.l.j 9 heures-17 heures)

Un espace consacré à la nature avec ses diverses espèces animales et végétales ainsi qu'un village indien séminole reconstitué. Un chemin de balade de cinq kilomètres permet de découvrir marécages et bosquets de cyprès. Très agréable.

Fort Myers, musée des Inventions d'Edison : l'ampoule électrique, le phonographe.

SANIBEL ET CAPTIVA ISLANDS

On peut encore découvrir la Floride d'autrefois avec ses plages de sable blanc immaculé, sa faune et sa flore exotiques ainsi que sa végétation subtropicale luxuriante sur Lee Island Coast, dont les deux stars sont les îles-barrières de Sanibel et de Captiva, à trente-sept kilomètres au sud-ouest de Fort Myers.
Outre un magnifique environnement naturel, les sportifs auront le plaisir de découvrir un grand nombre de golfs, de tennis et de sports nautiques. Mais c'est un autre sport qui attire ici les Floridiens : le *« shelling »* ou ramassage des coquillages dont on trouve plus de deux cents variétés sur ces plages paradisiaques. Un nom est même donné à cette activité si particulière, le *« Sanibel Stoop »* !

Ces deux îles, peuplées d'Indiens calusa furent découvertes au XVIe siècle par les Espagnols et baptisées *Puerto de Nivel del Sur* et *Boca del Cautivo*. Et devant la multitude de coquillages qu'ils découvrirent sur leurs plages, ils surnommèrent le littoral *« Costa de los Caracoles »* ou « côte des coquillages ». Si l'on en croit certains habitants, l'île de Captiva devrait son nom aux boucaniers qui y installaient leurs prisonnières mais ce n'est qu'une légende. Jamais vraiment développées, ces îles étaient surtout habitées de gardiens de phares jusqu'à la construction, en 1963, d'une chaussée surélevée de quatre kilomètres huit cents reliant Sanibel au continent et d'un pont minuscule entre les deux îles, appelé *« Blind pass »*.
C'est ainsi qu'en quelques années, Sanibel et Captiva devinrent la destination touristique préférée de nombreux Floridiens pour y passer week-ends ou vacances.
Comme on les comprend ! L'endroit est vraiment superbe, les longues plages de sable blanc quasi vierges et la vie paisible. La rue principale de Sanibel, *Periwinkle Way* est la promenade pittoresque du dimanche à travers une jungle luxuriante entourée d'une arcade de pins d'Australie. Des boutiques et des restaurants attrayants parsèment la route qui va du phare de Sanibel à Tarpon Bay Road.

A voir

(Informations touristiques : Sanibel-Captiva Islands Chamber of Commerce : 1159 Causeway Road à Sanibel ; Tél. : 239-472-6374 ; www.sanibel-captiva.org)

• Bailey Matthews Shell Museum
(3075 Sanibel-Captiva Road ; Tél. : 239-395-2233 ; ouvert mardi-dimanche 10 heures-16 heures ; Fermé le lundi)
Alors là, les passionnés de conchyliologie seront enchantés d'admirer une collection assez unique de plus de deux millions de

Plages de sable blanc à Sanibel et Captiva Island. Sanibel, enseigne de boutique.

coquillages récoltés un peu partout sur notre planète avec, à chaque fois, des explications (en anglais) sur leur origine géographique et leurs usages traditionnels (parures tribales, médecine, cuisine, etc.). Une salle est consacrée aux seules variétés de Sanibel et Captiva, soit plus de deux cents, parmi lesquelles : le peigne bigarré, les pattes de chaton, les pattes de lion, les ailes de dinde, les bonnets écossais et des centaines d'autres.

• J.N. « Ding » Darling National Wildlife Refuge

(1 Wildlife Drive; Tél. : 239-472-1100; ouvert samedi-jeudi 9 heures-17 heures pour les tours en tram et jusqu'au coucher du soleil pour les piétons et cyclistes; www.dingdarling.org)

Il s'agit d'une magnifique réserve naturelle de deux mille hectares formée de marécages, de criques, de mangroves et forêts abritant une faune et une flore

Sanibel, point de vue et chemin aménagés dans le parc naturel protégé. Deux sympatiques volontaires s'occupant du lieu.

abondantes. Une excellente piste balisée permet d'y circuler à pied ou à vélo sachant qu'il faut faire attention aux alligators, très nombreux ! Les amateurs d'ornithologie se régaleront devant la multitude d'espèces qui y vivent (spatules roses, balbuzards, hérons, aigrettes...). Pour les autres, des tours en tram, commentés, partent du centre d'accueil où l'on peut également recueillir toutes sortes d'informations sur la réserve. De belles balades en canoë y sont également possibles. Un lieu sauvage, superbement protégé, à visiter absolument.

Sur les plages du golfe du Mexique, de nombreuses variétés de coquillages sont déposés par les courants.

Excursions

Le principal agrément sur **Captiva Island** est justement qu'il n'y ait aucune attraction particulière sinon « calme, luxe... ». Au large des côtes de Sanibel et de Captiva, les voyageurs en bateau découvriront plus d'une centaine de petites îles côtières. Beaucoup d'entre elles ne sont peuplées que d'un bouquet de palétuviers tandis que d'autres dévoilent de magnifiques plages de sable blanc.
Le nord de Captiva Island comme la

A gauche : balade à vélo dans le parc naturel, attention aux alligators... Le littoral alterne cordons de sable, lagunes et mangroves. Après la tempête, sur la plage.

Le phare de Sanibel Island.

réserve de l'île **Cayo Costa** sont deux régions réputées pour leurs rivages pratiquement déserts bien que très agréables ainsi que l'abondance de leurs coquillages.

Il y a aussi **Cabbage Key**, située à l'indicateur de Mile 60 sur la Voie Navigable Intra-côtière et construite sur le sommet de l'ancien tumulus indien calusa, tout en coquillages. L'ancienne maison de la romancière Mary Roberts Rinehart a été transformée en auberge dotée de six chambres. Les murs de la salle à manger sont tapissés de milliers de dollars griffés d'autographes.

Boca Grande, toute proche de Captiva et de Pine Island si on les relie par bateau mais à 1 h 30 en voiture, est une charmante ville datant du début du XXe siècle sur l'île des millionnaires de **Gasparilla.**

Pine Island nous ramène au temps où la pêche était la plus importante industrie de la région. Un peu plus au sud se trouve l'île **Estero** qui abrite la plage de **Fort Myers** doucement inclinée. Ici, le sable ressemble à du sucre en poudre. Pendant l'hiver, la baie d'Estero accueille les flottilles de bateaux de pêche et de crevettiers. L'ambiance d'Estero se prête aux vacances en famille avec toutes sortes d'activités nautiques. Dans les restaurants, sont servies quelques spécialités de poissons comme le mérou et le vivaneau. Au sud de l'île d'Estero, sur **Black Island, Lover's Key** est un superbe endroit assez sauvage, idéal pour pique-niquer. Un tramway tiré par un tracteur conduit les visiteurs à travers un superbe décor naturel composé de palétuviers. Le rivage est agrémenté de bois flottés et de coquillages.

En poursuivant au sud, tout en restant sur la péninsule, on trouve **Bonita Beach** qui constitue la frontière méridionale de Lee Island Coast. Ses plages comptent parmi les plus belles de la région et ici, les empreintes de l'ancienne et de la moderne Floride coexistent en harmonie. En s'aventurant un peu plus à l'intérieur des terres jusqu'à Bonita Springs, les passionnés d'histoire pourront visiter les vestiges de **Koreshan Unity**, une secte religieuse disparue qui prônait déjà l'égalité des droits pour la femme bien avant que le concept ne soit populaire.

Lee Island Coast en chiffres

Température : *moyenne annuelle de 23 °C*

Température de l'eau : *moyenne annuelle : 25 °C*

Distances : *Miami (238 km, soit environ 2 h 30 de route) ; Orlando (268 km, soit environ 3 h 30) ; Tampa (215 km, soit environ 2 h 30) ; Daytona Beach (352 km, soit environ 4 h 30) ; Jacksonville (500 km, soit environ 6 heures).*

Golfs : *1549 trous sur 95 parcours comprenant 15 parcours publics, 34 semi-privés et 46 clubs privés.*

Marinas : *58, parmi lesquelles 15 proposent des locations de bateaux.*

SARASOTA (environ 50 000 hab.)

Cette ville abrite le plus grand musée d'art de Floride. Opulente, fleurie, ornée de palmiers et d'eucalyptus, cernée d'une kyrielle d'îles, cette cité balnéaire distille un charme luxueux.

Les premiers colonisateurs étaient espagnols mais ce n'est qu'au XIXe siècle que Sarasota prit vraiment forme, grâce à une communauté écossaise qui bâtit les premiers édifices et les routes. En 1902, la ville nomma son premier maire, John Hamilton Gillespie, un noble écossais. En 1912 arriva John Ringling (1866-1936), descendant de huguenots français, et son célèbre cirque, le **Ringling Bros & Barnum & Bailey Circus**. Il se lança dans la spéculation immobilière et contribua grandement à l'essor de Sarasota comme destination touristique de luxe. Assis sur une confortable fortune, amoureux des arts, il construisit avec son épouse Mable, un grand musée de style vénitien et Renaissance italienne pour y exposer leur immense collection privée. Ce musée est aujourd'hui le plus important de l'Etat de Floride. La ville tire aujourd'hui ses ressources du tourisme, de la finance et des

• **John & Mable Ringling Museum of Art**
(5401 Bayshore Road; Tél. : 941-351-1660; ouvert t.l.j 10 heures-17h30; le ticket comprend la visite du musée, de Cà d'Zan et du musée du Cirque)
Un énorme musée de vingt-deux galeries, bâti en 1929 dans un style architectural à la fois vénitien et Renaissance italienne, riche d'une collection de peintures italiennes, flamandes, françaises, espagnoles et hollandaises des XVIe et XVIIe siècles. De nombreux Rubens (1577-1640) dont les peintures du cycle le « *Triomphe de l'Eucharistie* » exécutées vers 1625, des œuvres de Lucas Cranach l'Ancien (*Cardinal Albrecht de Brandebourg* et *Saint Jérôme dans sa cellule* de 1526), Van Dyck, Nicolas Poussin, Francesco da Ponte...

Sarasota Coast, longues plages, propices à la balade et la contemplation.

industries de pointe. Le cœur de la ville où il fait bon flâner se situe dans le **Downtown Art District**, deux jolies artères bordées de cafés, restaurants branchés, boutiques et galeries d'art.

A voir

(Informations touristiques : Sarasota Convention & Visitors Bureau : 665 North Tamiami Trail sur l'US-41 ; Tél. : 941-957-1877 ; www.cvb.sarasota.fl.us)

Cà d'Zan : une allée relie le musée à cette demeure de John Ringling qui domine la baie de Sarasota. Son nom, « Cà d'Zan » signifierait en dialecte vénitien la « maison de Jean », construite en 1926 dans plusieurs styles : Renaissance italienne et française, gothique vénitien et baroque.
Circus Museum : un petit musée vraiment intéressant qui présente de nombreux objets de l'univers du cirque (affiches, photographies, roulottes) et un magnifique cirque miniature mécanique.

• **Mary Selby Botanical Gardens**
(811 South Palm Ave ; Tél. : 941-366-5730)

FLA USA

Sarasota, musée Ringling.

Un jardin botanique de quatre hectares qui s'avance sur le front de mer, planté de milliers d'essences tropicales et de six mille superbes orchidées. Une très agréable balade qui permet en plus de jouir d'une vue panoramique sur la baie de Sarasota.

• Mote Marine Laboratory & Aquarium
(1600 Ken Thompson Pkwy entre les îlets Lido et Longboat Key ; Tél. : 941-388-4441 ; www.mote.org)
Un centre réputé aux Etats-Unis pour ses recherches sur les requins. Excellentes explications sur ces animaux et aquariums riches en créatures marines peuplant les fonds du golfe du Mexique.

• St Armands Key
(accès par John Ringling Causeway)
Cette île reliée à Sarasota par un pont fut colonisée au XVIe siècle par un planteur français, Charles Saint-Armand puis fut achetée par John Ringling. Un quartier mérite un arrêt, celui appelé *St Armands Circle*, avec de nombreuses boutiques, cafés et restaurants.

• Myakka River State Park
(à 23 km à l'est de Sarasota par la Hwy 41 sud puis la Hwy 72 (Clark Road) vers l'est ; ouvert t.l.j de 8 heures au coucher du soleil)
Un gigantesque parc de onze mille hectares, formé de forêts de pins, bosquets de palmiers, marais et prairies qui s'étirent sur vingt kilomètres le long de la rivière Myakka. Toutes sortes d'activités y sont possibles : randonnées pédestres, vélo, balades en tram ou en hydroglisseur, kayak, etc.

VENICE

Une plage magnifique de sable blanc comme du sucre glace frangée d'une mer turquoise, Venice est très célèbre en Floride pour une raison insolite : elle est la capitale des « Dents de requins » *(shark's teeth)* ! Mais si, c'est vrai. La grande activité ici est de creuser le sable juste là où les vagues achèvent leur course pour ramasser des dents de requins fossilisées par le temps et rapportées du large par le ressac. Elles se distinguent nettement des coquillages par leur couleur ébène.

Chaque année, au mois d'août, se déroule dans la petite station balnéaire le Shark's Tooth & Seafood Festival, une grande fête sur la plage avec chasse aux dents de requins, barbecues et musique.

TAMPA (environ 280 000 hab.)

C'est la troisième métropole de Floride et la plus grande ville de la côte ouest. Une cité vraiment agréable avec un centre d'affaires aux jolis gratte-ciel modernes, une baie azur splendide et le pittoresque quartier historique d'Ybor City aux accents cubains. Une excellente étape sur le golfe du Mexique.

Indiens *calusa* et *timucua* vivaient de pêche et de chasse dans cette région de Tampa, un nom d'origine indienne qui signifierait « petit bois ». Divers explorateurs abordèrent la baie de Tampa, notamment Panfilo de Narvaez en 1528 puis Hernando de Soto en 1539 mais sa colonisation ne démarra vraiment qu'au XIXe siècle. A cette époque, des pêcheurs cubains et espagnols bâtirent le village de Spanishtown Creek et quand la Floride devint américaine en 1821, le fort Brooke fut érigé, agrandissant la petite cité. Théâtre de nombreux combats au cours des deux premières guerres séminoles (1835-1842 puis 1855-1858), la petite ville fut complètement dévastée par un ouragan en 1848 puis Tampa fut construite en 1855. En 1880, encore peu peuplée à cause des guerres successives, indiennes et de Sécession, Tampa vivotait repliée sur elle-même faute de liaisons avec le reste de la Floride. Mais surgit le magnat de la finance et du rail, Henry Bradley Plant (1819-1899) et le destin de la ville changea car il y fit passer le chemin de fer, attirant ainsi de nouvelles industries et les promoteurs immobiliers. Parmi eux, Vicente Martínez Ybor, un des plus grands fabricants de cigares de l'époque. Il déménagea ses manufactures de Key West à Tampa en 1886 et fit de la ville la plus grande capitale cigarière au monde. L'industrie touristique suivit avec la construction de grands hôtels de luxe comme le *Tampa Bay Hotel* sur la rivière Hillsborough, pourvu de minarets argentés. La prospérité de Tampa se poursuivit avec l'exportation de fruits, de légumes et d'engrais. Puis commencèrent les années noires, la ville étant successivement balayée par de violents ouragans puis ruinée en 1929 par le krach de Wall Street. Les années 1950 virent l'installation de bases militaires et l'ouverture d'une université. Et aujourd'hui, Tampa vit du tourisme, de l'agriculture et des industries biomédicales et de haute technologie. C'est aussi le huitième port de commerce des Etats-Unis. En résumé, une ville opulente.

A la recherche des dents de requin sur la plage de Venice, réputée pour cela.

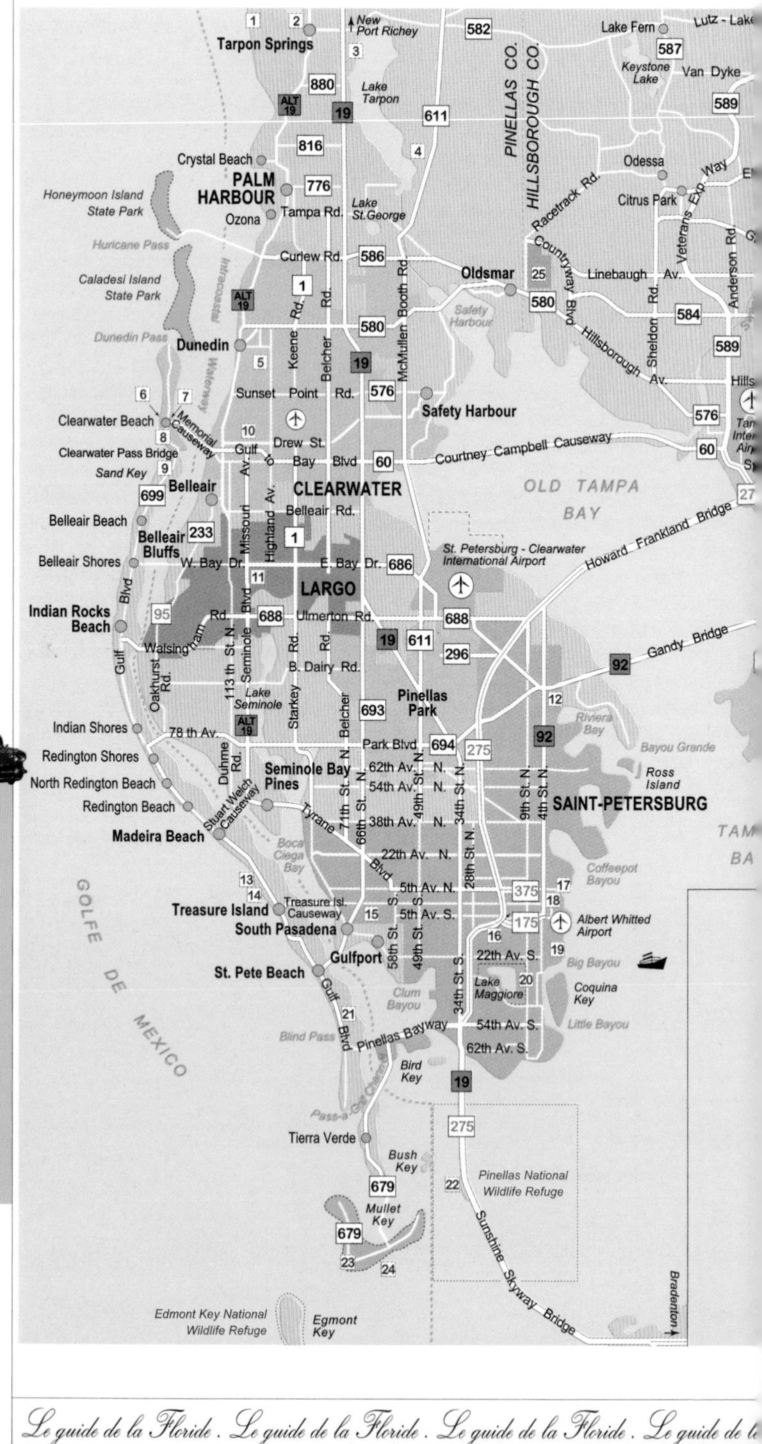

Tarpon Springs
New Port Richey
Lake Tarpon
Lake Fern
Lutz - Lake
Keystone Lake
Van Dyke
PINELLAS CO.
HILLSBOROUGH CO.
Crystal Beach
PALM HARBOUR
Honeymoon Island State Park
Ozona
Tampa Rd.
Lake St.George
Odessa
Citrus Park
Racetrack Rd.
Veterans Exp. Way
Huricane Pass
Caladesi Island State Park
Curlew Rd.
Countryway Blvd
Oldsmar
Linebaugh Av.
Sheldon Rd.
Anderson Rd.
Intracoastal Waterway
Dunedin Pass
Dunedin
Keene Rd.
Belcher Rd.
McMullen Booth Rd.
Safety Harbour
Hillsborough Av.
Sunset Point Rd.
Clearwater Beach
Memorial Causeway
Drew St.
Gulf to Bay Blvd
Courtney Campbell Causeway
Clearwater Pass Bridge
Sand Key
Belleair
CLEARWATER
OLD TAMPA BAY
Belleair Beach
Belleair Rd.
Missouri Av.
Highland Av.
Belleair Bluffs
Howard Frankland Bridge
Belleair Shores
W. Bay Dr.
E. Bay Dr.
St. Petersburg - Clearwater International Airport
LARGO
Indian Rocks Beach
Ulmerton Rd.
Walsingham Rd.
Gulf Blvd
Oakhurst Rd.
113 th St. N.
Seminole Blvd
Starkey Rd.
B. Dairy Rd.
Gandy Bridge
Lake Seminole
Pinellas Park
Indian Shores
78 th Av.
Park Blvd
Riviera Bay
Redington Shores
Duhme Rd.
Seminole Bay Pines
62th Av. N.
54th Av. N.
Bayou Grande
Ross Island
North Redington Beach
Redington Beach
Stuart Welch Causeway
Tyrone Blvd
71th St. N.
66th St. N.
49th St. N.
34th St. N.
9th St. N.
4th St. N.
SAINT-PETERSBURG
38th Av. N.
Madeira Beach
Boca Ciega Bay
22th Av. N.
28th St. N.
Coffeepot Bayou
GOLFE DE MEXICO
5th Av. N.
Treasure Island
Treasure Isl. Causeway
5th Av. S.
Albert Whitted Airport
South Pasadena
58th St. S.
49th St. S.
Gulfport
22th Av. S.
St. Pete Beach
Big Bayou
Lake Maggiore
Coquina Key
Clam Bayou
34th St. S.
54th Av. S.
Little Bayou
Blind Pass
Pinellas Bayway
62th Av. S.
Bird Key
Pass-a-Grill Channel
Tierra Verde
Bush Key
Pinellas National Wildlife Refuge
Mullet Key
Sunshine Skyway Bridge
Bradenton
Edmont Key National Wildlife Refuge
Egmont Key

Tampa Bay

1 Fred Howard Park
2 Sponge Docks
3 Al Anderson Park
4 John Chesnut Br. Park
5 Grant Field
6 Pier 60
7 Marine Science Center
8 Sea Screamer
9 Sand Key Park
10 Russell Stadium
11 Largo Central Park
12 Derby Lane (Dog Track)
13 Hubbard's Marina Cruises
14 Europa SeaKruz
15 Stetson University
16 Tropicana Field
17 The Pier Aquarium
18 Florida International Museum
19 Salvador Dali Museum
20 Lake Maggiore Park
21 Dolphin Encounter Cruises
22 Wayside Park
23 Ft. de Soto
24 Ft. de Soto Park
25 Tampa Bay Downs Race Track
26 Lettuce Lake Park
27 University of South Florida
28 Adventure Island
29 Museum of Science & Industry
30 Bush Gardens
31 Tampa Dog Track
32 Lowry Park Zoo
33 Indian Reservation
34 State Fairgrounds
35 Legends Field
36 Tampa Stadium
37 Henry B. Plant Museum
38 Ybor City
39 Florida Aquarium
40 Marjorie Park
41 Jai Alai Fronton

5 miles
5 km

CENTRO ESPAÑOL de TAMPA
CENTRO YBOR
GBX
GONZALEZ Y MARTINEZ
RESTAURANT
itinéraires

A voir

(Informations touristiques : Tampa-Hillsborough Convention & Visitors Bureau : 400 North Tampa St, suite 1010; Tél. : 813-223-1111 ; www.gotampa.com)

• Museum of Science & Industry (MOSI)

(4801 E Fowler Ave ; Tél. : 813-987-6000 ; ouvert t.l.j 9 heures-17 heures)

C'est un des plus grands musées scientifiques des Etats-Unis, couvrant une surface de 18 800 m². Des centaines d'expositions permanentes organisées de façon éducative et ludique pour que grands et petits puissent se cultiver en jouant.

• Tampa Museum of Art

(600 N Ashley St; Tél. : 813-274-8130 ; ouvert lundi-samedi 9 heures-17 heures – nocturne le mercredi – et dimanche 13 heures -17 heures ; www.tampamuseumofart.org)

Importante collection d'antiquités de Grèce et d'Italie exposée dans la Classical World Gallery : sculptures, retables, figurines et superbes vases grecs. A voir aussi une collection de sculptures modernes dans la Terrace Gallery d'où la vue sur la rivière Hillsborough est splendide.

• Tampa Theatre

(711 Franklin St; Tél. : 813-274-8286 ; visites guidées uniquement)

Un édifice aux lignes audacieuses de 1926 qui imbrique des styles architecturaux éclectiques (néo-byzantin, italien, néo-grec, baroque...). Monument classé au patrimoine américain depuis 1978. L'intérieur est richement décoré de statues, de fresques, de piliers torsadés...

• Florida Aquarium

(701 Channelside Drive ; Tél. : 813-273-4020 ; ouvert t.l.j 9h30-17 heures)

Sur trois étages, cet immense aquarium recrée quatre milieux aquatiques, réunissant plus de cinq mille animaux et plantes dont six cents espèces indigènes. La visite commence avec le *Florida Wetlands*, un espace tropical chargé d'humidité, formé de marais, mangroves et algues où évoluent huit écosystèmes (tortues, serpents, oiseaux, alligators...).
La section *Bays & Beaches* explore deux habitats : les fonds marais de la baie de Tampa (raies, poissons multicolores...) et une plage ourlée de dunes. La partie la plus intéressante est le *Coral Reefs*, un extraordinaire ensemble de récifs coralliens avec de vraies forêts de coraux où évoluent quelque mille cinq cents superbes poissons tropicaux bariolés. Dernier monde recréé, *Offshore* où l'on découvre la vie des grands fonds océaniques (méduses, sargasses...).

Page de gauche : Ybor City. Quartiers historiques des anciennes fabriques de cigares. En bas : bar sur la « Septima », 7e Av., haut lieu des nuits de Tampa dans le quartier touristique.

• Henry B. Plant Museum

(401 W JF Kennedy Blvd ; Tél. : 813-254-1891 ; ouvert mardi-samedi 10 heures-16 heures et dimanche 12 heures-16 heures ; fermé le lundi)

Il s'agit là du luxueux palace que fit construire Henry Plant, le *Tampa Bay Hotel*, ouvert en 1891. Déjà, à l'époque, les cinq cents chambres disposaient chacune d'une salle de bain, du téléphone et de l'électricité et étaient décorées d'objets d'art et d'antiquités collectés par les époux Plant en Europe et en Asie. L'hôtel ferma en 1930 et fut transformé en bureaux et musée.

Ybor City

Le quartier cubain, au nord-est de Tampa, jadis assez peu fréquentable, est devenu un des lieux les plus branchés de Tampa avec une atmosphère encore latine, des rues pavées flanquées de réverbères et des façades avec balcons en fer forgé. Les anciens entrepôts de cigares abritent désormais cafés, boutiques, restaurants et galeries d'art.

• Ybor City State Museum

(1818 9th Ave ; Tél. : 813-247-6323 ; ouvert t.l.j 9 heures-17 heures)

Un immeuble de brique jaune construit en 1923 abrite ce musée qui retrace l'histoire d'Ybor City et expose toutes sortes d'objets utilisés dans la fabrication des cigares.

• Ybor Square

(1911 N 13th St; Tél. : 813-247-4497 ; ouvert t.l.j 10 heures-18 heures)

Tampa, Ybor City, mosaïque rappelant le passé espagnol.

Tout en brique rouge, cet immeuble, construit en 1886 par Vicente Ybor Martínez, abritait alors la plus vaste usine de fabrication artisanale des cigares. On y découvre aujourd'hui des boutiques et des restaurants.

• La Septima – 7th Ave

Tout le long de cette artère piétonne, on peut admirer de nombreux édifices de l'ancienne ville, très bien restaurés. C'est la section d'Ybor City la plus branchée et la plus animée le soir.

Excursions

• Bush Gardens

(10000 McKinley Drive ; Tél. : 813-987-5171 ; ouvert t.l.j 9 heures-18 heures ; www.bushgardens.org)

C'est le plus grand parc d'attractions de la côte ouest de Floride. Dans un jardin tropical de cent vingt hectares vivent trois mille animaux du continent africain, plusieurs régions d'Afrique y étant reconstituées : Maroc (avec un palais en mosaïques), Congo, Kenya, Egypte...

ST PETERSBURG (environ 240000 hab.)

Une ville plus paisible, bien que la quatrième de Floride, et vraiment agréable, surtout son centre-ville aux édifices Arts déco et méditerranéens. Elle est reliée à Tampa par trois ponts et offre d'intéressants musées et de superbes plages.

A voir

(Informations touristiques : St Petersburg/ Clearwater Area Convention & Visitors Bureau : Tropicana Field, 1 Stadium Drive ; Tél. : 727-582-7892)

• Salvador Dalí Museum

(1000 3rd St South ; Tél. : 727-823-3767 ; ouvert lundi-samedi 9 h 30-17 h 30 et dimanche 12 heures-17 h 30 ; www.daliweb.com)

Sur Bayboro Harbor, près du port, se dresse cet ancien entrepôt dans lequel on découvre une très grande collection d'œuvres du peintre surréaliste (1904-1989), exécutées entre 1914 et 1980 : une centaine de peintures à l'huile, une centaine d'aquarelles et dessins, un millier de lithographies, des sculptures et des photographies.

• Museum of Fine Arts

(255 Beach Drive NE ; Tél. : 727-896-2667 ; ouvert mardi-samedi 10 heures-17 heures et dimanche 13 heures-17 heures ; fermé le lundi ; www.fine-arts.org)

Un édifice moderne d'une vingtaine de salles d'exposition sur les arts d'Afrique, d'Asie, des sculptures précolombiennes et des peintures impressionnistes (Monet, Cézanne...).

• The Pier

(800 2nd Ave NE)

Une longue jetée (1 km) sur la baie de Tampa où les pêcheurs et promeneurs se donnent rendez-vous. Au bout, un édifice moderne en pyramide inversée dans

laquelle se trouvent des restaurants, des boutiques, un aquarium.

Excursions

• Fort De Soto Park
Sur Mullet Key, à quinze kilomètres au sud de St Petersburg, on découvre ce fort bâti en 1898 pendant la guerre hispano-américaine. Le parc alentour se prête aux randonnées, à la baignade et l'on peut y camper.

• Clearwater
A trente-cinq kilomètres à l'ouest de Tampa, se tient cette jolie station balnéaire sur une île-barrière, cernée de plages d'un blanc immaculé. Une escapade très agréable pour se détendre dans les eaux chaudes du golfe.

• Tarpon Springs
Cette jolie petite cité balnéaire de style méditerranéen est la capitale américaine des **éponges** dont la pêche est une véritable industrie. Cette espèce animale (*Phylum porifera*) peut vivre à huit cents mètres de profondeur, accrochée aux rochers et coraux. Une fois récoltées par des plongeurs, elles sont rincées et séchées car c'est le squelette de l'animal qui fournit la matière recherchée pour ses qualités d'absorption. Partout dans Tarpon Springs, vous verrez des boutiques et étals chargés de ces produits de la mer.

Vue plongeante sur Saint Petersburg.

La côte sauvage

Cette portion du littoral, qui s'étire du nord de Tampa jusqu'à Cedar Key, porte parfaitement son nom. Elle offre en effet des paysages peu urbanisés forgés de *« hammocks »*, de marécages et de lacs quasiment intacts. Cette région constitue également le plus important refuge de lamantins des Etats-Unis, qui vivent paisiblement dans les sources d'eau translucide des nombreuses rivières.

CEDAR KEY (environ 600 hab.)

Jadis important port de pêche et centre d'industrie du bois, cette petite ville dégage un vrai charme pittoresque et une ambiance un peu bohème. Beaucoup de citadins de Tallahassee et de Gainesville y passent le week-end afin de profiter des beautés de **Cedar Keys National Wildlife Refuge**. Cette réserve naturelle et protégée occupe douze îlets, habitats de pélicans, d'ibis et de nombreuses autres espèces d'oiseaux. Possibilité de louer des kayaks de mer pour explorer le site.

CRYSTAL RIVER

Cette bourgade doit son nom à la rivière alimentée par de nombreuses sources naturelles et jadis appelées par les Indiens creek *« Weewahiiaca »* ou eaux claires. Dans ces eaux translucides vivent de très nombreux **lamantins** *(Trichechus manatus)*, la plus grande concentration des Etats-Unis, qui viennent hiverner dans la rivière.

• Homosassa Springs
A une dizaine de kilomètres au sud de Crystal River, on découvre ce magnifique parc où une source naturelle donne naissance à la rivière Homosassa, également un important refuge pour les lamantins.

PANHANDLE

Surnommée « Panhandle » (queue de poêle) en raison de sa forme, la région du nord-ouest de la Floride s'étire de la frontière de l'Alabama à l'ouest jusqu'à Tallahassee, capitale de l'Etat, à l'est. Les plages qui bordent le golfe du Mexique, tout le long de l'Emerald Coast ou côte Emeraude, sont probablement les plus extraordinaires de toute la péninsule, au sable blanc aveuglant. Les paysages, plus vallonnés qu'au sud, sont verdoyants et l'ambiance générale typique des Etats du sud.

La région était peuplée d'Amérindiens qui vivaient de la pêche sur le littoral et de la culture du maïs dans les terres. En 1559, bien avant la fondation de Saint Augustine, le conquistador espagnol Tristan de Luna tente de fonder une colonie à Pensacola mais cette entreprise ne fut pas suivie par la couronne d'Espagne, alors plus intéressée par la façade atlantique. La région ne fut donc guère exploitée jusqu'à la fin du XVIIe siècle, période qui vit d'âpres combats entre colons français et espagnols pour la maîtrise de la côte, puis contre les Anglais. Quand la Floride devint un Etat américain, le nord-ouest présentait une agriculture prospère grâce aux grandes plantations de canne à sucre et de coton, aux industries de pêche et à l'exploitation du bois. Le XXe siècle vit l'installation de quelques-unes des plus importantes bases militaires des Etats-Unis (aéronavales). Aujourd'hui, l'écotourisme commence à peser de façon significative dans l'économie du nord-ouest, les visiteurs venant essentiellement des Etats limitrophes. Il faut dire que les petites stations balnéaires sont vraiment accueillantes, les plages d'une beauté inouïe, les flots du golfe d'une fantastique couleur émeraude et l'arrière-pays propice aux randonnées et descentes de rivières.

Observation : *Une bonne partie de la région du nord-ouest n'est plus dans le même fuseau horaire que Tallahassee et le reste de la Floride. Elle est dans la « Central Time Zone » ce qui signifie qu'il faut reculer sa montre d'une heure par rapport aux régions de l'« East Time Zone » qui s'étendent, pour la Floride, d'Apalachicola à l'Atlantique.*

PENSACOLA (environ 350 000 hab.)

Cette petite ville portuaire dotée de squares ombragés de chênes, est posée sur une très jolie baie. La découverte de ses vieux quartiers historiques est un réel plaisir. Autour de Pensacola, de splendides plages d'une blancheur aveuglante, mais aussi des paysages de collines moelleuses et de forêts où de nombreuses rivières permettent d'effectuer de belles balades en kayak ou canoë.

Des dizaines de milliers d'Amérindiens vivaient dans le nord-ouest de la Floride mais la grande majorité fut déportée vers les réserves de l'ouest de l'Oklahoma au XIXe siècle. Pensacola entraperçut le jour en 1559 sous l'égide de Tristan de Luna mais les premiers colons ne s'installèrent vraiment qu'en 1698. Pendant un demi-siècle, les affrontements entre Français, Espagnols et Anglais se succèdent, chacun voulant prendre possession de ce port stratégiquement situé. Au cours de l'occupation britannique, entre 1763 et 1781, la ville prend tournure avec la construction d'édifices gouvernementaux et militaires. Puis les Espagnols reviennent, rebaptisant les noms de rues, ce qui explique certains noms hispaniques encore utilisés à ce jour. En 1812, de nouveaux combats entre troupes anglaises et américaines tournent à l'avantage de ces dernières. Ainsi, en 1814, le général Andrew Jackson parvient à s'emparer de Pensacola qui deviendra totalement américaine après la rétrocession de la Floride aux Etats-Unis en 1821.

Santa Rosa Island, parc de dunes avec sentiers aménagés pour les amoureux de la nature.

Pensacola, charmante station balnéaire proche de l'Alabama et de la Géorgie.

Durant la guerre de Sécession, Pensacola est encore le théâtre d'opérations militaires entre Sudistes et Nordistes. En 1862, ces derniers conquièrent Pensacola. Ces changements de mains successifs donnèrent à Pensacola le surnom de « Cité aux cinq bannières » (*The Five Flags City*).

Les cinq occupants de Pensacola

- **Espagne** : *1559-1719 ; 1723-1763 ; 1783-1821*
- **France** : *1719-1723*
- **Angleterre** : *1763-1783*
- **Etats-Unis** : *1821-1862 avec occupation des Confédérés en 1861-1862 puis de l'Union à partir de 1862.*

A voir

(Informations touristiques : Pensacola Visitors Center : 1401 E Gregory St ; Tél. : 850-434-1234 ; www.visitpensacola.com)

• Seville Historic District

(un quartier délimité à l'ouest et à l'est par Tarragona et Florida Blanca St, et par Garden St - Main St au nord et au sud)

C'est le plus ancien quartier historique de Pensacola, tracé en 1765 par un ingénieur anglais mais rebaptisé en 1783 par les Espagnols. En se promenant, on peut admirer de superbes maisons d'architecture floridienne, victorienne et créole, quelques-unes étant ouvertes au public.

Museum of Commerce

(201 E Zaragoza St)

Un ancien entrepôt aménagé en musée qui recrée l'ambiance de la fin du XIXe siècle (trottoirs en bois, réverbères, un salon de barbier, une sellerie, etc.)

Statue de Jackson.

Pensacola, maison historique et affiche de cabaret du « Sevilla quarter », l'ancien quartier.

Museum of Industry

(200 E Zaragoza St)

A l'instar du précédent, cet ancien entrepôt fait revivre l'ère industrielle de la fin du XIXe quand Pensacola vivait de l'industrie du bois, de la fabrication des briques, de la pêche, une activité si importante que la ville était considérée comme la « capitale mondiale du vivaneau ».

Place centrale avec un rappel du passé.

Julee Cottage

(210 E Zaragoza St)

Une drôle de maison de 1803, une des plus anciennes de la ville, où vécut une esclave noire affranchie, Julee Paton. C'est désormais un musée dédié à l'histoire de la vie quotidienne des Noirs dans la région.

Lavalle House

(205 E Church St)

Cette maison de style créole, vivement colorée, date de 1805. Elle appartenait à Charles Lavalle, fabricant de briques, et présente aujourd'hui divers meubles et objets d'époque.

Le phare de Pensacola, le deuxième plus vieux de Floride géré par « US Coast Guard ».

• Palafox Historic District

(à l'ouest de Seville Historic District)
Un autre quartier ancien de Pensacola, vraiment très sympathique, qui a su garder une ambiance très XIXe siècle grâce aux restaurations entreprises. Palafox Street est l'artère commerciale où se dressent quelques édifices intéressants du point de vue architectural : **Blount Building** de 1907 ou **Saenger Theatre** (1925) de style baroque espagnol. Sur Government Street on peut voir l'**Escambia County Courthouse**, un imposant bâtiment de style néo-Renaissance (1888) qui abrite le tribunal et, en face, le ravissant square ombragé de chênes de Virginie, **Plaza Ferdinand VII.**

• Civil War Soldiers Museum

(108 Palafox St; Tél. : 850-469-1900; ouvert lundi-samedi 10 heures-16 h 30)
Belle collection de cartes, peintures et archives de l'époque de la guerre de Sécession. Un film raconte les conflits de Pensacola durant cette période.

• TT Wentworth Museum

(330 S Jefferson St; Tél. : 850-595-5985; ouvert mardi-dimanche 10 heures-16 heures)
Mairie de Pensacola en 1908, l'édifice abrite aujourd'hui une étrange collection d'objets éclectiques du XXe siècle.

• Pensacola Historical Museum

(115 E Zaragoza St; Tél. : 850-433-1559; ouvert lundi-samedi 10 heures-16 h 30)
Dans cet immeuble de brique de 1882 se tient le musée d'histoire de la ville et des populations autochtones.

• National Museum of Naval Aviation

(1750 Radford Blvd; Tél. : 850-453-2389; ouvert t.l.j 9 heures-17 heures; www.naval-air.org)
Un passionnant musée de l'Aviation et de l'Espace comptant parmi les plus vastes des Etats-Unis. Y sont exposées des centaines d'avions, depuis les premiers prototypes aux superbes avions de chasse des patrouilles d'élite américaines les *Blue Angels*, homologues de notre *Patrouille de France*. Des simulateurs de vol permettent de tester nos capacités de pilotage et un excellent film Imax nous place dans le cockpit d'un Blue Angels... attachez vos ceintures !

• **Pensacola Lighthouse**
C'est le deuxième plus vieux phare de Floride, situé non loin de la base aérienne. Il fut construit en 1858 et ne se visite qu'en petits groupes conduits par des garde-côtes.

Excursions autour de Pensacola

Big Lagoon State Park & Perdido Key

(à 20 km au sud-ouest de Pensacola ; 12301 Gulf Beach Hwy ; Tél. : 850-492-1595)
Au milieu d'une forêt de pins et de chênes qui s'achève sur le golfe du Mexique, ce parc de trois cents hectares offre une multitude de chemins de balades, des aires de camping et de pique-nique et une plage grandiose.

Pensacola Naval Air Station, musée d'aviation marine.
Pages suivantes : « Seville Quarter », une des nombreuses maisons historiques du XVIIIe siècle.

Blackwater River State Park

(Dans la Blackwater River State Forest par l'I-10 East sortie 10 sur la Hwy 87 ; Tél. : 850-983-5363)
Un parc naturel protégé, dont la forêt est la plus vaste de Floride. Un lieu enchanteur pour pratiquer la descente de rivière au fond sableux couleur thé, en bouée, kayak ou canoë, camper, faire des randonnées, pique-niquer.

PENS LA CIGAR and
ROSIE O'GRADY'S
WAREHOUSE
STOP
ROSIE O' GRADY'S
VOL. FIRE DEPT.

ACCO CO.
R·O·V·F·D·

Emerald Coast

Entre Pensacola et Apalachicola, la côte Emeraude étale ses splendides plages frangées d'une mer chaude couleur émeraude où l'on peut admirer des centaines de poissons multicolores.
Plusieurs petites bourgades balnéaires offrent de belles étapes.

Seaside & Grayton Beach

A une cinquantaine de kilomètres à l'ouest de Panama City, **Grayton Beach State Recreation Area** est une magnifique bande côtière, protégée et complètement sauvage. Sa plage a été élue parmi les dix plus belles des Etats-Unis pour sa qualité et son environnement. Un *Nature Trail* de deux kilomètres parcourt un bosquet de chênes et de pins, traverse les hautes dunes de sable et débouche sur le golfe du Mexique.

Quant à **Seaside**, c'est une petite ville conçue de toutes pièces en 1981 par deux architectes de Miami, Andres Duany et Elizabeth Plater-Zyberk et qui servit de lieu de tournage au film *The Truman Show* avec Jim Carrey. L'idée était de réaliser un village aux parfums d'antan arborant l'architecture typique du nord-ouest floridien. Le résultat, coquet, est plutôt étrange et aseptisé, comme un décor de Walt Disney : quelque quatre cents cottages, boutiques et restaurants en bois de couleurs pastel avec des balcons à

Petite place bien colorée à Seaside.
Stand de glaces et boissons près des plages.

treillage, des toits pentus et des jardinets propres qui bordent de petites allées pavées et privées. C'est un haut lieu de villégiature pour les jeunes mariés.

PANAMA CITY (environ 40 000 hab.)

C'est le second port du nord-ouest après Pensacola, cerné de trois jolies baies. Son joyau, c'est Panama City Beach : une plage longue de trente-cinq kilomètres nappée d'un sable blanc immaculé, exclusivement composé de quartz et doucement effleuré par les eaux turquoise du golfe du Mexique.

A voir

(Informations touristiques : Panama City Beach Convention & Visitors Bureau : 12015 Front Beach Rd; Tél. : 850-233-6503)

• Museum of Man in the Sea
(17314 Back Beach Rd; Tél. : 850-235-4101 ; ouvert t.l.j 9 heures-17 heures)
Ce petit musée est dédié à l'histoire de la plongée sous-marine avec de nombreux objets, anciens et modernes, relatifs à cette activité. Exposition également d'objets récupérés dans des épaves du XIXe siècle.

• St Andrews State Recreation Area
(4607 State Park Lane; Tél. : 850-233-5140)
Encore une des plus belles plages de Floride avec, en arrière-plan de ce parc naturel, un paysage de marais d'eau douce, des pinèdes et plusieurs petits sentiers de balade.

FLA USA

Parachute ascensionnel sur la plage de Panama City.

APALACHICOLA (environ 3 000 hab.)

Dans un îlot de verdure se trouve cette bourgade de pêche, dont le nom indien signifie *« Terre au-delà »*. Elle est réputée aux Etats-Unis pour ses huîtres et pour ses belles demeures au charme suranné.

Au XIXe siècle, Apalachicola était un des ports américains les plus importants, par où transitaient les balles de coton qui arrivaient des autres Etats du sud avant d'être traitées puis expédiées à New York et en Europe. La ville s'enrichit aussi du commerce du bois mais c'est surtout l'ostréi-

Apalachicola est réputée pour ses huîtres.

FLA USA

culture et la pêche qui constituent depuis plusieurs décennies ses principales activités économiques.
Ce qui mérite ici le détour, c'est son quartier historique joliment restauré.
On découvre ainsi plusieurs édifices du XIXe siècle, souvent d'anciens entrepôts de coton – **Cotton Warehouse** – ou d'éponges au style victorien. A voir par exemple **Sponge Exchange** (Commerce St), un immeuble de 1838 qui abritait la bourse des éponges et où se déroulaient leur nettoyage et leur négoce. **Raney House** (128 Market St) est une jolie maison blanche de style néo-grecque ou **Gibson Inn**, une pension de famille de style victorien.

TALLAHASSEE (environ 130 000 hab.)

Tallahassee ou « *Vieux champ* » en dialecte séminole est la capitale de la Floride. Située à trente kilomètres du golfe du Mexique, elle jouit d'un paysage environnant doux et verdoyant, modelé de collines et de forêts. Cette ville sympathique dégage un vrai parfum du vieux Sud avec de nombreuses demeures historiques construites par de riches planteurs.

Tallahassee, colonnes du « State Capitol ».

Tallahassee

1 Tallahassee Comm. Coll.
2 Mission San Luis
3 Governor's Mansion
4 Florida State University
5 City Hall
6 Civic Center
7 Museum of Florida History
8 Ct. House
9 Capitol Building
10 Florida A. & M. University
11 Tallahassee Mus. of History and Natural Science
12 Leon County Fairgrounds

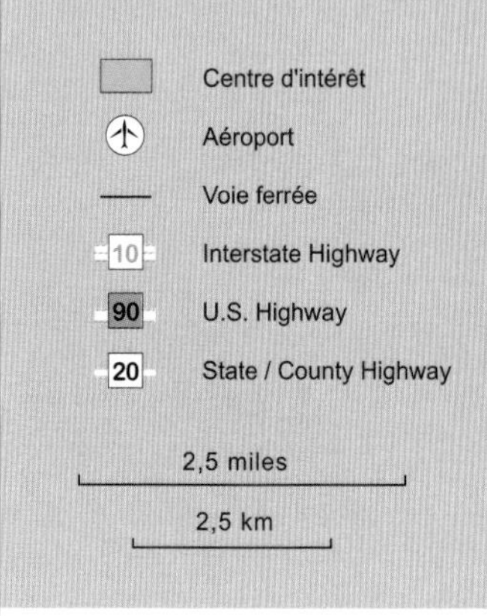

Un site archéologique découvert dans les environs de Tallahassee prouve la longue existence de tribus indiennes apalachee dans cette région qui fut explorée par les Espagnols au XVIe siècle alors qu'ils recherchaient de l'or. En 1675, des missionnaires franciscains établirent plusieurs missions aux alentours de Tallahassee, mais elles furent détruites pendant la guerre de Succession d'Espagne, entre 1702 et 1713. Après la vente de la Floride aux Etats-Unis, en 1821, il fut décidé de réunifier l'Etat alors divisé en deux provinces, chacune gérée par sa propre capitale, Pensacola à l'ouest et Saint Augustine à l'est. En mars 1824, l'opération fut faite et Tallahassee

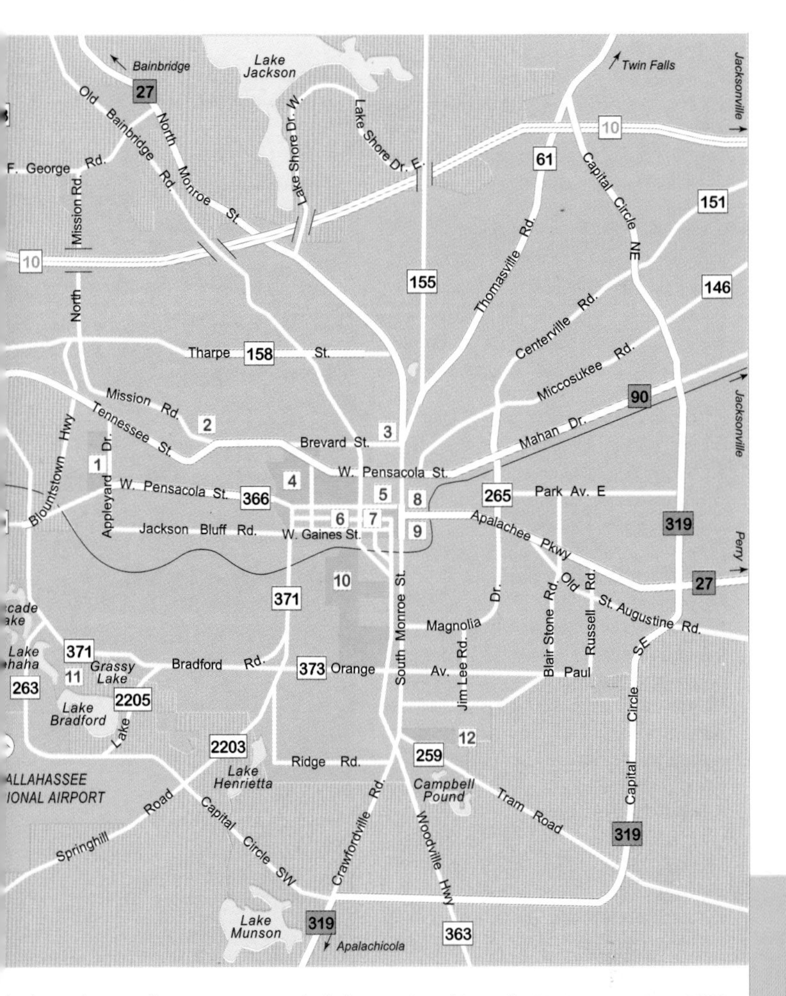

devint la nouvelle et unique capitale de la Floride à l'économie prospère.

Au cours de la guerre de Sécession, elle joua un rôle important et, malgré plusieurs tentatives des troupes nordistes pour la faire tomber, demeura la seule capitale sudiste libre à l'est du Mississippi.

A voir

(Informations touristiques : Tallahassee Convention & Visitors Bureau : New Capitol Building, 200 W College Ave ; Tél. : 850-413-9200 ou 850-488-6167)

• Florida State Capitol

(Pensacola et Duval Streets ; Tél. : 850-413-9200)

Il y a l'ancien Capitole, un édifice de style néogothique de 1845, restauré en 1902, tout en stuc blanc, doté d'un portique à colonnes et d'un dôme en cuivre. Il est bien plus élégant que le New Capitol qui le surplombe de sa tour de béton de vingt et un étages. Il est possible de visiter le Old Capitol pour découvrir l'ancien Sénat, la Chambre des Représentants, l'ancienne Cour Suprême...

• Park Avenue Historic District

(Macomb St et Meridian Rd)

Un quartier commerçant et résidentiel où le style néo-grec des années 1850 prédomine comme dans beaucoup de villes prospères du sud des Etats-Unis : vastes demeures blanches à colonnades et portiques à frontons.

• **The Columns**
(100 N Duval St)
C'est la plus ancienne maison de Tallahassee, bâtie en brique sur trois étages vers 1830 pour un banquier. Les parquets et les fenêtres sont d'origine.

• **Florida Governor's Mansion**
(700 N Adams St; Tél. : 850-488-4661; visites guidées uniquement 10 heures-midi)
Il s'agit de la maison du Gouverneur, premier magistrat de Floride. Tout en brique rouge, elle fut construite en 1957 dans le style néoclassique avec de nombreuses colonnes corinthiennes, des sols en marbre d'Italie, des corniches dentelées, etc. On y découvre plusieurs œuvres d'art, de l'argenterie, un mobilier du XIXe siècle et de splendides jardins.

• **First Presbyterian Church**
(102 N Adams St)
C'est la première église presbytérienne de Tallahassee, construite en 1832 dans le style néo-grec et où pouvaient se rendre les esclaves noirs. Elle est aujourd'hui détournée de sa fonction religieuse pour faire office de galerie d'art.

• **Knott House Museum**
(301 E Park Ave; Tél. : 850-922-2459; visites guidées uniquement mercredi-vendredi 13-16 h et samedi 10-16 h)
Cette maison en bois de style victorien, construite vers 1843, servit de poste militaire pendant la guerre de Sécession mais surtout, c'est de son perron que fut lue, le 20 mai 1865, l'*« Emancipation Proclamation »*, c'est-à-dire la déclaration d'affranchissement des esclaves noirs. La visite permet de voir, bien sûr, un mobilier d'époque, mais surtout une petite exposition sur l'histoire de la ville.

Ci-contre : dans le nord-ouest de la Floride, Milton. Panneau de randonnées à pied ou en canoë sur la Blackwater River. Apalachicola, un îlot de verdure. Descente en bouée, un loisir à la mode. Pages suivantes : Seaside, un village récent de vacances très coquet et son ponton dominant les dunes. Son bureau de poste. Panhandle, paysage typique. Images ensoleillées du golfe du Mexique : Santa Rosa Island, des kilomètres de dunes. Couleurs turquoises aux eaux poissonneuses.

POST OFFICE
UNITED STATES
2235

Santa Rosa Area
Gulf Islands National Seashore
United States Department of the Interior
National Park Service
NATIONAL PARK SERVICE

CELEBRATION
Le guide de la Floride . Le guide de la Floride . Le guide

PRATIQUE

Climat
Quand partir ?
Quel circuit ?
Adresses utiles
Formalités
Informations touristiques
Change
Poste
Calendrier des fêtes nationales
Fêtes culturelles
Les transports
Loisirs
Hébergement
Index
Bibliographie

Floride pratique

• Climat

Dans le sud de l'Etat, les conditions climatiques optimales vont de décembre à mai. Les températures oscillent entre 15 et 25 °C et il ne pleut pratiquement pas. Dans le nord, les mois d'hiver sont frais mais restent très agréables.
L'été, la très grande chaleur est décuplée par un taux d'humidité frisant les 90 %. Atmosphère parfois étouffante, créée par des orages tropicaux qui éclatent tous les après-midi vers quinze heures. Pluies chaudes, parfois violentes, mais qui ne durent pas. Spectacles d'éclairs qui zèbrent le ciel jusqu'à la nuit.
Le mois de juin est davantage pluvieux, tandis que le mois d'août est le plus chaud, entre 25 et 30 °C.

• Ouragan

Le fauteur de trouble le plus redouté en Floride est l'ouragan *(hurricane* en anglais), une tempête tropicale d'une violence inouïe. Il survient particulièrement en août et septembre quand des zones de basse pression se développent au-dessus des mers chaudes des Caraïbes et du golfe du Mexique. Un ouragan présente des vents dépassant les cent vingt kilomètres-heure (en deçà, il s'agit « seulement » de tempête tropicale) qui peuvent même dépasser les trois cents kilomètres-heure. Un ouragan peut couvrir des centaines de kilomètres de diamètre et s'accompagne de pluies diluviennes.

• Géographie

Le plat pays ! Pas une pente ! Aucun relief, mis à part les buildings et les phares de la côte, ne vient arrêter le regard. Par conséquent, l'eau tend à stagner. Des marais inondent la région centrale du sud où le lac Okeechobee déverse lentement son eau douce dans les Everglades.

Pages précédentes : le Celebration Hôtel by night.

La Floride est le vingt-deuxième plus grand Etat des USA. On compte plus de six cents miles de Miami à Pensacola (nord-sud) et seulement deux cents miles de Tampa à St Augustine (est-ouest). Key West, la dernière île de la chaîne des Keys, se situe plus près de La Havane que de Miami et représente le point le plus méridional du territoire continental américain. Capitale : Tallahassee.

• Quand partir ?

Malgré sa réputation de destination hivernale, attendez-vous à rencontrer beaucoup de monde l'été sur les plages, dans les parcs et autres sites touristiques. Les prix restent toutefois nettement plus intéressants en période estivale, mais en contrepartie la chaleur et les moustiques peuvent être un problème, surtout dans les Everglades. Si vous souhaitez profiter pleinement des parcs d'attractions d'Orlando, évitez les vacances scolaires américaines !
En résumé, la Floride peut se visiter toute l'année.

• Quel circuit pour quel voyage ?

- **Moins d'une semaine :** le circuit classique : Miami et environs, Everglades.
- **Une semaine :** Miami, Everglades puis la

Coucher de soleil : seulement pour le golfe du Mexique.

route US.1. jusqu'à Key West.
- Une semaine itinérante : Miami, Everglades, côte atlantique jusqu'à Cape Canaveral, Orlando.
- 15 jours et plus : après avoir visité le sud, découvrez la région dite du Panhandle au nord, la côte du golfe du Mexique et ses longues plages désertes de sable blanc et fin.

La Floride offre de nombreuses possibilités de **voyages à thèmes :** plongée sous-marine dans les Keys, pêche au gros, raid en canoë dans les Everglades, VTT, observation d'oiseaux, nuits en *bed & breakfast,* shopping, architecture, faire la fête...

• Adresses utiles avant le départ

En France

Consulats américains

- 2 rue St-Florentin, 75001 Paris ; Tél. : 01 43 12 48 66 ou 01 43 12 22 22 (ambassade)
- 12 bd Paul-Peytral, 13006 Marseille ; Tél. : 04 91 54 92 00

Informations pour les visas : Tél. : 08 36 70 14 88, ouvert tous les matins du lundi au vendredi.

The Visit USA Committee : informations touristiques de l'ambassade. Vous pouvez consulter la boîte vocale : Tél. : 01 42 60 57 15, ou vous rendre au 24 rue Pierre-Semart, 75009 Paris, ouvert de 13 heures à 17 heures du lundi au vendredi.

VISIT FLORIDA : Tél. : 01 53 69 00 64.
Fax : 01 53 01 07 83.
Email : pchryst@flausa.com.
Site : www.flausa.com

• Ambassades et consulats américains

Au Canada

- 1155 rue St-Alexandre, Montréal, Québec H5B 1G1 ; Tél. : 514-398-9695
- 1095 W Pender St, Vancouver, BC V6E 2M6 ; Tél. : 604-685-4311

En Belgique

- Blvd du Régent 27, B 1000, Bruxelles ; Tél. : 2-512-22-10

En Suisse

- Jubilaumsstrasse 95, 3005 Berne ; Tél. : 31-357-70-11

• Sites web en relation avec le tourisme

- www.TropicoolMiami.com : Bureau d'informations touristiques de Miami.
- www.flausa.com : Visit Florida (organisme privé gérant la promotion et le tourisme de la Floride). Sur demande, il envoie des documents. Site web très complet.
- www.kennedyspacecenter.com : Toutes

les informations sur le Centre Spatial de Cape Canaveral.
- www.amb-usa.fr.html : site de l'ambassade américaine.
- www.hostels.com/us.html : répertoire des auberges de jeunesse.
- www.hotelstravel.com/us.html : listes d'hôtels de catégories moyenne et supérieure.
- www.nps.gov : site des Parcs nationaux. Descriptions et informations pratiques sur chaque parc.
- www.nps.gov/ever : informations sur le Parc national des Everglades
- www.destinet.com : site pour les réservations de campings.
- www.thetrip.com : réservations en ligne de billets d'avion, locations de voiture et chambres d'hôtel.

• Formalités

Un passeport d'une validité d'au moins six mois après la date du retour est obligatoire pour tous les visiteurs étrangers exceptés les Canadiens (une pièce d'identité suffisant à prouver leur nationalité).
En tant que Français, Suisses, Belges, vous n'avez pas besoin de visa si votre séjour ne dépasse pas quatre-vingt-dix jours. Au-delà, renseignez-vous auprès d'un consulat américain pour votre choix de visa. Les plus courants sont le visa B1 pour les voyages d'affaires et le B2 pour un séjour touristique ou familial. Si vous voulez étudier ou travailler, d'autres types de visas sont proposés. Sachez que les démarches d'obtention de ces visas sont très longues, parfois plusieurs semaines.
Un billet retour (ou à destination d'un autre pays) est obligatoire, il vous sera réclamé à l'aéroport d'entrée aux USA.
Pour proroger votre visa, adressez-vous à un bureau local de l'INS (Immigration & Naturalization Services). Pour simplifier les démarches, il est préférable de le faire avant la date d'expiration du visa.
Les formalités d'immigration se font dans le premier aéroport d'entrée aux Etats-Unis, même si vous êtes en escale.

• Services aériens

Toutes les grandes compagnies européennes et américaines desservent la Floride. Les principaux aéroports internationaux sont Miami, Orlando et Tampa. Effectuez votre réservation le plus tôt possible pour obtenir de bons tarifs. « Surfez » sur les sites web des compagnies aériennes ou, mieux encore, sur des sites spécialisés afin de surveiller les meilleures offres et promotions.
www.cheaptickets.com ; www.anyway.fr ; www.directours.fr ; www.degriftour.fr (billets de dernière minute).

Intervention rapide en quad pour les « lifeguards » surveillant l'immense plage de Miami Beach.

• Les tour-opérateurs

Ils sont très nombreux à proposer, vers les Etats-Unis, des billets d'avion ou des circuits à la carte, à thèmes, touristiques ou organisés... Parmi eux :

• **Directours :** Tél : 01 45 62 62 62 / 04 72 40 90 40 / 08 01 63 75 43 www.directours.fr ou minitel 3615 code : directours.

• **Cafla Tours.** Basée à Los Angeles, cette agence est spécialisée dans les circuits à la carte, les billets d'avion et les locations de voiture. Très bons tarifs et infos en français. Tél. : (001) 818 785 4569 ; Fax : (001) 818 785 3964 depuis la France ou numéro gratuit des Etats-Unis : 800 636 9683
Email : info@cafla-tours.com
Site : www.cafla-tours.com

• **Nouvelles Frontières :** Tél. : 08 03 33 33 33. Minitel : 3615 code NF. www.nouvelles-frontieres.fr

• **Compagnie des Etats-Unis et du Canada :** 3 av. de l'Opéra, 75001 Paris. Tél. : 01 55 35 33 55. Minitel : 3615, code

• **COMET :** Spécialiste des voyages à thèmes.

• Adresses utiles sur place

Consulat de France :
- 2S Biscayne Blvd, Suite 1710, Miami ; Tél. : (305) 372 9798

Consulat du Canada :
- 200S Biscayne Blvd, Suite 1600, Miami ; Tél. : (305) 579 1600

Consulat Suisse :
- 7319 SW 97 Av., Miami ; Tél. : (305) 274 4210

• Infos touristiques sur place

Les *Visitors' Centers* situés dans toutes les villes et sites touristiques renseignent sur les événements, les activités locales et quoi faire dans la région. Ces offices du tourisme peuvent aussi faire des réservations d'hôtels pour vous. N'hésitez pas à vous y arrêter car vous trouverez également de nombreuses brochures, des coupons de réduction, des cartes et toutes les informations nécessaires au bon déroulement, de votre voyage auprès de gens compétents et serviables.

• Le « shuttle bus » ou taxi collectif

Des compagnies privées de minibus assurent le transport des passagers depuis l'aéroport vers la ville et *vice versa*. Ils existent dans toutes les villes possédant un aéroport. C'est la meilleure solution à l'arrivée, si vous ne connaissez pas la ville, si personne ne vous attend, si le taxi vous semble trop cher et le bus trop long à attendre. Pour un prix très correct (entre 15 et 25 $), le minibus vous dépose exactement à l'adresse que vous lui indiquez. Il y aura sûrement d'autres clients dans le *shuttle bus* avec vous, qui seront déposés à leur destination avant ou après la vôtre... cela dépendra du trajet.
Des panneaux dans les halls des grands aéroports indiquent où attendre les *shuttle buses*.
La veille de votre départ des USA, réservez un *shuttle bus* à l'accueil de votre hôtel ou par téléphone en consultant les pages jaunes. Des coupons de réduction se trouvent dans les magazines gratuits que l'on trouve dans les *Visitors' Centers*.

• Décalage horaire

Depuis la France, il est de six heures (moins six) .
Exemple : 18 heures en France correspond à midi à Miami du même jour. Le nord-ouest de la Floride se situe dans un autre fuseau horaire : moins une heure par rapport à Miami.

• Préparer son sac de voyage

- Vêtements légers. Pantalon et manches longues pour se protéger des moustiques (l'été) et un imperméable (genre *K-way)* pour les pluies. Toutefois prévoyez d'affronter des températures glaciales dans certains hôtels, restaurants ou boutiques... à cause de la climatisation ! Un sweat-shirt sera nécessaire l'hiver dans le nord de l'Etat.
- Maillot de bain, masque & tuba. Sandales ou chaussures ouvertes pour les plages et chaussures fermées si vous randonnez dans les terres.
- Petit sac à dos pour les balades à la journée.

- Crème solaire indispensable toute l'année, avec un indice de protection élevé.
- Crème anti-moustiques

On trouve tout et à toute heure dans les drugstores en Floride (toilette, premiers soins, écran total...). Les tentations pour les habits sont grandes et souvent assez économiques. Prévoyez de la place dans votre sac car vous en rapporterez certainement.

• Santé

URGENCE : COMPOSEZ LE 911 DEPUIS N'IMPORTE QUEL TELEPHONE.

Pas de danger réel pour votre santé aux Etats-Unis. Aucun vaccin n'est exigé. Une bonne prévention consiste surtout à souscrire à une assurance supplémentaire tous risques (avec rapatriement) avant votre départ. Contactez votre assurance personnelle (mais peu maintiennent leurs droits aux Etats-Unis) ou votre agent de voyages qui vous renseigneront. En effet les coûts d'hospitalisation et visites chez un médecin sont terriblement élevés. Il existe de nombreux centres de soins, mais si vous êtes malade ou blessé (sans trop de gravité), ne vous rendez pas aux urgences (emergency) *d'un hôpital, qui pratiquent des tarifs exorbitants. Tentez plutôt les* « urgent care clinics » *ou un médecin privé. Emportez une petite pharmacie avec vos médicaments personnels. Dans les nombreux drugstores et supermarchés, vous pouvez acheter des médicaments et produits de soins qui ne nécessitent pas d'ordonnance (pour les plaies, maux de tête, problèmes dentaires, grippe, rhume, toux...). Particulièrement l'été, protégez votre peau avec des crèmes solaires ayant des indices de protection élevés. Le soleil est extrêmement fort sans que l'on s'en rende compte. Buvez énormément d'eau afin d'hydrater votre corps.*

• Personnes handicapées

Il est très facile de voyager aux USA tant les infrastructures publiques tiennent compte des personnes ayant des difficultés pour se déplacer, notamment celles en fauteuil roulant. Accès possibles dans les hôtels, restaurants, parcs d'attractions, parcs nationaux, cinémas, transports publics, etc. La plupart des distributeurs de billets dans les banques sont en braille.

• 21 ans

C'est l'âge légal pour jouer au casino, pour acheter ou consommer de l'alcool et entrer dans les bars et clubs. Une pièce d'identité (ID, prononcez *« aïe-di »*) est réclamée à l'entrée des établissements. Ne l'oubliez pas, ils sont le plus souvent intraitables.

• Taxe

Jamais comptée sur le prix affiché, elle varie autour de 6 à 6,5 %. Dans les hôtels elle est de 11,5 %.

• L'argent

La monnaie officielle est le bien connu billet vert : le dollar, représenté par le signe $. Vous trouverez des billets de $100, $50, $20, $10, $5, $2 et $1. Attention, ils ont tous la même couleur et le même format, seul le montant diffère et il n'est pas rare de se tromper. Le dollar se divise en *cents* : 25 *(quarter)*, 10 *(dime)*, 5 *(nickel)* et 1 *(penny)*... Désormais, la pratique de l'euro vous facilitera la tâche, la monnaie européenne s'approchant du dieu dollar pour son fractionnement voire sa parité selon les fluctuations du dollar américain.

• Change

Les banques et bureaux de change convertissent chèques de voyage et espèces. Aucun souci car ces établissements foisonnent aux Etats-Unis. Il est toutefois recommandé de se munir de dollars avant votre départ. Si vos chèques de voyage sont libellés en dollars, vous pouvez directement les utiliser dans de nombreux restaurants, hôtels et grands magasins.

• Cartes de crédit

On peut simplement dire que la carte de crédit aux Etats-Unis équivaut à un laissez-passer pour tout faire. Indispensable pour louer une voiture, réserver par téléphone... elle s'utilise de partout et pour tout. Les cartes *Visa Internationale, EuroCard Mas-*

terCard et *American Express* sont les plus répandues. *EuroCard MasterCard* procure une assurance rapatriement. Une carte *Gold* ou *Premier* permet de bénéficier de l'assurance tous risques lors de la location d'un véhicule. Renseignez-vous auprès de votre banque pour vérifier les modalités. Les distributeurs automatiques de retraits (ATM) sont disponibles dans les banques mais également dans les épiceries, grands magasins, stations-service, centres commerciaux, parcs d'attractions... Vous avez un seuil maximal de retrait par semaine. Renseignez-vous auprès de votre banque. Lorsque vous payez avec une carte de crédit, pensez à déchirer le carbone pour éviter tout problème d'imitation de signature.

• Pourboire

Laissez entre 15 et 20% au restaurant, le service n'étant pas compris dans votre addition. Le pourboire représente le complément de salaire des serveurs qui ont un fixe inférieur au revenu minimum.
Un pourboire de 10% pour les taxis est raisonnable.
ATTENTION : *à Miami surtout, et dans les endroits très touristiques, le service de 15% est de plus en plus compté dans la note. Vérifiez pour ne pas payer deux fois !*

• Poste

Les gros conteneurs bleus que l'on assimile souvent à des poubelles, à première vue, sont en fait les boîtes aux lettres. En ville, elles sont situées à l'angle des rues, sur les trottoirs. Vous trouverez des timbres et tout autre service d'expédition dans les agences de l'*US Postal Service* (US Mail). Les timbres (33 cents pour les Etats-Unis) peuvent également être achetés aux caisses des supermarchés ou dans les distributeurs automatiques de billets (ATM) de certaines banques. Le tarif pour une carte postale vers l'étranger est de 50 cents (40 cents pour le Canada et le Mexique) et environ 60 cents pour une lettre. Il faut compter environ une semaine pour l'Europe.
Vous pouvez recevoir du courrier en poste restante dans le bureau de poste de votre choix qui le gardera pendant dix jours. L'expéditeur devra mentionner *« General Delivery »* sur l'enveloppe. Pour que le courrier soit conservé plus longtemps, faire indiquer sur l'enveloppe : *« Hold for arrival »*.

• Téléphone

Le code des Etats-Unis est le 1. Les numéros commençant par 800 et 888 sont gratuits depuis le territoire américain.

Little Havana : figurines de joueurs de dominos.

De France vers les Etats-Unis : 00 1 + code de région (3 chiffres) + numéro (7 chiffres)
Exemple : 00 +1 + 305 + 555 1212
Des Etats-Unis vers l'étranger : 0 11 + code du pays + numéro.
Exemple vers la France : 0 11 + 33 + numéro (sans le 0 initial)
A Miami : pour les appels locaux, il faut composer le 305 avant les sept chiffres du numéro. Ailleurs, pour tout appel local, composer uniquement les sept chiffres du numéro. Pour tout autre appel non local : 1 + code de région + 7 chiffres.
Pour les renseignements locaux, composer le 411.

Le long de la côte atlantique.

Les renseignements « longue distance » : 1+ code région + 555 1212
et les renseignements des numéros gratuits : 1+ 800 + 555 1212

Pour téléphoner, plusieurs possibilités :
- Des hôtels, mais cela reste toujours la solution la plus chère.
- Des téléphones publics *(pay phone)* avec des pièces de monnaie. Très pratique pour les appels locaux (35 cents, parfois plus) mais pour les appels internationaux le nombre de pièces requis est astronomique.
Préférez donc les diverses cartes qui s'utilisent également à partir des *pay phones* ou de n'importe quel téléphone :
- Carte prépayée *(prepaid phone-cards* de $5, $10, $20, $50) que vous trouvez en vente dans les boutiques, supermarchés, aéroports, hôtels. Très pratique, il suffit de suivre les instructions au dos de la carte : composer un numéro commençant souvent par 1-800, puis taper le code confidentiel inscrit sur votre carte puis le numéro à appeler. Un répondeur indique votre crédit minutes restant pour un appel local ou international.
- Carte France Télécom. Pour téléphoner depuis l'étranger vers la France. Vous serez débité directement sur votre facture France Télécom habituelle. Depuis les Etats-Unis, composer les numéros gratuits suivants pour entrer en contact avec un serveur vocal français : 1 800 5372 623 ou 1 800 4737 262 ou 1 800 9372 623.
- Pour obtenir la carte en France, téléphoner au 08 00 20 22 02.

- Le PCV : pour obtenir France Télécom gratuitement depuis les Etats-Unis (l'opérateur parle donc français), composer le 1 800 5372 623 ou pour le mémoriser facilement 1 800 5FRANCE.
Le PCV *(collect call)* par un opérateur américain : composer le 0 à partir de n'importe quel téléphone.

Geste quotidien devant le distributeur de journaux.

• Fax

Il est facile d'envoyer des fax, depuis votre hôtel ou dans les centres de photocopies et les boutiques d'expédition (comme *Mail Boxes)*...

• Internet

Si vous disposez d'une adresse e-mail, vous pouvez vous connecter facilement pour consulter ou envoyer des messages ou surfer sur le « web ». Les boutiques multi services comme *Kinko's* (10 $/heure), les cybercafés, les bibliothèques publiques, certains hôtels... offrent des accès à Internet.

• Laundry = laverie

A pièces ou à cartes, aucune difficulté pour laver son linge. Chaque quartier possède sa *« laundry »*.
Possibilité de déposer son linge et de le récupérer quelques heures plus tard ou simplement de patienter en jouant (billard, flippers...) comme il y en a souvent dans les lavomatics.

• Journaux

Il existe des journaux diffusés dans tout le pays comme le *New York Times,* le *Washington Post,* le *Wall Street Journal* et *USA Today.* Chaque grande ville dispose d'un ou deux grands journaux régionaux. A Miami, le *Miami Herald* et les journaux en espagnol *Nuevo Herald* et *El Diario Americas.* Il existe également de nombreux journaux indépendants, souvent gratuits distribués dans les cafés, les boutiques... Parmi les articles, de bonnes critiques des restaurants, des spectacles et de la politique.
Journaux français & européens : A Miami Beach, au *News Café* sur Ocean Drive.

• Vidéo — Photo

Le système vidéo américain est NTSC, différent de celui appliqué en Europe (PAL/Secam). N'achetez donc pas de cassette vidéo pré-enregistrée si vous ne possédez pas un magnétoscope multistandard ou NTSC.
Mais vous pouvez acheter des cassettes vierges pour votre caméscope et filmer vos vacances sans aucun problème.
Les films photographiques sont en vente dans tous les drugstores, supermarchés, boutiques touristiques... Le développement des photos peut également se faire rapidement pour un prix inférieur à celui pratiqué en France.
Attention, les films diapositives ne se trouvent pas aussi facilement, procurez-les vous dans des magasins spécialisés de photos. La lumière étant très intense, prenez des films « lents », 100 ASA par exemple.

• Electricité

Le courant électrique est de 110 volts (60 Hz). Les prises sont formées de deux broches plates ou deux plates et une ronde. Les adaptateurs de prise se trouvent facilement dans les magasins *« Radio Shack »*.

Panneau du film « African Queen » avec Bogart et Hepburn, balade possible sur le vrai bateau.

• Poids, mesures, températures, altitude

Poids : 1 once = 28,35 grammes
1 pound = 453,6 g
Longueurs : 1 inch (pouce) = 2,54 cm
1 foot (pied) = 30,48 cm
1 yard = 0,914 m
1 mile = 1,6 km
Capacités : 1 gallon = 3,785 litres
Températures : Pour convertir les degrés Fahrenheit en Celsius, enlever 32 et diviser par 1,8 !

Quelques correspondances :

°F	°C
104	40 (fièvre)
98,6	37
86	30
75,2	24
50	10
32	0 (gel)
17,6	- 8

• Horaires

Les journées sont continues dans la plupart des commerces (de 9-10 heures à 19 ou 21 heures dans les centres commerciaux), banques, administrations, postes (de 9 à 17 heures). Les supermarchés des grandes villes, les stations-service, les

clubs de forme sont généralement ouverts 24h/24. A part les banques et administrations, presque tout est ouvert le dimanche.

• Calendrier des fêtes nationales

Jours fériés pour les banques, administrations, écoles et postes.

1er janvier : New Year's Day

3e lundi de janvier : Jour de *Martin Luther King, Jr*

3e lundi de février : *Presidents' Day* = Jour des Présidents

Mars ou avril, *Easter* = Pâques : le lundi est férié

Dernier lundi de mai : *Memorial Day*

4 juillet : *Independence Day* = Fête de l'Indépendance

1er lundi de septembre : *Labor Day* = Fête du Travail

2e lundi d'octobre : *Columbus Day* = Journée de Christophe Colomb

4e jeudi de novembre : *Thanksgiving*. Les Américains font généralement le pont jusqu'au dimanche. Une des fêtes les plus importantes outre-Atlantique qui veut rendre hommage aux premiers colons. Plus que Noël, c'est l'occasion de réunir toute la famille éparpillée aux quatre coins du pays, autour du repas traditionnel : dinde, purée de potiron, patates douces, pain de maïs et gelée d'airelles (en souvenir des présents offerts par les Indiens aux premiers émigrants après leur centième jour de présence dans le Massachusetts).

25 décembre : *Christmas Day* = Noël

• Fêtes culturelles

Elles sont souvent liées aux populations d'origine étrangère : se renseigner dans les « Visitors' Centers » et voir le chapitre *« Fêtes culturelles et événements »*.

• Les transports

- La voiture : Votre permis de conduire français est valable pour conduire et louer une voiture aux USA. Si vous êtes deux ou plus, la voiture s'avère être une excellente solution. A vous le loisir de sillonner les grands espaces et de gérer votre temps pour découvrir la Floride. Les voitures sont presque toutes automatiques.
1 mile = 1,6 kilomètre. 1 gallon = 3,785 litres. La vitesse est limitée à 25 miles/h dans les villes et villages et à 15 mph dans les zones scolaires pendant les heures de classe. Sur les routes et autoroutes, entre 55 et 75 mph, cela varie selon les secteurs, suivez les indications des panneaux. Attention, toute conduite en état d'ivresse est très sévèrement réprimée (fortes amendes et prison).
Pour louer une voiture, il faut : Une carte de crédit internationale. Si en plus vous possédez une carte *Gold* ou *Premier*, l'assurance tous risques (LDW ou CDW) est prise en charge. Vous réduisez ainsi de manière conséquente le coût de location. (Vérifier les modalités auprès de votre banque). Etre âgé de 25 ans et posséder un permis de conduire (les permis étrangers sont acceptés). Toutefois, l'agence Alamo (Tél. : 0 800 44 78 07) accepte de louer à des conducteurs ayant entre 21 et 24 ans mais à un tarif plus élevé. (environ 20$/jour en plus).

Halloween

Halloween est célébré le 31 octobre dans toutes les villes américaines. En Floride, celle de Key West est très réputée car les gays de la ville défilent en une parade extravagante de « drag queens ».
Cette fête, à la veille de la Toussaint, serait d'origine celte. Pour eux, les esprits revenaient sur terre le 31 octobre (qui marquait la fin de l'année) pour tourmenter la population jusqu'à obtenir de la nourriture. Ce sont les Irlandais qui importèrent cette tradition aux Etats-Unis vers 1840. Aujourd'hui, on allume des grands feux de joie et on vide les citrouilles (pumpkin), on leur découpe des yeux, un nez, une bouche et l'on place dedans une bougie allumée. Le soir venu, les enfants, déguisés et grimés en sorcières, fantômes et tout ce qui peut faire peur, munis de leur citrouille font la tournée des maisons pour faire des farces. Ils lancent alors la phrase magique, « Trick or Treats » (une farce ou des sucreries). On leur remet bonbons, chocolats et ils partent vers une autre « victime ».

Les tarifs sont dégressifs selon la durée de location. Si vous envisagez un long parcours, optez pour l'option kilométrage illimité, souvent la plus intéressante.
Réserver une voiture depuis la France est plus économique et plus simple si vous ne maîtrisez pas l'anglais. Vous pouvez le faire dans une agence de voyages ou dans une compagnie internationale de location de voitures. Emporter en voyage TOUS les documents prouvant que vous avez réservé et la carte de crédit avec laquelle pratique à l'arrivée avec tous les bagages. Comparer les prix entre les différentes agences, il peut y avoir de grandes différences. Les compagnies les plus économiques à contacter (numéros gratuits) étant : *Alamo*, (800 327 9633) ; *Budget*, (800 527 0700) ; *Dollar*, (800 800 4000) ; *Thrifty*, (800 367 2277).
Plusieurs types d'assurances vous sont proposés : l'assurance Responsabilité Civile, « LIS, Liability Insurance Supplement » à laquelle vous devez souscrire et l'assurance

Sortie en trolley et limousine ou « hummer ».

vous avez payé. Au moment de prendre la voiture, les taxes locales et les assurances seront rajoutées au prix initial.
Parmi les plus économiques, **Alamo** dont le numéro est le **0-800-44-78-07**.
Louer sur place : à l'aéroport, les tarifs sont sensiblement plus chers qu'en centre-ville, mais chaque compagnie propose un système de navette gratuite jusqu'à leur parc automobile, ce qui s'avère

Tous Risques, « LDW, Loss Damage Waiver ou CDW, Collision Damage Waiver », facultative. Il est toutefois préférable de la prendre. Si vous possédez une carte bancaire *Gold* ou *Premier*, cette assurance est prise en charge. **(Vérifier les modalités auprès de votre banque).** Moyennant un supplément (très variable selon les villes), il est parfois possible de louer une voiture dans une ville et de la laisser dans une autre (option *« one-way rental »*).

- Les bus

La compagnie *Greyhound* possède un réseau d'autobus très bien organisé sillonnant tous les Etats-Unis. Vous pouvez vous déplacer d'une ville à l'autre facilement. Sachez toutefois que les distances sont longues. Si vous envisagez de nombreux trajets en bus, renseignez-vous pour obtenir l'*Ameripass* : Forfaits Greyhound de différentes durées pendant lesquelles vous pouvez prendre le bus autant de fois que vous le désirez. Renseignements Ameripass dans les gares routières Greyhound des villes principales comme Miami ou Orlando ou en France avant votre départ à *Council Travel,* 1 place de l'Odéon, 75006 Paris. Tél. : 01 44 55 89 80. Les bus sont relativement confortables avec toilettes et air conditionné. Entre deux grandes villes, les départs sont très fréquents, ce qui n'est pas le cas pour des destinations moins courues. Certaines liaisons sont directes (et donc préférables même si le prix est un peu plus élevé), d'autres, avec arrêts, genre omnibus.

- L'avion

Excellente solution pour se déplacer dans cet immense pays. Toutes les villes disposent d'un aéroport, les vols intérieurs fréquents et les tarifs abordables. Plus tôt vous réservez, plus vous obtenez de meilleurs prix. (7, 14, ou 21 jours à l'avance).

Regardez les pages « *Travel* » du journal local du dimanche qui indiquent les offres spéciales, mais il faut être à l'affût, le nombre de places étant toujours limité. Utilisez également Internet pour vos recherches ou contactez directement les compagnies (numéros gratuits des Etats-Unis, sites web) ou une agence de voyages. Les prix changent quotidiennement.

Agences sur le web :

www.anyway.fr - www.cheaptickets.com - www.lowestfare.com www.travelprice.com - www.statravel.com - www.counciltravel.com

Les grandes compagnies aériennes américaines et Air France proposent des systèmes de « Pass » que vous pouvez acheter directement en France. Si vous envisagez de ne visiter que la Floride, ces forfaits ne sont pas très utiles. Renseignez-vous auprès de chaque compagnie ou dans les agences de voyages pour les modalités exactes.

- Le train

Amtrak est la principale compagnie ferroviaire des Etats-Unis. Vous pouvez obtenir des « pass » (utilisation illimitée du train sur une période donnée) aux Etats-Unis dans les agences représentant Amtrak sur présentation de votre passeport, ou en France chez votre agent de voyages. Consultez le site web pour de nombreuses informations : www.amtrak.com ou 800-USA-RAIL

Les trains américains sont confortables et le coût légèrement plus élevé que les bus (toutefois, sur les longues distances, l'avion reste plus intéressant). Les grandes lignes ne desservent que les grandes villes, reliées ensuite par un système de bus ou de trains réguliers. Il existe une ligne, « Silver Service Line » qui va de Miami vers le nord en remontant toute la côte est de Floride. Miami et ses environs est desservie par un réseau Tri-Rail, *comparable au RER parisien.*

• Loisirs

Paradis des sports aquatiques comme **le canoë** dans le splendide labyrinthe des Everglades (99 mile Wilderness Waterway), **le kayak de mer**, **le surf**, **la planche à voile**, **la plongée sous-marine** (spécialement dans les Keys), **la pêche au gros**... Tous ces loisirs se pratiquent aisément dans de nombreux endroits. Pour chaque activité, vous trouverez toujours du matériel de location.

Le golf : des parcours dans toute la Floride, parmi les plus beaux des USA.

Le vélo : pour trouver les meilleures informations sur les parcours de la région, adressez-vous aux vendeurs des boutiques spécialisées dans la vente (et souvent location) de matériel de vélo ou dans les magasins à orientation « outdoor ». Les villes s'équipent de plus en plus de pistes cyclables et c'est un moyen pratique et agréable de les visiter. A Miami et le long des immenses plages vous pouvez, en vélo, vous mêler à la population quotidienne de cyclistes, joggers, patineurs... A Key West, tout le monde se déplace en vélo.

Si vous recherchez l'ivresse de la **chute libre** mais n'osez pas faire un saut en parachute, vous pouvez vivre des sensations similaires au centre de **SKYVENTURE** d'Orlando (Tél. : 407-363-9008 ; Fax : 407-363-9005).

HÉBERGEMENT

Pour satisfaire les petits budgets : les auberges de jeunesse, les campings et certains motels. Pour les autres, le choix est immense : motels de catégories moyenne et supérieure, hôtels très luxueux, Lodges et Bed & Breakfast.

Les campings d'Etat (dans les *State Parks*) sont économiques. Les commodités varient selon les parcs. Ils sont généralement situés dans de charmants lieux et fonctionnent sur le mode de : « premier arrivé, premier servi ». Informations : www.reserveusa.com

Les **campings des parcs nationaux** sont très bien organisés. Renseignez-vous immédiatement auprès du bureau des *Rangers* pour la disponibilité. Les emplacements sont grands et aménagés chacun d'une table, de bancs et d'un coin barbecue. Des douches chaudes et autres commodités sont à disposition. Informations et réservations : www.nps.gov

Les **campings privés** sont plus chers selon leurs prestations : piscine, épicerie, laverie, restaurants, terrains de sports... Sites web pour les campings du réseau Destinet : www.destinet.com

Toutes les grandes villes américaines abritent des **auberges de jeunesse**. Celles-ci sont répertoriées dans le site : www.hostels.com/us.html.

Renseignements en France pour l'Hostelling International auprès de la Fédération Unie des Auberges de Jeunesse (FUAJ) : 27 rue Pajol 75018 Paris. Tél. : 01 44 89 87 27. Fax : 01 44 89 87 49.

Motels : ils font partie du décor américain. Le long des autoroutes, aux abords des grandes et petites villes, proches des sites touristiques... enfin presque partout, vous trouverez de nombreux motels dotés de parkings. Toute l'année, sans réservation, il est possible de se loger dans des établissements un peu excentrés des centres d'intérêts touristiques. Vous pouvez effectuer votre choix sur place. Les plus économiques sont gérés par des chaînes comme : Motel 6, Quality Inn, Days Inn... Surveillez les publicités le long des routes annonçant les prix. Une chambre comprend généralement 2 lits de grande taille. La décoration est parfois désuète mais la propreté toujours correcte. Hors « haute » saison, vous pouvez tenter de négocier les prix. Best Western, Travelodge et Comfort Inn offrent des prestations de meilleure qualité (Café, piscine, laverie, chambres de grande dimension...)

Hôtels et Resorts : installés le plus souvent sur les sites touristiques, leurs tarifs sont plus élevés que ceux des motels mais ils proposent de nombreuses prestations de qualité. Les chaînes internationales d'hôtels de luxe sont présentes dans toutes les grandes villes.

Bed & Breakfasts (B&B) : Chaque grande ville et certains villages possèdent des B&B, tous très typiques et uniques. Si vous souhaitez faire escale dans une vieille maison restaurée, avec un décor victorien, un confort de qualité, le thé à 17 heures et un petit déjeuner copieux, réservez dans un B&B. Saint Augustine et Key West, entre autres, abritent de somptueuses demeures de charme.

Nous indiquons ci-après les établissements qui ont retenu notre attention, pour la qualité des prestations, le prix, le site, la décoration ou l'originalité. La mention (R) indique qu'il est préférable de réserver à l'avance.

***CONSEILS** : Si vous arrivez en voiture et que vous souhaitez résider dans le centre de Miami ou à Miami Beach, optez pour un hôtel avec parking, car le stationnement dans les rues ou dans les parkings privés coûte très cher.*
Les numéros commençant par 800 ou 888 sont gratuits aux USA.

MIAMI BEACH

Tout y est un peu plus coûteux que partout ailleurs en Floride.

Auberge de Jeunesse Internationale *(Hosteling International) ($20 A $40)*
Clay Hotel & International Hostel : *1438 Washington Av; Tél. : 305-534 2988; Fax : 305-673 0346. A l'angle de Española Way. Splendide ancienne demeure de style espagnol.*

Economiques mais tout est relatif à Miami Beach !!! (entre $45 et $60)
Berkeley Shore Hotel : *1610 Collins Av; Tél. : 305-531 5731*
Carlton Hotel. *1433 Collins Av; Tél. : 305-538 5741/800-722 7586*

Le splendide hôtel Albion à Miami Beach.

Bed and breakfast *le long de la Miami River.*

Modérés *(entre $70 l'été et $140 l'hiver)*
Kenmore Hotel : *1050 Washington Av; Tél. : 305-674 1930, fax : 305-534 6591. Beaux détails Art Déco.*
Beach Paradise Hotel : *600 Ocean Drive; Tél. : 305-531 0021/800 258 8886; fax : 305-674 0206, très bien situé et très plaisant.*

Moins chers dans la catégorie chère (de $90 à $150 l'été et de $110 à $200 l'hiver). Pour être au cœur de l'animation de South Beach, sur Ocean Drive...
Albion Hotel (South Beach). *1650 James Av. À l'angle de Lincoln Road; Tél. : 305-913-1000; Fax : 305-674-0507; www.RubellHotels.com; reservations@rubellhotels.com*
Un bel hôtel Art Déco réputé pour les parties du samedi soir dans ses jardins et autour d'une piscine assez unique à Miami Beach car dotée de hublots.
Le personnel est d'une grande gentillesse et ne « se la joue pas » contrairement à

Beach House, Bal Harbor, Miami.

d'autres à South Beach. Une excellente adresse.

Avalon Hotel : *700 Ocean Drive ; Tél. : 305-538 0133/800-933 3306 ; Fax : 305-534 0258. Building de 1941, style Art Déco.*

Cavalier Hotel : *1320 Ocean Drive ; Tél. : 305-534 2135.*

Colony Hotel : *736 Ocean Drive ; Tél. : 305-673 0088/800-226 5669, Fax : 305-532 0762.*

Très chers (à partir de $300 la chambre double)

The National Hotel : *1677 Collins Av ; Tél. : 305-532 2311 ; Fax : 305-534 1426. Splendide édifice et mobilier de style Art Déco, un des plus beaux de Miami Beach. La piscine, long ruban bleu, s'étire sur 100 m jusqu'à la plage... Personnel éminemment sympathique.*

The Tides : *1220 Ocean Drive ; Tél. : 305-604 5070, Fax : 305-605 5180. Dominant la plage et Ocean Drive, chaque chambre dispose d'un télescope... Une magnifique façade Art Déco et un design très moderne.*

Cardozo Hotel : *1300 Ocean Drive ; Tél. : 305-535 6500 ; Fax : 305-532 3563.*

Delano Hotel : *1685 Collins Av. Tél. : 305-672 2000/800-555 5001. Très bel édifice Art Déco et décoration intérieure signée Philippe Stark. Un personnel à vrai dire peu sympathique. Y prendre un verre suffit pour admirer la déco notamment du Sushi Bar, inouïe il faut l'avouer. Chambres petites. Hôtel de l'empire Ian Schrager.*

NORTH MIAMI - SURFSIDE - BAL HARBOUR

Beach House Bal Harbour : *9449 Collins Av ; Tél. : 305-535 8600 ; Fax : 305-535 8601 ; www.RubellHotels.com ; reservations@rubellhotels.com ;*
Très beau complexe pourvu d'une grande piscine et d'une plage privée ; la décoration est faite par l'équipe de design de Ralph Lauren. Ambiance familiale et décontractée.

MIAMI DOWNTOWN/MIAMI RIVER

Miami River Inn : *119 SW South River Drive ; Tél. : 305- 325 0045 ; Fax : 305-325 9227. Une oasis dans le cœur de la ville le long de la Miami River. Très bon accueil dans ce B&B, classé au patrimoine local ; végétation luxuriante, piscine, jacuzzi... de $70 à $130 l'été, et de $90 à $150 l'hiver.*

Mandarin Oriental & Spa :
601 Brickell Key Drive ; Tél : 305-913-8288 ; www.mandarinoriental.com
Ouvert en mars 2001, cet hôtel de grand luxe en plein cœur du quartier des affaires offre tout le confort et un espace zen de spa et soins.

KEY WEST

La petite cité regorge d'établissements pour tous les porte-monnaie. Les prix varient et sont négociables selon la saison, les jours de semaine ou le week-end... Pour vivre pleinement l'ambiance de l'île, le choix d'un B&B s'avère être une expérience inoubliable. Quelques B&B et « Guesthouses » sont réservés exclusivement aux gays.

Camping (de $35 à $45)
Jabour's Trailer Court : *223 Elizabeth Street ; Tél. : 305-294 5723*

Economiques (entre $45 et $60). Toutes les chaînes de motels sont *représentées à l'entrée de la ville.*

Modérés ($55 à $130)
Southernmost Point Guesthouse : *1327 Duval Street ; Tél. : 305-294 0715. Belle maison victorienne, jardins tropicaux.*

Charmants et plus chers (de $80 à $140 et plus)
Key Lime Inn : *725 Truman Av ;*
Tél. : 305-294-5229 ; Fax : 305-294-9623 ; www.keylimeinn.com
Un de nos préférés à Key West.
Splendides bungalows de couleur pastel jaune ou bleu autour d'une piscine et d'un jardin tropical, à quelques pas de Duval Street. Beaucoup de charme et un excellent accueil. Des bicyclettes en location sur place.
B&B. Red Rooster : *709 Truman Av ; Tél. : 305-296 6558 ; Ambiance accueillante dans une belle maison proche du centre.*
B&B. Frances St Bottle Inn : 535 *Frances Street ; Tél. : 305-294 8530.*
The Merlinn Inn : *811 Simonton street ; Tél. : 305-296 3336 ; Fax : 305-296-3524 ; www.merlinnkeywest.com*
Décoration en bambou, piscine et jardins. (Même gestion que le Key Lime Inn).
The Rainbow House : *Tél. : 305-292 1450 ; Réservé aux femmes, « gays » ou non . Piscine, jacuzzi, terrasses et bonne ambiance.*
Atlantic Shores Resort : *510 South Street ; Tél. : 305-296 2491 ; Ouvert à toute clientèle. Piscine (maillot non obligatoire !)*
Coconut Grove : *817 Fleming Street ; Tél. : 305-296 5107 ; Clientèle « gay ». Piscine (maillot non obligatoire !), jacuzzi.*

KEY LARGO

Camping ($25 à $30)
John Pennekamp Coral Reef State Park ; *Tél. : 305-451 1202.*

Cher mais unique et très original
Jules' Undersea Lodge : *Key Largo Undersea Park ; 51 Shoreland Drive ; Tél. : 305-451 2353 ; Fax : 305-451 4789 ; Site web : www.jul.com. Seul hôtel sous-marin du*

Key Lime Inn, piscine et bungalows à Key West.

monde. On y accède avec des bouteilles de plongée ! Plusieurs formules de $225 à plus de $1 000.

Luxe et cher (de $250 à $450, selon la vue)
Westin Beach Resort : *Tél. : 305-852 5553*

EVERGLADES NATIONAL PARK

Flamingo Lodge, Marina Outpost Resort. *Flamingo. Tél. : 800-600 3813. Au cœur du parc, motel ou bungalows, magasins, locations et tours de bateaux...*

ORLANDO

La plupart des logements se situent à l'extérieur du « downtown », notamment à Kissimmee, dans la banlieue sud d'Orlando, le long de la route 192, proches des parcs de Disney. Nous ne citerons pas d'adresses particulières car **une multitude de motels** plus ou moins identiques se font concurrence. Le choix est immense et les prix intéressants (à partir de $25).

Campings
KOA : *une chaîne de campings très bien équipés. 12343 Narcoossee Road; 1 mile au sud de la route US 417 à la sortie 22. ($20)*
KOA Kissimmee : *4771 West, Route 192. ($25)*

WALT DISNEY WORLD RESORT

Du camping au grand hôtel de luxe et à la location de villas, une palette de logements est proposée sur les terres de Disney. Les meilleurs tarifs sont inclus dans les forfaits comprenant également l'entrée des divers parcs d'attractions.
Quelques avantages à dormir chez « Mickey » : ouverture des parcs 1 h 30 avant l'ouverture générale au public, transports rapides grâce aux monorails...
Consulter le site www.disney.go.com/DisneyWorld, pour toutes réservations et tarifications.

CELEBRATION

A quelques kilomètres des parcs d'attractions mais au calme, comparativement à la route 192, se dresse la nouvelle petite cité de Celebration très coquette, imaginée par le groupe Walt Disney. Dans cette ville décor, le Celebration Hotel propose des chambres spacieuses, avec vue sur le lac. *700 Bloom Street; Tél. : 407-566 6000; Fax : 407-566 1844. Site web : www.celebrationhotel.com*

CAPE CANAVERAL

Quality Inn Kennedy Space Center : *3755 Cheney Hwy, Titusville; Tél. : 407-269-4480*

DAYTONA BEACH

Les **motels économiques** se situent tous le long de Atlantic Av. Les prix sont très concurrentiels, donc très bas, excepté lors de manifestations exceptionnelles, comme les célèbres courses automobiles.
Parmi eux, le **Sun & Surf Motel** : *726 North Atlantic Av; Tél. : 904-252 8412.*

B&B : (entre $60 et $100)
Live Oak Inn B&B : *444-448 South Beach Street; Tél. : 904-252 4667; Fax : 904-239 0068.*

Plus onéreux ($100 et plus)
Radisson Resort Daytona Beach : *Grand luxe, piscine et plage privée. 640 North Atlantic Av; Tél. : 904-239 9800.*

SAINT AUGUSTINE

Economiques : *Entre $40 et $55, de nombreux motels le long de San Marco Av. et Anastasia Blvd.*
En ville : **Edgewater Inn**, *au bout du pont des Lions à l'angle de Anastasia Blvd et St Augustine Blvd., est une valeur sûre. Tél. : 904-825 2697.*

B&B : Pour apprécier tout le charme de cette ville, optez pour un B&B. Le choix est immense et la qualité exceptionnelle pour la plupart d'entre eux. Les maisons, magnifiquement restaurées, sont situées dans la vieille ville. Renseignez-vous auprès du « Visitor Bureau » pour la liste complète des B&B.
Old Powder House Inn : *38 Cordova Street; Tél. : 904-824 4149; De $70 à $170, selon la saison et en semaine ou le week-end.*

Secret Garden Inn : *56 Charlotte Street; Tél. : 904-829 3678. De $100 à $130.*

TAMPA

Camping : Pour un meilleur rapport qualité – prix, optez pour le **Hillsborough River State Park** à 9 miles au nord de Tampa. *15402 North Route 301; Parc d'Etat où l'on peut faire de belles balades et du canoë.*

Economiques (entre $35 et $50)
Economy Inn Express : *830 West JF Kennedy Blvd; Tél. : 813-253 0851; Proche de l'Université. Très bons services.*
Motel 6 Busch Garden : *333 East Fowler Av; Tél. : 813-932 4948.*

Plus cher (entre $150 et $200)
Hyatt Regency : *2 Tampa City Center; Tél. : 813-225-1234.*

SANIBEL ISLAND

West Wind Inn : *3345 Gulf Drive; Tél. : 941-472 1541*
Email : www.inn@westwindinn.com . Site web : www.westwindinn.com
Bel hôtel avec longue plage de sable blanc et piscine; location de bicyclettes sur place. Excellent accueil.

PENSACOLA

Camping
Big Lagoon State Park : *Parc d'Etat, donc économique dans un cadre splendide de nature. Plages de sable blanc et fin. 12301 Gulf Beach Hwy; Tél. : 850-492 1595.*

Economique
Civic Inn : *200 N. Palafox Street; Tél. : 850-432 3441.*

Modérés
Five Flags Inn : *299 Fort Pickens Road; Tél. : 850-932 -3586. De $40 à $50 en hiver et de $80 à $90 en été. Chaque chambre a vue sur les eaux turquoise du golfe du Mexique et sur la splendide plage.*
Bay Beach Inn : *51 Gulf Breeze Pkwy; Tél. : 850-932-2214.*
Hôtel tout confort de la chaîne Holiday Inn, il se trouve très bien situé, offre une piscine et un excellent restaurant avec terrasse et jardin, le « Bon appétit Waterfront Café ».

Chic et cher ($100 et plus en été)
Hampton Inn *: 2 Via de Luna; Tél. : 850-932 6800; Chambres avec vue sur mer.*

Hublot de la piscine de l'hôtel Albion. Pages suivantes : tickets d'entrée, Walt Disney World. Fabriquant de cigares. Propriétaire d'une boutique de souvenirs et d'artisanat cubain.

Walt Disney World.
Walt Disney World.

PILON
ANA
la®
Lime Cola"
HAVANA

Index

index

BIBLIOGRAPHIE

André Kaspi, *Histoire des Etats-Unis et Guerre de Sécession*
Alison Lurie, *Un Eté à Key West*
Les romans de Michael Connelly
Marjorie Stoneman Douglas
Les romans d'Ernest Hemingway et de Tennessee Williams
Le policier *Micmac à Miami* de John MacDonald et son héros, le privé Travis McGee
Les romans de Marjorie Kinnan Rawlings, notamment *Jody et le faon (The Yearling)*, prix Pulitzer

REMERCIEMENTS

Nous tenons tout particulièrement à remercier **Patrick Batteux, Philip L. Chryst, Brigitte Gersant** et **Séverine Mangin** (Express Conseil) pour leur aide, leur efficacité, leur gentillesse, leur énergie et leurs précieux conseils qui ont facilité notre travail sur le terrain.
Un grand merci également à toutes les équipes des Chambres de commerce et des *Convention Visitors Bureau* de Floride qui nous ont aidées à réaliser ce livre, notamment à :
Serena R. Sherard de Miami ; Leon Corbett et Terrie Glover de Tallahassee ; Stacy Garrett de Pensacola ; Nancy Hamilton de Lee Island Coast ; Geo Morales de Kissimmee ; Wit Tuttell de St Petersburg ; Didi Bushnell de Florida Keys ; Jay Humphreys de St Augustine ; Mary C. Kenny de Celebration.

LES AUTEURS

PASCALE BÉROUJON, photographe, et **SANDRINE GAYET,** co-fondatrices de l'association Globe-reporters, destinée à la création de reportages de voyages pour le grand public (E-mail : globereporters@aol.com), ont déjà réalisé pour les éditions La Manufacture les guides sur le Mexique, le Guatemala et le monde maya, la Californie où elles ont vécu plusieurs années, et préparent pour le même éditeur des ouvrages sur les Parcs de l'Ouest américain, la Namibie et la Finlande.
Pour les Créations du Pélican, elles cosignent deux livres sur le Beaujolais et le Périgord.

Compléments photographiques : Visit Florida, Fla USA.
Maquette : Anny Puget - St-Clément-de-Rivière
Cartographie : Marie d'Herbès - St-Gély-du-Fesc
Compogravure : Photogravure du Pays d'Oc - Montpellier / Nîmes
Imprimé en Union Européenne sur les presses de Beta.